PENDRAGON

4
Cauchemar virtuel

DANS LA MÊME SÉRIE

DÉJÀ PARUS

Pendragon n° 1, *Le Marchand de peur*

Pendragon n° 2, *La Cité perdue de Faar*

Pendragon n° 3, *La guerre qui n'existait pas*

D. J. MACHALE

BOBBY
PENDRAGON

4

Cauchemar virtuel

Traduit de l'américain par Thomas Bauduret

Jeunesse

ÉDITIONS DU ROCHER

Titre original : *Pendragon 4. The Reality Bug.*

La présente édition est publiée en accord avec l'auteur, représenté par Baror International Inc., Armonk, New York, États-Unis.

Tous droits de traduction, de reproduction et d'adaptation réservés pour tous pays.
© D. J. MacHale, 2003.
© Éditions du Rocher, 2005, pour la traduction française.
ISBN 2 268 05 3660

Pour ma sœur Patricia,
la véritable artiste de la famille.

Avant-propos

Chers lecteurs,

Il est temps de reprendre le flume.

Depuis la publication des premiers *Pendragon*, j'ai eu l'occasion de rencontrer pas mal de mes lecteurs, et ils ne cessent de me poser la même question : Bobby retrouvera-t-il un jour sa famille et son oncle Press ?

Bonne question. *Très* bonne question. Mais motus et bouche cousue.

En fait, si chaque volume de la série contient une aventure complète, elle n'est qu'une partie d'une histoire bien plus importante. Celle des Voyageurs, de Saint Dane et de leur combat entre le Bien et le Mal pour le contrôle de Halla. Au fil des romans, on découvrira peu à peu l'origine des Voyageurs et pourquoi ils sont chargés de protéger Halla. Donc, je ne peux dévoiler tous mes secrets dès maintenant. Ce serait comme ouvrir ses cadeaux d'anniversaire avant la date et gâcher la surprise. Bon, ce n'est peut-être pas un bon exemple, puisque anniversaire ou pas, tout le monde aime déballer ses cadeaux, mais vous voyez ce que je veux dire, n'est-ce pas ?

Ce que je peux vous révéler, c'est que Bobby va grandir et en apprendre beaucoup sur la nature de l'existence et sur lui-même, mais dans son cœur, il n'oubliera jamais sa famille et son oncle Press. Je pense que vous comprendrez mieux après avoir lu *Cauchemar virtuel*. Ce volume réserve bien des surprises à Bobby et aux Voyageurs – et à vous, mes lecteurs. Mais je ne peux vous les révéler maintenant. Chaque chose en son temps.

Parce que c'est écrit.

Hobie-ho,
D. J. MacHale

SECONDE TERRE

... Il tira l'anneau de sa boîte et le passa à son doigt. Aussitôt, celui-ci se mit à tressauter. Bobby s'empressa de retirer sa main.

– Qu'y a-t-il ? demanda Mark.

– Il... est activé, répondit Bobby.

– Vraiment ? demanda Courtney. Tu veux dire... qu'il y a une porte non loin d'ici ?

La réponse vint d'elle-même. La pierre grise se mit à luire, puis à étinceler, et un seul rayon de lumière en jaillit pour projeter une image. La tête d'une jeune fille apparut soudain devant eux. De fait, « la tête » était une bonne description, vu qu'elle n'avait pas de corps. Ses cheveux blonds étaient ramenés en une queue de cheval et elle portait de petites lunettes teintées de jaune.

– Oooh ! fit Courtney.

– Comme tu dis, ajouta Mark.

– Aja Killian, murmura Bobby, époustouflé.

– Comment ? demanda Gunny.

– La Voyageuse de Veelox.

– Où étais-tu passé ? demanda l'image d'Aja. Ça fait des lustres que j'essaie de te contacter.

– Ce serait une longue histoire, répondit Bobby.

– Je m'en fiche, Pendragon, rétorqua Aja. Tu ferais bien de revenir sur Veelox.

– Pourquoi ?

– Je ne dis pas que j'ai commis une erreur, répondit Aja. C'est peut-être une fausse alerte, mais...

– Allez, crache le morceau ! dit Bobby.

11

– Bon, d'accord ! Il est possible que Saint Dane ait dupé mes systèmes de sécurité. Il est là, sur Veelox.

Bobby eut un sourire.

– Tu veux dire que ton système de sécurité infaillible n'est pas si parfait qu'il en a l'air ?

– Tu viens, oui ou non ? demanda Aja.

– J'arrive.

– Et ne traîne pas en route, fit-elle d'un ton désagréable.

Son image rentra dans l'anneau et le silence retomba.

– Eh bien, fit Courtney, c'était… étrange.

– Bon, je crois que je vais devoir partir pour Veelox, conclut Bobby. (Il se tourna vers Gunny :) Vous voulez venir avec moi ?

– Pas question de rater ça ! répondit-il en souriant. M. Nelson nous déposera dans le Bronx.

Bobby se retourna vers Mark et Courtney.

– J'ai vécu la plus belle semaine de ma vie, déclara-t-il avec sincérité.

Courtney marcha vers lui et, avant qu'il ait réalisé ce qu'elle allait faire, s'empara de lui pour planter un baiser prolongé sur ses lèvres. Bobby n'allait pas s'en plaindre. Une fois le choc dissipé, il l'entoura de ses bras et la serra contre lui.

C'était encore meilleur que dans ses souvenirs.

Mark et Gunny se détournèrent, pudiques.

– D'après vous, les Yankees ont une chance de gagner ? demanda Gunny.

Courtney et Bobby finirent par se séparer. Les yeux de Bobby étaient humides, mais le regard de Courtney était plus tranchant qu'un rasoir.

– J'espère qu'on n'attendra pas un an avant de recommencer, d'accord ?

– Heu… oui, fit Bobby en tentant de ne pas chanceler. C'est cool.

Mark et Courtney serrèrent tour à tour Gunny dans leurs bras, puis les deux Voyageurs partirent vers la limousine.

– N'oublie pas ce dont on a parlé, d'accord ? lança Mark.

– T'inquiète, répondit Bobby.

Pendant qu'ils marchaient vers la voiture, Gunny demanda :

– Comment tu te sens, fiston ? Je veux dire… Tu as repris, heu… tes esprits ?

Bobby ne répondit pas tout de suite. Il chercha d'abord les bons termes.

– J'ai l'impression que Saint Dane s'est joué de moi en Première Terre. Ça ne se reproduira pas.

Gunny eut un petit rire.

– Ce n'est pas drôle, dit Bobby.

Gunny fit un grand sourire.

– Je te jure, tu commences à parler comme ton oncle !

Bobby ne put s'empêcher de sourire, lui aussi. Puis ils montèrent à l'arrière de la grande voiture. Bobby baissa la vitre pour voir une dernière fois ses amis. Lorsque la limousine démarra, il sortit son bras pour les saluer.

Mark et Courtney regardèrent la voiture noire prendre de la vitesse le long de la rue paisible. Bobby agitait toujours le bras.

– De quoi vous parliez, tous les deux ? demanda Courtney.

– De bien des choses, répondit Mark avec un sourire rusé. Mais je vais te dire une bonne chose : je suis sûr que nous reverrons Bobby Pendragon plus tôt que tu ne le penses.

Ils regardèrent la limousine jusqu'à ce que Bobby rentre son bras. Puis la voiture tourna dans la grande rue et disparut de l'horizon.

SECONDE TERRE

Mark Dimond était prêt pour l'aventure.

Il avait passé les quinze premières années de sa vie sur la touche, à regarder les autres profiter de la vie. Et il en avait assez. Assez d'être la cinquième roue du carrosse, assez d'être la cible de toutes les blagues à deux balles sur les boutonneux à lunettes, et *vraiment* assez de rêver d'être quelqu'un d'autre – n'importe qui, sauf Mark Dimond. Cependant, il devait bien admettre qu'il ne serait pas facile de sortir de l'ornière qu'il avait lui-même creusée.

Lorsqu'il était petit, ses parents le laissaient rarement sortir de la maison à cause de ses allergies. Il était nul en sport. Il avait peur de parler aux filles, ce qui n'était pas si grave, puisque la plupart d'entre elles ne le regardaient même pas. Qui donc s'intéresserait à un gringalet dont la chevelure était une tignasse filasse qui avait toujours l'air d'avoir besoin d'un bon lavage, qui mangeait sans cesse des carottes (pour améliorer sa vue) et qui se tenait au premier rang en cours (parce qu'il avait *toujours* la réponse à *toutes* les questions) ?

Non, Mark n'était pas au top de la popularité. Mais maintenant qu'il avait quinze ans, il était bien décidé à tout changer. Il était prêt à saisir l'occasion d'entamer une nouvelle vie passionnante, à embrasser une carrière d'aventurier au long cours. Et pourquoi ça ?

Parce que son meilleur ami s'appelait Bobby Pendragon.

Ils étaient copains depuis le jardin d'enfants, bien que, pour la plupart des gens, ils n'aient rien en commun. Bobby était sportif, drôle et populaire ; Mark était silencieux et maladroit. Mais ce n'étaient que des différences superficielles.

Mark et Bobby aimaient les mêmes choses, qui n'étaient pas forcément celles que les autres trouvaient cool. Ils appréciaient les vieux films de Laurel et Hardy, la musique des années 1980, la cuisine thaïlandaise et James Bond (pas les films, les romans signés Ian Fleming dont ils étaient tirés). Ils riaient aux mêmes plaisanteries. Ils avaient même formé un groupe, mais Bobby pouvait à peine jouer de la guitare et Mark ne disposait que de vieux bongos. Ni l'un ni l'autre ne savait chanter. Ils étaient nuls de chez nul, mais qu'est-ce qu'ils avaient pu se marrer !

Ils aimaient pêcher dans la petite rivière qui sinuait à travers Stony Brook, dans le Connecticut, la bourgade où ils étaient nés. Ils ne prenaient jamais grand-chose, mais cela n'avait pas d'importance. L'essentiel était de pouvoir s'échapper pendant quelques heures. Comme la plupart des garçons de leur âge, ils parlaient de sport, de filles et des profs qu'ils auraient bien voulu envoyer au diable. Mais ils discutaient aussi de choses plus graves : ils échangeaient des idées, voulaient voyager, voir d'autres pays, et débattaient de l'avenir qui les attendait.

Chacun savait quand l'autre avait besoin d'un encouragement ou d'un bon coup de pied au derrière. Pour Bobby, Mark était le seul garçon de sa connaissance qui n'avait pas peur de sortir des sentiers battus. Pour Mark, Bobby était son contact avec le monde extérieur. Tous deux savaient que, quoi que l'avenir puisse leur réserver, ils resteraient les meilleurs amis du monde.

Par contre, ils ignoraient tous les deux que, au cours de l'année de ses quinze ans, Bobby et toute sa famille disparaîtraient mystérieusement. La police avait lancé une enquête d'envergure qui n'avait rien donné. On aurait dit que les Pendragon avaient été effacés de la surface de la terre.

Mais Mark, lui, savait ce qui s'était passé.

Il ignorait ce qu'il était advenu du reste de la famille, mais le savait pour Bobby. Celui-ci avait suivi son oncle Press pour devenir un Voyageur. Bobby et son oncle étaient passés par un flume, une sorte de portail entre les mondes, qui les avait emmenés sur d'étranges territoires lointains où ils avaient rejoint d'autres Voyageurs. Ensemble, ils avaient affronté un démon du nom de Saint Dane. Durant ses dix-huit mois d'absence, Bobby avait sauvé de la destruction un territoire médiéval nommé Denduron, arrêté un plan visant à empoisonner la population entière d'un monde aquatique appelé Cloral et remonté le temps pour empêcher les nazis de créer la première bombe atomique de l'histoire.

Et que faisait Mark pendant que Bobby défendait l'humanité tout entière ? Il regardait *South Park* à la télé. Oui, Mark était prêt pour partir à l'aventure. Il en avait besoin. Désespérément.

Et il serait bientôt exaucé.

– Courtney ! s'écria Mark.

Courtney Chetwynde venait de descendre du bus scolaire devant le lycée Davis-Gregory. C'était le jour de la rentrée. Elle avait horreur de prendre le bus, mais ce nouvel établissement était trop éloigné pour qu'elle puisse y aller à vélo et ses parents ne la laissaient pas encore monter dans la voiture de garçons plus âgés. Courtney était la seule autre personne à savoir ce qui était arrivé à Bobby Pendragon. Mais contrairement à Mark, Bobby et Courtney avaient d'abord été rivaux – des adversaires sur le terrain. Courtney avait fait de son mieux pour surpasser Bobby dans tous les sports possibles. C'était sa façon de cacher le terrible béguin qu'elle avait pour lui.

Il n'y avait pas un jour où elle ne revoyait cette soirée, dix-huit mois plus tôt, où elle avait enfin avoué à Bobby qu'il lui plaisait. Et le plus agréable, c'est que Bobby avait admis que ce sentiment était partagé. Ce moment devint *encore* plus agréable lorsqu'ils échangèrent leur premier baiser. Mais tout avait tourné au vinaigre lorsque Press, l'oncle de Bobby, était venu briser la magie de cet instant. Il avait emmené Bobby à l'arrière de sa moto pour qu'il commence sa vie de Voyageur. Si quelqu'un lui accordait un vœu, un seul, Courtney souhaiterait pouvoir remonter le temps jusqu'à ce soir-là afin d'empêcher Bobby de partir avec son oncle.

En descendant de ce bus scolaire tant détesté, Courtney aperçut Mark et s'empressa de le rejoindre.

– Du nouveau ? demanda-t-elle, pleine d'espoir.

– Non, répondit Mark.

Il savait ce qu'elle voulait dire. Elle lui demandait s'il avait reçu un nouveau journal de Bobby. Et ce n'était pas le cas.

À eux deux, ils formaient un drôle de couple. Courtney était belle, populaire, athlétique et sûre d'elle. Mark… eh bien, il était tout le contraire. Sans le lien qu'ils partageaient avec Bobby, ils ne se seraient sans doute jamais parlé.

– Pas trop nerveuse ? demanda Mark.

– Non, répondit-elle sincèrement.

Courtney n'était pas du genre nerveux.

Ils attaquaient leur première année de lycée. L'année précédente, au collège de Stony Brook, ils avaient fait figure d'anciens. À présent, ils se retrouvaient à nouveau tout en bas de la hiérarchie estudiantine.

Alors que tous deux se dirigeaient vers leur lycée, Mark dut courir pour rester à hauteur de Courtney, qui avançait à grandes enjambées.

– C-c-courtney ? Je dois te dire quelque chose.

– Allons, tu te remets à bégayer ? demanda très sérieusement Courtney. Qu'y a-t-il ?

– R-r-rien, reprit Mark. Il faut que je te p-p-parle, c'est tout.

– À propos des journaux et tout ça ? demanda-t-elle tout en regardant autour d'eux pour vérifier que personne ne les entendait.

– Si on veut. On peut se voir après l'école ?

– J'ai mon entraînement de foot.

– Je viendrai vous regarder. On discutera après.

– Tu es sûr que ça va ?

– Ouais. Bonne chance !

Courtney retrouva ses amis habituels, bien qu'elle n'évitât pas les nouvelles têtes. En cours d'anglais, elle se surprit à lorgner un beau garçon du nom de Frank. Ce qui lui laissa une drôle d'impression, comme si elle trompait Bobby. Quoique, dans ses journaux, celui-ci n'eût cessé de vanter les mérites d'une Voyageuse qui s'appelait Loor. Si Bobby pouvait apprécier une fille venue d'un territoire aussi éloigné que Zadaa, pourquoi ne pourrait-elle pas admettre qu'un type assis à deux rangées d'elle en cours lui plût bien ?

Mark entrait au lycée avec l'espoir d'entamer une nouvelle vie. Trois écoles du secteur fournissaient l'établissement Davis-Gregory en chair fraîche, ce qui voulait dire que les deux tiers des élèves ignoraient qui était Mark. Du coup, il pouvait repartir à zéro, sans la réputation de boutonneux qui lui traînait aux basques.

Malheureusement, à la fin de la journée, Mark s'était perdu six fois, était arrivé en retard à chaque cours, avait failli faire vomir une fille en cours de chimie parce que l'odeur de ses baskets évoquait une expérience ratée et s'était couvert de ridicule à la cafétéria en s'asseyant à la table d'un champion de lutte au QI inversement proportionnel à la taille de ses biceps. En guise de châtiment pour avoir empiété sur son territoire, la brute l'avait fait chanter *La Danse des canards* debout sur la table.

C'était dans le même enfer qu'au collège. Sauf que cette fois, ses tourmenteurs étaient plus âgés.

Pendant que Mark, à sa grande horreur, découvrait qu'il était reparti pour des années d'humiliations, Courtney apprenait que, dans ce nouvel environnement, tout allait changer. Elle était grande et belle, avec de longs cheveux châtains, des yeux gris et un sourire avenant. Et puis elle avait plein d'amis. Mais pour ce qui était des activités sportives, tout était différent. Courtney n'aimait pas perdre et avait largement les capacités de vaincre ses adversaires, quel que soit le sport. Qu'il s'agisse de base-ball, de course à pied, de basket ou même de judo, elle avait confiance en elle. En fait, comme elle avait pris l'habitude de gagner à tous les coups, elle avait hâte d'entrer au lycée afin de trouver des adversaires à sa mesure.

Elle ne fut pas déçue.

– Chetwynde ! lui cria l'entraîneuse. Tu as deux pieds gauches ou quoi ?

Cet automne, elle s'était mise au foot. Elle était centre droit dans l'équipe de son collège, qu'elle avait menée à la victoire. Une fois au lycée, elle s'attendait à dominer les classements, comme elle l'avait toujours fait.

Première erreur. Dès le début, elle comprit qu'elle était mal barrée. L'entraîneuse voulut voir comment les nouvelles se débrouillaient avec la balle. Courtney s'en était emparée avec un sourire conquérant, prête à montrer à ces lycéennes ce dont Courtney la Tornade était capable. Elle se baissa vers la droite, feinta vers la gauche… et la défense lui piqua la balle.

Surprise !

Lorsque vint son tour de jouer en défense, les autres la contournèrent avec une telle aisance qu'elle aurait aussi bien pu ne pas être là. L'une d'entre elles fit une passade si risquée que Courtney croisa les jambes et tomba sur le derrière – d'où le commentaire acerbe de l'entraîneuse.

Cet après-midi-là, Courtney resta à la traîne. Ces lycéennes étaient sacrément douées. Elles firent tout pour l'éloigner de la balle comme si elle n'était qu'une gamine jouant dans la cour des grands. L'une des filles lui piqua la balle, la fit sauter sur son pied, rebondir sur son genou, puis l'envoya de l'autre côté du terrain. Puis elle se tourna vers Courtney comme pour dire : « Bienvenue chez les des grandes, crâneuse. » Lorsqu'on passa à la course à pied, Courtney se retrouva bonne dernière. Voilà qui était inédit. Personne ne battait jamais Courtney Chetwynde. Jamais ! Que s'était-il passé ?

En fait, il ne s'était rien passé du tout. Courtney avait toujours été grande pour son âge. C'était une des raisons pour lesquelles elle excellait en activités sportives. Mais les autres filles avaient fini par la rattraper. Celles qui étaient jadis trop petites pour l'affronter étaient désormais à égalité avec elle. Elle était toujours aussi douée, mais les autres avaient grandi et s'étaient mises à son niveau. Ou l'avaient dépassée, voire surclassée. Courtney vivait le pire de ses cauchemars. Mais pas question de le montrer.

Mark était assis sous un arbre, à regarder leur entraînement. Il avait du mal à en croire ses yeux. Tout le monde avait ses mauvais jours, mais voir Courtney se faire rétamer le dérangeait. Il y avait des constantes en ce bas monde. Par exemple, si on multiplie le diamètre d'un cercle par pi, on obtient sa circonférence. Ou l'eau est toujours composée d'un tiers d'oxygène et de deux tiers d'hydrogène. Ou quiconque défie Courtney Chetwynde sur le terrain court à sa perte.

Or cette dernière définition venait de prendre du plomb dans l'aile. Une conclusion logique à une journée aussi pourrie.

– Faut croire qu'elle n'est pas si douée qu'on le prétend, fit une voix familière derrière lui.

Mark se retourna pour constater qu'il n'était pas au bout de ses peines. Car devant lui se tenait Andy Mitchell en personne. Andy se racla la gorge et cracha, ratant de peu la main de Mark. Celui-ci s'écarta mais, d'un claquement de doigt, Mitchell balança son mégot dans l'autre direction, l'obligeant à l'éviter. Mark resta planté là, interdit.

– Qu'est-ce que t'as, Dimond ? grasseya Mitchell. T'as les boules ?

– Qu'est-ce que tu me veux ? grommela Mark.

– Hé, me prends pas la tête, rétorqua Mitchell. J'suis juste venu en griller une. J'm'attendais pas à voir Chetwynde se prendre un gadin, mais c'est un bonus.

Et il eut un rire rauque, dévoilant des dents jaunies par la nicotine.

– Va-t'en, réussit à coasser Mark.

Il tourna les talons pour partir, mais Mitchell lui emboîta le pas.

– N'oublie pas que je sais tout, Dimond, feula-t-il. J'ai lu ces journaux. Pendragon est là, quelque part. Tu le sais, j'le sais et j'sais que tu sais que je l'sais.

Pour tout dire, il y avait une tierce personne qui savait ce qui était arrivé à Bobby Pendragon, et c'était Andy Mitchell. Il avait vu arriver l'un des journaux de Bobby et avait menacé Mark pour qu'il lui fasse lire les autres.

Mark se tourna vers Mitchell et le toisa.

– Et moi, je sais surtout que t'es un gros blaireau. Et je n'ai plus peur de toi !

Ils s'affrontèrent du regard. Mark en avait plus qu'assez de cette brute épaisse et avait presque envie de s'expliquer une bonne fois pour toutes. Presque. Mark n'avait rien d'un bagarreur. Si Mitchell comprenait qu'il n'était pas de taille et lui décochait un bon coup de poing, il serait mal barré.

– Hé, Mitchell ! cria Courtney.

Elle se tenait derrière lui, son sac de sport dans une main et ses baskets dans l'autre. Elle était sale, fatiguée et pas d'humeur à supporter un tel lourdaud.

– Qu'est-ce que tu fais au lycée ? Je croyais que tu avais déjà rejoint la vie active et trouvé un métier. Voleur de voitures, par exemple.

Andy s'écarta aussitôt. Même si Courtney n'était plus championne de foot, il préférait ne pas avoir affaire à elle.

– Très drôle, Chetwynde, fit Mitchell. Vous vous croyez très forts, vous deux, mais j'sais ce que j'sais !

– Et qu'est-ce que tu sais ?

Mark répondit à sa place :

– Il sait qu'on sait qu'il sait… ou quelque chose comme ça. Tu sais ?

Mark et Courtney éclatèrent de rire. Ils n'avaient plus rien à craindre de Mitchell. Il n'était pas assez intelligent pour constituer une menace.

– C'est ça, marrez-vous, fit-il d'un ton dédaigneux. Mais j'ai lu ces journaux. Et vous rigolerez moins quand ce Saint Dane, là, viendra les chercher.

Sur ce, Mitchell se racla à nouveau la gorge avec un bruit répugnant, puis tourna les talons et s'en alla.

Mark et Courtney n'avaient plus envie de rire. Ils le regardèrent s'éloigner d'un pas vif. Puis Courtney dit :

– Je ne sais pas pour toi, mais j'ai vraiment passé une sale journée.

Tous deux allèrent prendre le bus qui les ramènerait chez eux. En général, Courtney s'asseyait à l'arrière avec les gens

21

cool et Mark à l'avant, avec les pas-cool-du-tout. Mais pas aujourd'hui. À bord, ils tombèrent sur deux des filles de l'équipe qui avait flanqué la pâtée à Courtney sur le terrain. Elles étaient accompagnées de quelques gars de l'équipe de foot masculine et discutaient en riant. Courtney n'était pas la bienvenue. Comme pour enfoncer le clou, elle dut s'asseoir à l'avant avec Mark.

– Tu veux me parler de ta journée ? demanda-t-elle.

– Non, répondit Mark. Et toi ?

– Non.

Ils se turent. Tous deux se demandaient si le reste de leur existence de lycéens serait aussi douloureux que ces premières heures. Finalement, Courtney reprit la parole :

– Tu voulais me dire quelque chose, non ?

Mark regarda autour de lui pour s'assurer que personne ne risquait de les entendre, puis parla à voix basse au cas où :

– J'ai pas mal réfléchi. Tu te souviens ce que je t'ai déjà dit ? Malgré ce que raconte Mitchell, je crois qu'on a échappé au pire. Quand les Voyageurs ont arrêté Saint Dane en Première Terre, j'en ai conclu qu'ils avaient sauvé les trois territoires terrestres. Tu t'en souviens ?

– Oui, je m'en souviens, répondit Courtney avant d'ajouter avec une impatience croissante : Et je me souviens aussi que tu étais déçu, que tu voulais que Saint Dane vienne en Première Terre pour que Bobby et toi puissiez l'affronter ensemble. Et j'ai répondu que tu étais complètement cinglé. Tu n'as pas oublié ça ?

Mark acquiesça.

– Bien, affirma-t-elle. Alors arrête de te torturer les méninges.

– Mais je veux toujours aider Bobby, ajouta Mark.

– C'est ce que *nous* faisons, répondit-elle, en conservant ses journaux.

– Mais ce n'est pas assez, rétorqua-t-il. Je voudrais l'aider pour de bon !

– On ne peut rien faire de plus, Mark.

Il lui décocha un sourire rusé.

– Je n'en suis pas si sûr.

Courtney lui jeta un long regard circonspect.

– Qu'est-ce que tu mijotes encore ?

– Je veux devenir un Acolyte. Qu'on le devienne tous les deux.

– Un aco… quoi ?

– Des Acolytes. Voyons, Bobby nous en a parlé dans ses journaux ! Ce sont ces natifs des territoires qui aident les Voyageurs en mettant tout ce dont ils ont besoin près des flumes. Ce sont eux qui se sont occupés de la moto de l'oncle Press et lui ont apporté sa voiture à son retour. C'est sans danger, mais d'une importance vitale.

– Sans danger ? rétorqua Courtney. Parce que d'après toi, aller dans cette station de métro abandonnée du Bronx et passer sous le nez de ces chiens féroces, ces quigs, c'est une promenade de santé ?

– Peut-être qu'il y a un autre flume ici, en Seconde Terre, ajouta Mark plein d'espoir. Il y en avait plusieurs sur d'autres territoires, alors pourquoi pas chez nous ?

– Et s'il se trouve en Alaska ? rétorqua Courtney. Tu veux vraiment aller t'y installer ?

– Après une journée comme celle-ci, oui, je préfère encore.

– Tu ne le penses pas vraiment.

Ils se turent, laissant passer quelques autres arrêts. Deux joueuses descendirent en ignorant ostensiblement Courtney. Mais celle-ci ne s'en formalisa pas. Elle avait l'esprit occupé ailleurs, en l'occurrence par les journaux de Bobby.

– Mark, dit-elle doucement, je sais que tu te fais du souci. Et moi aussi. Mais en admettant que je sois d'accord pour cette idée d'Acolyte, comment pourrions-nous poser notre candidature ?

Mark se redressa. Le simple fait que Courtney envisage cette possibilité était encourageant.

– Je ne sais pas, mais quand Bobby est revenu, je lui en ai parlé et…

– Tu as déjà posé la question à Bobby ? interrompit Courtney. Sans m'en avoir parlé avant ?

– Je lui ai juste demandé d'étudier la question. Je ne sais rien des Acolytes, uniquement ce qu'il en a dit. Il a promis d'essayer de se renseigner. Qu'est-ce que tu en dis ?

– J'en dis que je vais y réfléchir. Et je crois que c'est mon arrêt, ajouta-t-elle en se levant.

– Tu me promets ? Tu y réfléchiras ?

– Oui, répondit Courtney, mais je dois d'abord en savoir plus.

– Tout à fait.

Courtney descendit du bus. Mark se sentit un peu mieux. Il était sûr que si Bobby pouvait leur fournir assez d'informations sur les Acolytes, Courtney accepterait de les rejoindre. C'était bon de savoir qu'il avait peut-être une chance d'aider vraiment Bobby.

Cette nuit-là, alors que Mark était étendu sur son lit, toutes les possibilités s'ouvrant à lui ne cessaient de défiler dans son cerveau. S'ils devenaient Acolytes, pourraient-ils emprunter les flumes ? Ce serait formidable ! Il s'imaginait sur Cloral, à sillonner les flots avec Bobby. Il se voyait descendre en traîneau les pentes enneigées de Denduron tout en évitant les quigs locaux. Et sur Zadaa, luttant aux côtés de Loor pour s'emparer du drapeau au cours d'une partie de leur drôle de sport.

Mark dut s'obliger à penser à autre chose sous peine de ne jamais pouvoir s'endormir. Il préféra résoudre des problèmes de maths. Il s'imagina allongé sur la plage du Cap par une belle journée d'été, à admirer les nuages. Il se figura que son anneau se mettait à tressaillir, témoignant de l'arrivée imminente d'un autre journal de Bobby.

Mark se releva sur son lit. Ce n'était pas son imagination. Son anneau tressaillait bel et bien. Il regarda sa main. La pierre enchâssée dans le lourd anneau passait du gris sombre à la limpidité du cristal. Ce qui ne pouvait signifier qu'une chose...

Mark ne risquait pas de trouver le sommeil, du moins pas avant un certain temps.

Il passa ses pieds de l'autre côté du lit, retira son anneau et le posa sur son tapis. Le petit cercle s'agrandit, dévoilant un trou dans le parquet. Mark savait qu'il s'agissait d'un passage vers un autre territoire. Il entendit le mélange de notes de musique douce qui semblait très loin au premier abord, mais s'enfla rapidement. Des lumières jaillirent du trou, illuminant sa chambre comme mille feux follets. Mark dut se protéger les yeux.

Puis, comme toujours, tout cessa d'un coup. La lumière disparut, la musique se tut. Mark constata que l'anneau était redevenu normal. Il avait effectué sa livraison.

Le dernier journal de Bobby gisait sur le tapis.

Mais il n'était pas comme ceux que Bobby avait envoyés auparavant. Il ne ressemblait même pas à un carnet. C'était un petit rectangle argenté. Curieux, Mark le ramassa et vit qu'il comportait trois boutons carrés. L'un était vert foncé, le deuxième orange vif, le troisième noir. Le tout avait le poids et la taille d'une carte de crédit. Un morceau de papier y était attaché, un texte court rédigé de la main de Bobby.

Il disait : VERT – PLAY. NOIR – STOP. ORANGE – RETOUR EN ARRIÈRE.

On aurait dit des instructions pour un lecteur CD, mais cette petite carte ne ressemblait pas aux appareils qu'il connaissait. Et pourtant, si Bobby lui avait envoyé, c'est qu'il devait pouvoir la lire… Il appuya donc sur le bouton vert.

Aussitôt, un étroit faisceau de lumière jaillit d'un côté de la carte. De surprise, Mark la laissa tomber. La carte toucha le sol et le faisceau argenté illumina toute la pièce. Mark alla se pelotonner derrière son lit. Et s'il s'agissait d'un laser ? Allait-il se faire découper en rondelles ? Progressivement, le rayon grandit jusqu'à projeter une image holographique au milieu de la chambre. Mark dut cligner des yeux, se frotter les paupières, puis regarder à nouveau. Parce que là, devant lui, se tenait son ami Bobby Pendragon. L'image semblait aussi réelle que s'il était effectivement dans la pièce. Seul le rayon de lumière provenant de l'étrange gadget posé sur le sol lui rappelait qu'il s'agissait d'un hologramme.

– *Salut, Mark. Salut, Courtney*, dit l'hologramme de Bobby d'une voix claire et limpide.

Époustouflé, Mark en tomba sur le derrière.

– Je vous fais un coucou depuis le territoire de Veelox. Ce que vous voyez et entendez en ce moment est mon journal n° 13. C'est cool, non ?

Journal n° 13

VEELOX

Je vous fais un coucou depuis le territoire de Veelox. Ce que vous voyez et entendez en ce moment est mon journal n° 13. C'est cool, non ? C'est plus pratique pour vous que de devoir déchiffrer mes pattes de mouche. Et d'ailleurs, c'est aussi plus pratique pour moi que de tout rédiger à la main. Ça me plaît bien. Mais cette espèce de projecteur n'est que de la gnognotte à côté de tout ce qu'ils ont ici. C'est incroyable. On se croirait dans un film de science-fiction !

Histoire de vous faire saliver un brin, imaginez le jeu vidéo le plus dément que vous ayez jamais essayé. Avec des visuels d'enfer, des sons réalistes au possible, un environnement 3-D, des énigmes de première bourre, la totale. Et maintenant, imaginez ce même jeu en mieux. Dix millions de fois mieux. Eh bien, c'est ça, Veelox. Croyez-moi, je n'exagère pas. Il faudra vous en contenter pour l'instant, parce si je devais tout vous décrire, on y passerait la journée. Vous allez découvrir tout ça comme je l'ai fait : petit à petit. Patience. Ça en vaut la peine.

Mais avant de vous immerger dans les mille et une merveilles de Veelox, je dois vous raconter ce qui s'est passé après mon départ de Seconde Terre. Comme dirait Spader, je me suis retrouvé en plein tourne-boule.

Une fois de plus.

Ce vieux gangster, Peter Nelson, nous a emmenés dans le Bronx, Gunny et moi. On était à nouveau partis pour la station de métro abandonnée et le flume. Cette fois-ci, notre destination était Veelox. Où qu'il aille, on suivrait Saint Dane à la trace.

Pour notre plus grand malheur.

Alors qu'on roulait vers le Bronx, je me suis senti bizarre. Je repensais à ce qui s'était passé en Première Terre[1]. En un mot comme en cent, je m'étais planté. Saint Dane avait voulu prouver que je n'étais pas digne d'être un Voyageur, et je lui avais donné raison. Tout s'est noué au moment où le *Hindenburg* allait se poser. Aussi horrible que ça puisse paraître, le dirigeable *devait* exploser. Si on avait modifié l'histoire, les conséquences auraient été catastrophiques pour la planète tout entière. Alors que je me tenais devant la fusée qui devait le détruire, l'avenir des trois territoires terrestres était entre mes mains, et je le savais.

Et j'ai débloqué. À ce terrible moment, je n'ai pas pu supporter l'idée de laisser mourir tous ces innocents prisonniers du zeppelin. J'ai tenté de renverser la fusée pour sauver le *Hindenburg* et ces gens – provoquant ainsi la fin de tous les territoires terrestres.

Mais Gunny m'en a empêché. Sans lui, j'aurais commis la pire des erreurs. La fusée est partie, le *Hindenburg* a explosé. Gunny a sauvé les territoires terrestres. C'était écrit.

Les Voyageurs avaient vaincu Saint Dane, mais Saint Dane m'avait vaincu *moi*. On peut appeler ça comme on veut : un test, un moment de vérité, peu importe. Ce qui compte vraiment, c'est que j'ai tout foiré. Et à partir de là, je n'ai pas arrêté de me demander si j'étais vraiment fait pour ce boulot. C'est vrai que je me pose la question depuis le début, mais là, cet échec m'a vraiment marqué. Je pense que Saint Dane s'attendait à ce que j'aille me terrer dans un trou de souris et que j'arrête une bonne fois pour toutes de le déranger dans sa quête pour conquérir Halla. Croyez-moi, j'y ai pensé.

Mais ça n'arrivera pas.

Mon échec a eu l'effet inverse. Il m'a fichu en rogne. Je voulais prouver à ce monstre que je n'étais pas si nul que ça. Ou peut-être me le prouver à moi-même ; peu importe. En tout cas, pour la première fois depuis que j'avais quitté la maison, j'ai vraiment eu envie devenir un Voyageur. Sérieux. Je voulais me

---

1. Voir Pendragon n° 3 : *La guerre qui n'existait pas.*

28

montrer digne de la confiance que l'oncle Press avait en moi. Le plan de Saint Dane s'était retourné contre lui. Plutôt que de me faire renoncer, il m'avait poussé à continuer. S'il me croit trop faible pour ce job, tant mieux. J'aurai l'avantage de la surprise.

Parce que j'entends bien le retrouver et lui montrer de quel bois je me chauffe.

Quand la limousine nous a déposés à la station de métro abandonnée, Gunny et moi sommes restés sur le trottoir, à profiter du soleil de Seconde Terre. Gunny est un type super, et je suis fier d'être son ami. Je pourrais énumérer ses qualités, mais pour moi, le plus important, c'est qu'il m'a sauvé la mise en Première Terre.

Mais à ce moment, sur un trottoir du Bronx, il n'avait pas l'air très pressé d'aller chasser Saint Dane. C'était simplement un grand type noir de près de deux mètres qui semblait heureux de rester là, les yeux fermés, à laisser le soleil caresser son visage.

– À quoi pensez-vous ? ai-je demandé au Voyageur de Première Terre.

Gunny a ouvert les yeux et a regardé le carrefour. Toute cette agitation devait lui sembler bien étrange. Après tout, il venait de 1937.

– Dis-moi, fiston, a-t-il lancé. Tu crois qu'un jour je pourrai rentrer chez moi et reprendre une vie normale ?

C'est précisément la question que je me pose depuis le jour où je suis parti avec l'oncle Press.

– Je n'en sais rien, ai-je répondu franchement. Quoique je ne sois plus vraiment sûr de savoir distinguer ce qui est normal et ce qui ne l'est pas.

Je l'ai guidé le long de l'escalier jonché de débris menant à la station désaffectée. L'entrée était condamnée par des planches couvertes de pubs et d'affiches de concert. Mais je savais par où passer. Deux des planches bâillaient et je n'ai eu qu'à tirer dessus pour nous permettre d'entrer.

La station était la même que le premier soir où l'oncle Press m'y avait amené. C'était un pan oublié de l'histoire de New York – oublié de tous, sauf de nous. Une rame de métro est passée, soulevant des feuilles de journaux remplies de nouvelles démodées. Après son passage, on s'est empressés de sauter sur les rails et de suivre le mur suiffeux vers la porte de bois frappée d'une étoile. Quelques secondes plus tard, on entrait dans la caverne rocailleuse qui serait notre dernier arrêt en Seconde Terre. La première partie de notre voyage avait été facile. C'est maintenant que tout allait se corser. Nous sommes restés là un moment, à fixer ce long passage débouchant sur d'autres mondes... Le flume.

– Parle-moi de ce territoire de Veelox, a dit Gunny.

– Je n'en sais pas grand-chose, ai-je répondu. Je n'y suis resté que quelques minutes et n'ai pas quitté le flume.

– Et cette tête flottante ? Tu es sûr qu'elle est une Voyageuse ?

– C'est ce qu'elle m'a dit.

Gunny a secoué la tête.

– Des têtes qui flottent dans le vide, a-t-il dit, philosophe. Qu'est-ce qu'ils vont inventer la prochaine fois ?

– On ne va pas tarder à le savoir, ai-je répondu.

Il m'a fait un petit sourire, puis est entré dans l'embouchure du flume.

– *Veelox !* ai-je crié, et le tunnel s'est animé.

Les murs se sont mis à grincer et à craquer comme s'ils s'étiraient après un long sommeil. Tout au fond du tunnel, une faible lumière est apparue. Elle ne tarderait pas à emporter Gunny. Comme toujours, le feu d'artifice était accompagné d'un amas de notes de musiques enchevêtrées.

Gunny s'est tourné vers moi. J'ai vu une vague inquiétude dans ses yeux.

– Je t'ai dit que je n'étais pas vraiment très chaud pour emprunter ce machin ?

J'ai éclaté de rire.

– Croyez-moi, Gunny, dans ce boulot, il y a bien de quoi se faire un sang d'encre. Mais le flume n'en fait pas partie.

Les lumières se sont rapprochées et le tunnel s'est peu à peu transformé en cristal transparent.

– Je te le rappellerai.

La lumière est devenue éblouissante, la musique a résonné dans l'espace et Gunny est parti. J'ai retiré ma main à temps pour voir disparaître les lumières dans les profondeurs du tunnel. Le flume a repris son apparence normale dans l'attente de son prochain passager. En l'occurrence moi.

– *Veelox !* ai-je crié, et c'était reparti.

J'ai fermé les yeux et attendu que la musique et les lumières m'emportent.

Ce voyage n'a pas été différent des autres. J'ai croisé les bras et profité de ma descente dans ce tunnel de cristal. J'ai regardé l'espace et les étoiles qui s'étendaient derrière ses parois en tentant de reconnaître une constellation, mais en vain. Je ne sais toujours pas ce qui se passe exactement lorsqu'un Voyageur traverse un flume. Je commençais à comprendre qu'il ne s'agissait pas d'un simple trajet dans ce bon vieil espace en trois dimensions auquel nous étions habitués. Le haut, le bas, l'avant, l'arrière, tout ça n'avait plus cours. Pour moi, le flume vous envoie dans une autre dimension qui est le temps lui-même. Voilà pourquoi les Voyageurs débarquent toujours là où on a besoin d'eux, *quand* on a besoin d'eux.

L'oncle Press m'avait parlé de Halla. C'était le grand tout… Toutes les époques, tous les lieux, tous les êtres, tout ce qui a jamais existé. Et qui existe toujours, tout en même temps. En ce cas, peut-être existe-t-il une cinquième ou même une sixième dimension, et les flumes seraient des autoroutes interdimensionnelles qui les relieraient les unes aux autres. Cela semble logique, parce que sinon, l'univers serait sacrément peuplé.

Ai-je vraiment parlé de logique ? Qu'est-ce que je raconte ! Il n'y a *rien* de logique dans toute cette histoire. Je ne pouvais être sûr que d'une chose : toutes ces réflexions me gâchaient le voyage. Il fallait que j'arrête de me triturer les neurones.

Trop tard. La musique a pris de l'ampleur, ce qui voulait dire que j'étais presque arrivé sur Veelox. Quelques secondes plus tard, la gravité a repris ses droits et m'a déposé à terre. La première chose que j'ai vue a été le dos de Gunny. Il se tenait là, à l'entrée du flume, à quelques mètres de moi. Et la seconde…

Saint Dane.

Aïe.

– Bonjour, Pendragon, a dit le démon avec un sourire onctueux. Bienvenue sur Veelox.

Journal n° 13
(suite)

VEELOX

Saint Dane se tenait là, devant nous.

Ses yeux d'un bleu glacier perçaient la pénombre comme un feu de glace. Il arborait son apparence normale, nous toisant du haut de ses deux mètres, ses longs cheveux gris cascadant sur ses épaules. Les mots me manquent pour exprimer ce que j'ai ressenti.

– Je suis étonné, Pendragon, a-t-il continué. Après que tu t'es couvert de ridicule en Première Terre, je pensais que tu cesserais de me poursuivre.

Je ne pouvais parler. Mon cerveau était comme bloqué.

– Mais qu'importe, a-t-il repris. Ma tâche est terminée. Veelox est sur le point de s'effondrer. À vrai dire, je ne pensais pas que Veelox serait le premier territoire à tomber, mais au final, cela n'a aucune importance, puisque Halla tout entier va subir le même sort.

– Veelox va tomber ? a demandé Gunny, stupéfait.

Mon cerveau a enfin daigné embrayer.

– Je ne vous crois pas, ai-je déclaré.

Saint Dane a souri du coin des lèvres.

– Tu en parles comme si tu t'en souciais vraiment. Maintenant, si tu veux bien me laisser passer, j'ai à faire ailleurs.

– Vous n'irez nulle part, ai-je déclaré d'un ton de défi.

Gunny m'a décoché un bref regard nerveux. C'était plutôt audacieux de ma part, surtout que je ne voyais pas comment je pourrais l'empêcher de passer.

Saint Dane a eu un petit rire.

– Que comptes-tu faire ? Me retenir par la force ?

– S'il le faut, ai-je rétorqué en tentant de maîtriser ma voix.

Et je ne plaisantais pas. Si Saint Dane tentait de forcer le passage, j'essaierais de le retenir. Il fallait qu'on sache ce qui s'était passé sur Veelox.

– Tu n'aurais pas pu trouver plus original ? a demandé Saint Dane.

Sauf que ce n'était pas sa bouche qui avait prononcé ces mots. Ils provenaient de notre droite. Hein ? Gunny et moi nous sommes retournés pour voir...

Un autre Saint Dane se tenait là. Ils étaient deux !

– Tu peux certainement faire preuve d'imagination, a dit le numéro deux.

– Ou peut-être es-tu à court de ressources, a repris une troisième voix.

Aïe. Gunny et moi avons pivoté pour voir un *troisième* Saint Dane.

– Press serait déçu s'il pouvait vous voir.

Comme vous vous en doutez, c'était un quatrième Saint Dane qui se tenait dans l'embouchure du flume.

– Ils ne sont pas réels, Gunny ! me suis-je écrié. Ce sont des hologrammes. C'est comme des films !

– Exact ! a annoncé Saint Dane.

C'est-à-dire le *cinquième* Saint Dane.

On s'est retrouvés au milieu d'un cercle de Saint Dane. Ils étaient vingt en tout, totalement identiques. Ils se sont déplacés en chœur pour mieux nous encercler.

– La question, ont-ils dit comme un seul homme, c'est de savoir lequel d'entre nous est le vrai. (Ils ont eu un rire effrayant.) Que faire ? Que faire ? ont-ils psalmodié.

Gunny et moi sommes restés dos à dos, cherchant le moindre signe révélateur qui dénoncerait l'original. Mais c'était impossible. Ils étaient des clones parfaits. Puis, d'une seule voix, ils ont tous lancé :

– *Eelong !*

Le flume s'est animé. Si on devait tenter quelque chose, il ne fallait pas traîner. Gunny a fait le premier geste. Il a bondi pour s'emparer du premier Saint Dane à sa portée. Mais ses bras se sont refermés sur du vide.

Les Saint Dane ont éclaté de rire. Pour lui, c'était très amusant. Enfin, pour eux. Peu importe.

La lumière jaillie du flume a illuminé la pièce et la musique s'est rapprochée. Gunny a sauté sur un autre Saint Dane… Mais lui aussi n'était qu'un hologramme immatériel. Saint Dane allait s'envoler pour un autre territoire, nous laissant le soin de ramasser les morceaux. Bien que terrifié, j'ai bondi sur un autre Saint Dane…

Cette fois-ci, c'était le bon. J'avais deviné juste. Du premier coup. Vous parlez d'une chance.

Difficile de décrire ce que j'ai ressenti à ce moment-là. J'étais pétrifié par la peur, évidemment. Mais ce qui m'a marqué, c'est que tout le corps de ce démon était froid. C'était comme d'embrasser un bloc de glace. Le menton collé contre sa poitrine, j'ai regardé ses yeux. Un instant, j'ai craint que mon sang se fige dans mes veines. Et c'est peut-être ce qui est arrivé, parce que je me suis senti incapable de bouger. Lorsqu'il a ouvert la bouche, j'ai senti son haleine. Un vrai relent de cadavre.

– Dois-je en conclure que tu viens avec moi ? a-t-il raillé.

Là, il marquait un point. En me cramponnant à lui, je n'allais pas l'arrêter, mais devenir son prisonnier. Cette idée était si horrible que je l'ai aussitôt lâché sans réfléchir. Ce n'était pas une bonne idée, parce qu'il a aussitôt bondi vers le flume. Gunny a tenté de l'intercepter, mais le démon était trop rapide. Il a sauté dans le flume au moment précis où les lumières venaient le chercher. Il n'est plus resté que l'écho de son rire alors qu'il sillonnait l'espace et le temps.

Saint Dane était parti.

Tout comme les hologrammes. Gunny et moi nous sommes retrouvés seuls dans une grande pièce vide, à fixer un flume sombre.

– Je vais le chercher, a annoncé Gunny.

– Non ! ai-je crié. D'abord, nous devons découvrir ce qu'il a fait sur Veelox !

– Il va recommencer sur un autre territoire, Pendragon. Ce qui est fait est fait.

– Nous n'en sommes pas sûrs, ai-je rétorqué. Il ne nous a pas forcément dit la vérité. Ce n'est pas vraiment un homme de parole.

On se retrouvait à un croisement. Que fallait-il faire ? Rester là pour limiter les dégâts ou empêcher Saint Dane de s'attaquer à un nouveau territoire nommé Eelong ?

– Tu es déjà venu ici, a dit Gunny. Tu connais la Voyageuse du coin. Comment s'appelle-t-elle ?

– Aja Killian.

– Ah, oui. La tête flottante. Tu devrais aller la chercher. Elle doit savoir ce qu'a fait Saint Dane.

– Et vous ?

– Je vais le suivre sur Eelong et voir ce qu'il y mijote. Ensuite, je reviendrai ici.

– Je n'aime pas qu'on se sépare. Vous vous souvenez ce qui est arrivé en Première Terre, quand Spader a voulu faire cavalier seul ? Ça a donné des résultats catastrophiques.

– Je sais, a-t-il repris d'un ton rassurant. Mais ce n'est pas pareil. Spader suivait sa propre idée. Toi et moi, nous travaillons *ensemble*.

Je ne voulais pas qu'il s'en aille, mais si nous pouvions prendre une longueur d'avance sur Saint Dane, cela en valait la peine.

– Promettez-moi qu'au moindre truc bizarre, vous reviendrez tout de suite, ai-je demandé.

Gunny a éclaté de rire.

– Voyons, fiston ! Comme si tout n'était pas bizarre dans cette affaire !

– Vous m'avez compris.

– Bien sûr. Ne t'en fais pas, je vois ce que tu veux dire.

On s'est étreins fraternellement, puis Gunny m'a repoussé et m'a demandé :

– Comment s'appelle ce territoire déjà ?

– Quelque chose comme « Eelong ».

Gunny est entré dans l'embouchure du flume, s'est redressé et a crié dans le vide :

– *Eelong !*

Et le tunnel s'est animé. Juste avant de s'en aller dans un déluge de sons et de lumière, il s'est tourné vers moi et m'a souri :

– C'est quoi, l'expression que lance toujours Spader ?

– Hobie-ho, Gunny.

– Hobie-ho, Pendragon. À bientôt.

Je l'espérais bien. En un éclair, il était parti, et je me suis retrouvé planté là, tout seul, à reprendre mes esprits. L'idée de me retrouver seul sans lui était insupportable. J'étais prêt à sauter dans le flume pour le suivre lorsqu'une voix familière a résonné à mes oreilles :

– Pourquoi as-tu mis si longtemps ?

Je me suis retourné d'un bond pour voir un immense visage. C'était Aja Killian. Sauf que l'hologramme était à l'envers. J'ai regardé cette drôle de vision et ai dit :

– Tu m'as appelé, et me voilà. Alors ?

La tête a disparu. Un peu plus tard, j'ai entendu un petit bruit de l'autre côté de la caverne. Une porte s'est ouverte et de la lumière s'est écoulée de la pièce d'à côté.

Il était temps de rencontrer Aja Killian en chair et en os et de jeter un œil au territoire de Veelox.

VEELOX

Je me suis retrouvé dans un tunnel long et étroit qui s'étirait dans deux directions. La lumière provenait de néons accrochés au plafond, mais la plupart des lampes étaient grillées ou cassées.

Blam !

La porte s'est refermée derrière moi. C'était un simple panneau de métal qui, vu qu'il était du même gris que les parois, était presque invisible. La seule indication de sa présence était le symbole en forme d'étoile gravé sur le panneau, celui qui indiquait les portes menant au flume. Pourvu que je ne sois pas obligé de le retrouver en quatrième vitesse…

J'ai remarqué que je me trouvais sur des rails. J'ai senti un rush d'adrénaline. Encore un métro ? Allais-je de nouveau devoir échapper à une rame ? En y regardant d'un peu plus près, j'ai vu que je ne risquais rien. Il manquait des portions entières de rails et une épaisse couche de rouille recouvrait l'acier. Il y avait bien longtemps que ce tunnel était désaffecté.

La voix d'Aja a retenti, surgie de nulle part :

– Prends sur la droite et tu trouveras une échelle.

Je commençais à en avoir ras le bol de tous ces mystères.

– Où es-tu ? ai-je crié. Pourquoi tu ne te montres pas ?

– Trouve l'échelle, Pendragon, a ordonné la voix d'Aja.

Je vois. Que cela me plaise ou non, je continuerais de nager en plein mystère. En traversant le tunnel, je me suis demandé si les habitants de Veelox étaient des géants. Si l'image d'Aja était à l'échelle, j'allais me retrouver plongé dans *Les Voyages de Gulliver*. En moins rigolo.

J'ai trouvé une échelle de métal qui disparaissait dans un trou sombre creusé dans le plafond. J'allais l'escalader lorsqu'une idée m'a frappé. Mark, je portais toujours le jean et la chemise de flanelle que tu m'avais prêtés en Seconde Terre. Or nous ne sommes pas censés introduire quoi que ce soit qui vienne d'autres territoires, y compris nos vêtements. Sauf qu'il n'y avait pas de tenues de Veelox dans le flume. Qu'étais-je censé faire ? Comme je n'avais vu que la tête d'Aja, je pouvais en conclure que les gens de Veelox ne portaient pas le moindre vêtement. Vous parlez d'une image ! Des géants flottant dans l'air… à poil. Je n'allais pas pour autant me déshabiller entièrement !

L'échelle m'a mené à un puits guère plus large que mes épaules. Quelques marches plus loin, j'ai touché le plafond. J'ai poussé un coup, pour voir, et il a bougé. C'était ma porte d'entrée pour Veelox. J'ai inspiré profondément pour me calmer, ai poussé la trappe et me suis hissé pour jeter mon premier coup d'œil au territoire de Veelox.

Je ne savais pas trop à quoi m'attendre, mais ce n'était certainement pas à ça.

D'abord, je me suis senti soulagé. Comme Saint Dane avait déjà fait son sale boulot, je m'attendais à tomber sur des incendies, ou des scènes de désolation, ou des gens paniqués courant dans tous les sens. Mais je n'ai rien vu de tout ça. Le plus étrange est encore le fait que ce décor n'avait rien d'inhabituel.

Veelox ressemblait à la Seconde Terre. Je me suis retrouvé dans une rue qui aurait pu être celle d'une ville de chez moi. La trappe que je venais de franchir était une bouche qui s'ouvrait en pleine rue. Les bâtiments étaient faits de briques brunes, comme chez nous. Il y avait des trottoirs, des réverbères et des arbres. J'aurais presque pu me croire revenu en arrière, de retour en Seconde Terre.

Et pourtant, même si ce décor semblait familier, il y avait quelque chose qui ne collait pas. J'ai regardé autour de moi en cherchant d'où pouvait bien venir une telle sensation. J'ai mis trois secondes à comprendre.

L'endroit était désert.

Certes, il n'y avait personne dans les rues, mais ce n'était pas tout. Il régnait un sentiment de désolation. Pas de gens, pas de voiture, pas de musique, rien. Le seul bruit était le gémissement du vent entre les bâtiments et les arbres. C'était vraiment angoissant. Ce décor semblait... mort. Oui, c'est le mot. Mort. Veelox était un territoire fantôme.

Super. D'immenses visages spectraux, nus, flottants... et morts. Que peut-on imaginer de plus bizarre ?

– Par ici !

Je me suis retourné pour voir quelque chose qui m'a remonté le moral. Là, au coin de la rue, se tenait Aja Killan. La vraie. À mon grand soulagement, j'ai vu qu'elle avait un corps pour accompagner sa tête. De plus, elle était de taille normale. Mieux encore, elle était toute habillée. Ouf.

J'ai couru la rejoindre. Aja était un peu plus petite que moi et, je présume, un peu plus âgée. Elle portait une combinaison bleu marine qui lui allait bien. Elle était plutôt jolie, avec de grands yeux bleus derrière ses lunettes aux verres jaunes. En fait, elle aurait pu venir de Seconde terre, à un détail près : un drôle de gadget accroché à son avant-bras droit. C'était un grand bracelet argenté avec plein de boutons, comme une sorte de calculatrice perfectionnée.

Et en plus, je ne sais pas si je vous l'ai dit, mais elle était mignonne.

– Salut, ai-je dit de mon ton le plus charmeur.

J'ai tendu la main, mais elle ne l'a pas serrée.

– Qu'est-ce qui t'a retenu ? a-t-elle rétorqué, furieuse.

Je dois dire que je ne m'attendais pas à ça. Cela faisait dix secondes que j'étais arrivé et elle commençait déjà à me taper sur les nerfs. Pas vraiment un bon début.

– Qu'est-ce que tu racontes ? ai-je demandé.

– J'ai essayé de te contacter pour parler de Saint Dane, mais tu n'as pas répondu. J'étais sur le point d'abandonner lorsque...

– Hé, un instant, l'ai-je interrompu. Je n'ai pas reçu tes messages parce qu'on m'a volé mon anneau. Dès que je l'ai récupéré, j'ai reçu tes messages et je suis venu immédiatement. Et me voilà.

Elle ne pouvait dire le contraire, mais cherchait quand même la bagarre. Elle a donc changé de sujet :

– Comment as-tu pu laisser quelqu'un te voler ton anneau ? Tu sais à quel point ils sont importants ? Si tu ne…

– *Stop !* ai-je crié. Je suis venu le plus vite possible. Restons-en là, d'accord ?

– Très bien, a répondu Aja d'un air hautain. Mais maintenant, tout est redevenu normal. Tu peux t'en aller avec ce type, ce Gunny, et t'occuper d'un autre territoire. Salut.

Et elle s'est retournée pour partir.

La tête me tournait. Qu'est-ce qui se passait ? Pourquoi me renvoyait-elle comme ça ?

– Un instant, ai-je dit en courant après elle. Tu as entendu ce qu'a dit Saint Dane ?

– Bien sûr. Tu as oublié que je surveillais l'entrée du flume ? Je sais tout ce qui se passe là en bas.

– Parfait, alors tu sais qu'il a dit que Veelox était sur le point de tomber.

– Il se trompait, a rétorqué Aja sans me regarder.

– Comment ça ?

Aja s'est arrêtée si subitement que j'ai bien failli lui rentrer dedans.

– Techniquement, expliqua-t-elle, il a raison. Veelox *est* au bord du gouffre. Mais elle n'est pas tombée et ne tombera pas. Je m'en suis assurée.

– Alors qu'est-ce qu'il venait faire ici ? ai-je demandé. Va-t-il y avoir une bataille ? Des armées vont s'affronter ? Qui se bat contre qui ?

Aja a secoué la tête comme si elle me trouvait ridicule.

– Non, Pendragon, il n'y a pas de guerre. Pas de fusils, pas de bombes. Au risque de te décevoir, il n'y aura ni explosions, ni coups de feu.

J'ai laissé glisser son petit commentaire désobligeant.

– Alors où est le conflit ? Quel est le moment de vérité de Veelox ?

Elle a fait un pas en avant et m'a tapé sur le front de son doigt.

– Le moment de vérité est dans la tête de chaque habitant de Veelox. Il n'y a ni bons, ni mauvais. Cette guerre se déroule dans l'esprit des gens, pas sur un champ de bataille.

– Je ne comprends rien à ce que tu racontes, ai-je dû admettre.

Aja a souri. Je pense qu'elle aimait bien se sentir supérieure.

– Ça n'a pas d'importance. Tout est en ordre. Je t'ai contacté parce que c'est ce que j'étais censée faire, mais Veelox peut se passer de toi, Pendragon. Tout va bien. Va-t'en.

Et elle a tourné les talons pour partir, une fois de plus. Je ne demandais qu'à la croire. Après tout, cela faisait un souci de moins. Mais je ne pouvais pas la prendre au mot. Je l'ai rattrapée une fois de plus.

– Comment ça, tu étais *censée* me contacter ? ai-je demandé. Pourquoi ?

– Parce que tu es le Voyageur en chef, a-t-elle répondu avec un regard dédaigneux. Même si je me demande bien pourquoi.

Hein ? C'était la surprise du chef ! Moi, le Voyageur en chef ? Personne n'avait jugé bon de me mettre au courant.

– Heu… Qui t'a dit que j'étais le Voyageur en chef ?

– Tout le monde, a-t-elle répondu.

– C'est qui, « tout le monde » ?

– D'abord, le Voyageur de Denduron. Il s'appelait Alder. Tu as vraiment fait sauter un château entier[1] ?

– Oui. Alder t'a raconté que j'étais le Voyageur en chef ?

– Non, c'est Press Tilton qui l'a dit en premier. Lui, par contre, avait l'étoffe d'un meneur d'hommes. Tu le connais ?

– Un peu ! C'était mon oncle. Il est mort.

Aja a cessé de marcher. Ce n'était pas sympa de lui annoncer la mauvaise nouvelle de façon si abrupte, mais, au moins, elle allait arrêter de me casser les pieds.

– Je… Je suis désolée, Pendragon, a-t-elle dit avec une véritable compassion. Je ne savais pas.

---

1. Voir Pendragon n° 1 : *Le Marchand de peur*.

Je n'avais aucune envie d'affronter cette Voyageuse cinglée. Au risque de me faire insulter une fois de plus, j'ai décidé de jouer cartes sur table :

— Je vais être franc avec toi, Aja. Jusqu'à ce que tu me le dises, je ne savais pas que j'étais le Voyageur en chef. J'ignore même ce que ça signifie. Mais que ce soit vrai ou pas, je ne suis pas ton ennemi. Alors lâche-moi un peu, d'accord ?

Je l'ai regardée dans les yeux en tentant de la convaincre de me faire confiance. Je ne savais si mon pouvoir de persuasion fonctionnait sur les autres Voyageurs, mais tant qu'on n'a pas essayé…

— Suis-moi, a-t-elle fini par dire avant de s'en aller.

Ouf. C'était un début. Nous sommes partis au milieu de la rue déserte. Cela m'a rappelé ces grands décors de cinéma que j'avais vu lors de ma visite aux studios Universal. Tout semblait normal, sauf qu'il n'y avait personne.

— Où sont les gens ? ai-je demandé.

— La majorité est à Utopias, a-t-elle répondu.

— Uto-quoi ?

— Utopias.

— Pardon. Je ne sais pas ce que c'est.

Aja s'est arrêtée et a posé son drôle de bracelet contre ma tête. J'ai senti un bref bourdonnement, puis elle l'a retiré.

— Qu'est-ce que c'était ? ai-je demandé, un peu nerveux.

Aja a tendu la main, appuyé sur quelques boutons et dit :

— Regarde.

J'ai suivi la direction de son doigt, et ce que j'ai vu m'a donné envie de rire et de pleurer en même temps. Là, devant moi, se tenait Marley, ma chienne disparue, un retriever doré. Elle agitait la queue si fort que tout son arrière-train en tremblait. Elle arborait un sourire bête et portait le collier vert que je lui avais offert pour Noël il y avait deux ans de cela. Ce n'était pas qu'un chien, c'était *mon* chien.

— Marley ? ai-je dit sans trop y croire.

Elle a battu de la queue encore plus fort et s'est précipitée vers moi. Elle allait bondir et j'étais prêt à la recevoir dans mes bras… Mais dès que ses pattes ont quitté le sol, elle a disparu – pouf !

Plus rien. Mes bras se sont refermés sur le néant. Le temps de reprendre mes esprits, je me suis tourné vers Aja et ai coassé :

– Comment as-tu réussi ce truc-là ?

– Ce n'est pas moi, mais Utopias, a-t-elle répondu. Il l'a extrait de tes souvenirs.

– Hein ?

Aja a souri. Elle avait repris le contrôle de la situation.

– Veelox est un territoire parfait, Pendragon. Nous pouvons vivre l'existence que nous avons choisie.

Ce qui ne m'aidait guère.

– Alors là, je nage complètement.

– Imagine un monde parfait, a-t-elle continué. Il peut se trouver n'importe où et y habite qui tu voudras. Comme ce chien. C'est Utopias. Là, on peut mener son existence telle qu'on la désire. Il suffit de la programmer.

– Donc, cet Utopias envoie les gens aux quatre coins du territoire, là où il pourra leur fournir la vie parfaite dont ils rêvent ?

– Non. J'ai dit qu'on pouvait y vivre l'existence dont on rêvait. Ils n'ont pas à se déplacer.

– Je n'y comprends toujours rien, ai-je râlé.

Aja m'a fait signe de la suivre. Elle a fait encore quelques pas, a tourné l'angle de la rue et m'a montré un spectacle à couper le souffle. Sérieusement. Un instant, j'ai eu du mal à respirer. C'est dire.

Là, au centre de la ville, à plus d'un kilomètre de nous, se dressait une grande pyramide. Elle était si vaste qu'à côté, les immeubles qui l'entouraient semblaient minuscules. On aurait dit qu'un monstrueux vaisseau extraterrestre s'était posé au beau milieu de la ville. Ses murs noirs reflétaient la lumière du soleil, la faisant ressembler davantage à une ombre qu'à un bâtiment.

– Tu veux dire que les habitants de cette cité habitent tous dans cette pyramide ?

– Pas tous, mais la plupart.

– Pourquoi ?

Aja a secoué la tête comme si je n'étais qu'un cancre, puis s'est dirigée vers le trottoir. Là, près d'un réverbère, était garé un drôle de véhicule biplace à pédales. L'engin avait trois roues et les sièges étaient côte à côte. Aja s'est assise sur celui de gauche et a dit :

— Je t'explique ou je te montre. Qu'est-ce que tu préfères ?

Bon sang, cette fille me prenait pour un abruti ! Mais comme je n'avais pas envie de me disputer, j'ai grimpé sur le siège de droite. Aja a démarré et nous sommes partis vers cette pyramide.

— Utopias est une sorte de jeu de réalité virtuelle, c'est ça ? ai-je demandé.

— Ce n'est pas un jeu ! s'est-elle offusquée.

— Mais il ne s'agit que d'hologrammes, non ? Comme mon chien et cette grosse tête flottante.

— Ne juge pas avant de savoir à quoi tu as affaire.

Ça se tenait. J'ai décidé d'observer cet Utopias avant de poser d'autres questions. On a continué en silence, et j'ai pu mieux voir cette sinistre ville déserte. On est passés devant des épiceries, des magasins de vêtements et des bureaux. Tout était normal, mais vide. En y regardant d'un peu plus près, j'ai vu que les bâtiments étaient décrépits. Les poteaux indicateurs jaunissaient, des ordures s'accumulaient dans les coins, les vitres étaient noires de crasse. On aurait dit que les gens… étaient partis, comme ça, du jour au lendemain.

J'ai vu plein de panneaux portant le nom de « gloïde ». On y vantait LE NOUVEAU GLOÏDE et GOUTEZ LA SENSATION GLOÏDE et même GLOÏDE PLUS. C'était un des rares mots que mon cerveau de Voyageur ne traduisait pas automatiquement dans ma langue. J'en ai conclu que ce devait être un terme typique de Veelox. J'ai aussi remarqué un autre terme spécifique : « Rubic ». Des poteaux indicateurs donnaient la direction de RUBIC CENTRAL. Les boutiques aussi utilisaient ce terme, comme BLANCHISSERIE RUBIC. J'ai même vu un écriteau : LE MEILLEUR GLOÏDE DE RUBIC. Là, c'était la goutte qui faisait déborder le vase. Je devais savoir.

— Qu'est-ce que ce Rubic ?

— Le nom de la ville.

— Et le gloïde ?

— Pour ça, il vaut mieux que je te le montre.

Cet endroit avait beau ressembler à la Seconde Terre, toute ces différences démontraient qu'il n'en était rien. C'est alors que je me suis souvenu d'autre chose :

— Mes vêtements ! ai-je bafouillé. Il me faut des vêtements de Veelox !

Aja m'a toisé.

— Personne ne remarquera rien, a-t-elle répondu tranquillement.

Si elle ne s'en inquiétait pas plus que ça... Et il y avait plus important. Nous arrivions devant la pyramide d'Utopias. Bon sang, qu'elle était grande ! Elle devait faire au moins cinquante étages. Sa surface d'un noir luisant la rendait encore plus imposante comparée aux bâtiments plus clairs qui l'entouraient.

— Tu travailles là ?

— Oui, je suis phadeuse.

— Hein ?

— Ne va pas péter un fusible. Je vais te montrer ce que ça veut dire.

Je ne me formalisais même plus de ses petites remarques désobligeantes. Cette étrange pyramide était autrement plus intéressante. Nous avons gagné une porte tournante qui semblait minuscule face à cet édifice. En cours de route, j'ai fini par voir d'autres habitants de Veelox. Ils faisaient le tour de la pyramide et, comme Aja, étaient vêtus de combinaisons. Certaines bleues, d'autres rouges. C'est tout. Bleu et rouge. On n'avait guère le goût de la mode dans le coin.

— Ceux en rouge sont des veddeurs, a-t-elle expliqué. Ça, je ne voudrais pas faire leur travail.

— Qui est ?...

— Tu vas voir.

Aja a mené notre engin vers la porte et a sauté sur le sol.

— Ouvre ton esprit, Pendragon. Ne juge pas tant que tu ne l'as pas senti.

— Senti quoi ?

— Utopias, bien sûr. Je t'emmène faire le voyage le plus incroyable que tu aies jamais pu imaginer.

Sur ce, elle a tourné les talons pour entrer dans la pyramide.

Ces derniers temps, j'avais fait plus d'un voyage extraordinaire. Le sien avait tout intérêt à être à la hauteur. À vrai dire, je n'étais pas très chaud. Mais une chose était sûre : si je voulais savoir ce que Saint Dane avait concocté sur Veelox, la réponse était forcément à l'intérieur de cette pyramide.

J'ai donc jeté un dernier regard au monde extérieur, puis suis entré dans cette pyramide noire et ce qu'on appelait Utopias.

Journal n° 13
(suite)

VEELOX

Oubliez tout ce que j'ai dit précédemment. Veelox n'a rien à voir avec la Seconde Terre.

En entrant dans cette pyramide, j'ai eu l'impression d'aborder un autre univers. De l'autre côté de la porte s'étendait un étroit couloir éclairé par de longs tubes de néon violet. Aussitôt, mes poils de mes bras se sont hérissés, comme si la salle était chargée d'électricité.

— Ce n'est rien, on vient juste d'être stérilisés, a expliqué Aja.

Stérilisés ? C'est pas ce qu'on demande au vétérinaire de faire à votre chien lorsqu'on ne veut pas qu'il fasse de chiots ?

— C'est absolument sans danger, m'a-t-elle assuré. Ce processus tue tous les microbes qui pourraient contaminer le réseau.

— Je comprends. Ce n'est pas le moment de contaminer le réseau.

Quoi que cela puisse signifier.

Une fois stérilisés, on a atteint le bout du couloir pour franchir une autre porte tournante menant à une petite pièce paisible et mal éclairée. Derrière un long comptoir se tenaient quatre personnes en combinaison rouge – des « veddeurs », comme les avait appelés Aja. Elle m'a mené vers un type d'environ mon âge. Il avait des cheveux d'un noir de jais qui cascadaient sur ses épaules avec une raie au milieu. Il faisait très gothique, bien que je doute qu'on utilise ce terme sur Veelox.

— Bonjour, a-t-il dit à Aja d'une voix neutre.

— Mon ami ici présent n'est jamais venu dans la pyramide, je voulais lui faire visiter les lieux.

Le veddeur m'a regardé comme s'il venait de remarquer que j'avais deux têtes.

— Vous n'avez encore jamais plongé ?

— Heu… pas dans mes souvenirs. (Je lui ai tendu la main.) Je m'appelle Pendragon.

Le veddeur goth m'a regardé d'un air stupéfait. Il se fichait pas mal de mon nom. Et il ne m'a pas serré la main non plus. Crétin.

— Oui, ben, bienvenue à Utopias, a-t-il dit.

On aurait dit quelqu'un qui avait passé trop de temps à servir des hamburgers chez MacDonald's. Il avait l'air de s'ennuyer ferme. Il a fini par tendre la main, mais au lieu de serrer la mienne, il l'a retournée pour me planter une petite aiguille dans le pouce.

— Aïe ! me suis-je écrié en retirant aussitôt ma main. Ça va pas, non ?

— Il te faut un examen bio, a expliqué Aja.

Bon. On m'avait stérilisé, insulté et piqué. Jusque-là, cet Utopias ne me plaisait pas plus que ça. Le veddeur a posé l'aiguille sous une sorte d'ordinateur qui devait analyser mon sang pour ce bio-machin. En attendant qu'il ait fini, j'ai regardé autour de moi. Cela me rappelait le comptoir d'un aéroport. Tout était si moderne. Pas de pancartes, mais sur le mur derrière le comptoir, il y avait une grande peinture à l'huile représentant un gamin de dix ans environ, avec des cheveux blonds coupés court et une combinaison bleue rappelant celle d'Aja. Il avait l'air très sérieux et semblait me dévisager.

— Qui est-ce ? ai-je demandé.

Le veddeur m'a regardé comme si j'avais maintenant trois têtes au lieu de deux.

Aja a choisi de rattraper mes bêtises :

— C'est malin ! (Elle s'est tournée vers le veddeur.) Il n'arrête pas de faire des blagues idiotes.

Son interlocuteur n'avait pas l'air de trouver ça drôle.

— Donnez-moi votre main, s'il vous plaît.

— Pas si vous comptez encore me piquer, ai-je protesté.

Le goth a jeté un regard exaspéré à Aja.

– Tends ta main, Pendragon, a-t-elle ordonné.

J'ai obéi à contrecœur en m'attendant à subir d'autres sévices corporels, mais il s'est contenté de poser un bracelet d'argent autour de mon poignet. Celui-ci ressemblait plus à un gadget dernier cri qu'à un bijou. Large de trois centimètres, il était plus petit que celui d'Aja, avec trois boutons carrés sur sa surface.

– Bonne immersion, a dit le veddeur, même si j'étais sûr qu'il s'en moquait comme de l'an 40.

Je lui ai néanmoins souri, puis ai suivi Aja vers une pièce située à l'autre bout de la salle.

– Qui est le gamin sur le portrait ? lui ai-je chuchoté.

– Le Dr Zetlin, celui qui a inventé Utopias.

– Un type si jeune a fabriqué tout ça ? ai-je demandé, incrédule.

– La valeur n'attend pas le nombre des années, a-t-elle répondu.

– Ben voyons.

Aja a ouvert une porte, et je l'ai suivie dans ce qu'on pourrait qualifier de… salle de contrôle. En mille fois mieux. Les cloisons étaient faites de verre et, à travers, j'ai vu une série de postes de travail. Chacun d'entre eux semblait assez balèze pour lancer un millier de navettes spatiales. Chaque poste était indépendant, puisque les alcôves ne communiquaient pas entre elles. Il devait y en avoir une cinquantaine de chaque côté du couloir central. Puis toute une autre rangée s'étendait derrière celle-ci. Je peux donc en conclure qu'il devait y avoir deux cents postes de travail en service.

Chacun comportait un opérateur vêtu de cette même combinaison bleue, assis sur la chaise de travail la plus cool que j'aie jamais vue. Elle était noire avec un dos allongé et des accoudoirs effilés comprenant un panneau de contrôle argenté plein de boutons servant à actionner… Dieu sait quoi.

Face à chaque phadeur s'étendait une rangée d'écrans d'ordinateurs. Un bref décompte m'apprit que chacun d'entre eux regardait une trentaine d'écrans. Et le plus bizarre (enfin, plus que tout ce qui s'était passé jusqu'à présent), c'est que chaque écran montrait un film différent. Et il suffisait de multiplier le nombre de films par le nombre de postes de travail (deux cents, donc) pour obtenir six mille films diffusés tous en même temps. Je me suis dit que ce devait être une sorte de couverture satellite englobant tout Veelox.

Or je me trompais sur toute la ligne.

– C'est là que je travaille, a expliqué Aja. On appelle ça le « noyau ». Les phadeurs s'occupent du matériel, quitte à chercher les dernières améliorations, et dirigent les immersions pour s'assurer que tout va bien.

– Et à quoi servent les veddeurs ?

– Ils prennent soin de l'enveloppe corporelle des rêveurs. C'est pour ça qu'on a prélevé un échantillon de ton sang. Ils s'assurent que ton corps ne risque rien.

– Et qu'est-ce que c'est que ces films qu'ils regardent ?

– Ce sont les *immersions*, a répondu Aja en dissimulant mal son impatience.

J'ai regardé l'une des rangées d'écrans de l'autre côté de la vitre pour m'assurer qu'ils ne montraient pas tous la même chose. Au bout de quelques secondes, chaque écran passait à une autre scène, comme des caméras de sécurité dans un magasin. J'en ai choisi un où un voilier glissait sur des eaux tropicales paisibles. L'image s'est modifiée pour montrer le point de vue d'un skieur descendant une pente en évitant adroitement les arbres. Sur l'écran d'à côté, j'ai vu ce qui devait être un stade bourré de monde regardant un jeu ressemblant au foot, mais avec une grosse balle orange évoquant une citrouille géante. Puis l'image a enchaîné sur un coin de cheminée paisible et accueillant où une femme âgée buvait du thé.

– Tout le monde vient ici pour voir des films ? ai-je demandé.

Aja a gloussé de rire.

– Si on veut. Viens.

Elle m'a mené le long du couloir aux nombreuses alcôves. J'ai jeté un œil aux postes de travail pour me faire une idée du choix de films à ma disposition lorsque mon tour viendrait. Un match de basket, probablement. Ça faisait une éternité que je n'y avais pas joué, et ça me manquait. Pourvu qu'ils connaissent le basket sur Veelox.

Une fois au bout du couloir, Aja m'a dit :

– Tu es prêt ?

– Euh, oui, je crois.

En fait, je n'en savais rien, puisque j'ignorais à quoi je devais m'attendre.

Aja a secoué la tête comme si mon innocence l'amusait beaucoup… Mon innocence ou ma bêtise. Nous avons passé la porte, et ce que j'ai découvert m'a prouvé au moins une chose…

Je n'étais pas prêt. Pas prêt du tout.

Nous sommes entrés dans la salle centrale de la pyramide. Jusque-là, tout n'avait été qu'un échauffement. À présent, on passait aux choses sérieuses. J'ai fait un pas, ai regardé autour de moi et la simple taille de ce machin m'a flanqué le vertige. La pyramide était à peu près creuse, si bien que je pouvais voir jusqu'à sa pointe. Au centre de la structure, un tube s'élevait du sol jusqu'au point le plus élevé. De ce tube partaient des centaines de passerelles de différentes tailles et diamètres qui s'accrochaient à ce centre comme les rayons d'une roue pour atteindre les cloisons de la pyramide. Il y avait des centaines de niveaux différents, tous desservis par ces passerelles.

Tout d'abord, Aja n'a rien dit. J'imagine qu'elle voulait me laisser le temps de me remettre. Sauf que c'était inutile. On ne se remet jamais d'une telle vision.

– Tu m'as demandé où était tout le monde, a-t-elle fini par dire, voilà la réponse.

Et elle a désigné les murs de la pyramide.

– Tu veux dire que tous les habitants de Veelox sont là-dedans ?

– Non, mais la majorité des habitants de Rubic s'y trouve. Et il y a au moins huit cents pyramides comme celle-ci disséminées aux quatre coins de Veelox.

Incroyable.

– Donc, tout le monde est là, à regarder des films ? ai-je demandé.

En guise de réponse, Aja a levé le bras pour consulter son bracelet métallique. Tout en le fixant d'un regard d'une intensité surprenante, elle a effleuré quelques boutons.

– Qu'est-ce que tu fais ? ai-je demandé.

– Je cherche un poste libre.

Et elle s'est mise en marche. Je l'ai suivie comme un chien bien dressé. Elle m'a mené vers le centre de la pyramide, ce qui a pris un certain temps. En cours de route, nous avons croisé plus d'un phadeur ou veddeur chargé d'équipements ou de provisions quelconques, mais ici, personne ne semblait échanger plus de deux mots. Si vous voulez mon avis, tous avaient l'air de déprimer grave. Ce n'était pas aussi flagrant que chez les mineurs de Denduron, mais ces types ne sifflaient pas en travaillant non plus. Nous sommes montés à bord d'un ascenseur qui s'est élevé dans le tube.

Lorsque la cabine s'est arrêtée et qu'Aja a ouvert la porte, je me suis mis à transpirer. On était un peu trop haut à mon goût. Pire encore, les rambardes m'arrivaient à peine au genou. Aja est sortie de la cabine. Pas moi.

– Tu ne risques rien, Pendragon, m'a-t-elle dit. Regarde droit devant toi et suis-moi.

Elle est partie sur l'un des ponts menant au mur de la pyramide.

– Ne regarde pas en bas !

Ben voyons. C'est la première chose que j'ai faite. Oh, misère ! On n'était qu'à mi-hauteur, mais cela faisait tout de même un sacré bout de chemin. J'avais l'impression de me tenir sur un échafaudage en Lego. Pourvu que ces passerelles soient plus solides qu'elles en avaient l'air ! Je ne voulais pas m'attarder sur ce pont : en quelques secondes, j'avais rejoint, puis dépassé Aja. J'ai gagné le balcon qui permettait de faire le tour de la pyramide. Aja m'a jeté un regard désapprobateur :

– Tu es sûr d'être le Voyageur en chef ?

– Non. Où allons-nous ?

Aja a consulté une fois de plus son bracelet avant de s'engager le long du balcon. Je l'ai suivie en rasant les murs, histoire d'être le plus loin possible du gouffre. Tous les deux mètres environ, il y avait une porte. Imaginez que ce n'était qu'un côté d'un seul niveau de la pyramide, mais qu'il y devait y avoir des centaines de milliers de portes toutes semblables. À côté de chacune d'entre elles, il y avait une petite lampe blanche. La plupart étaient allumées. Aja s'arrêta devant l'une d'entre elles, qui portait le numéro 124-70. Comme la lumière était éteinte, j'en ai conclu qu'elle était libre. Elle a touché le panneau qui a aussitôt coulissé, comme si nous allions passer sur le pont de l'*Enterprise*.

La porte s'ouvrait sur une petite pièce assez quelconque. Elle me rappelait une salle d'examens, tant elle était simple et stérile. Il n'y avait pas le moindre meuble, juste un disque argenté d'un mètre de large sur la cloison opposée. À côté se trouvait un grand panneau argenté ressemblant à une extension du bracelet que portait Aja. Il comportait plusieurs rangées de boutons d'argent plats dépourvues de toute inscription. Au-dessus de ces boutons, il y avait un petit rectangle noir qui devait être un écran d'ordinateur débitant des informations sur… Dieu sait quoi. Aja s'est dirigée tout droit sur le panneau et a pianoté sur le clavier. Aussitôt, des chiffres verts sont apparus sur l'écran.

— La pyramide est à quatre-vingt-sept pour cent de ses capacités, a-t-elle déclaré.

Elle a appuyé sur un bouton et, dans un léger bourdonnement, le disque d'argent a pivoté, révélant un tube circulaire qui s'étirait sur deux bons mètres. Un autre bouton, et une table blanche est sortie lentement du tube.

— Allonge-toi, a ordonné Aja.

Ben voyons. Si elle pensait que j'allais m'installer sur cette table et attendre de me voir aspiré dans ce tube futuriste, elle se fourrait le doigt dans l'œil.

— D'abord, dis-moi ce qui va se passer.

— Tu ne me fais pas confiance ? a-t-elle répondu avec un sourire ironique.

— Ce n'est pas ça, me suis-je empressé de répondre. Mais tout ceci… Je veux dire, je n'ai jamais vu… Je ne comprends pas… Euh, non, je ne te fais pas confiance.

— Même si je suis une Voyageuse ?

— Écoute, ai-je répondu, je ne sais pas ce que je t'ai fait, mais si tu veux que je te fasse confiance, tu devrais te comporter un peu plus comme un être humain.

Son mépris commençait à m'agacer. Même si j'avais une idée de ses raisons. C'est vrai qu'elle était une Voyageuse, mais je ne l'avais encore jamais vue lutter contre des quigs, se faire tirer dessus, sauter d'un avion ou rien de ce que j'avais dû faire moi-même. Alors pourquoi la ramenait-elle comme ça ?

— Désolée, a-t-elle répondu. Utopias fait tellement partie de notre existence que je ne me fais pas à l'idée que tu ignores tout de lui.

— D'accord. Alors explique-moi ce qu'il en est, ou je ne me coucherai jamais sur ce truc.

— C'est sans danger, a commencé Aja. Physiquement, il ne t'arrivera rien. Il s'agit juste d'étendre ton esprit dans des directions que tu auras toi-même choisies. Tu t'allonges sur la table, la table glisse dans le cocon et je referme le disque. À vrai dire, certains n'apprécient pas la sensation de se retrouver enfermés sans lumière dans un espace aussi réduit. Mais ça ne durera pas, je te le promets.

— Et ensuite ? Je reste là et je regarde un film ?

— Tu te concentres. Tu penses à un endroit où tu aurais envie de te rendre, ou à une personne que tu voudrais voir. C'est tout ce qu'il faut.

— Et ce machin lit dans mon esprit ? Comme lorsqu'il a fait apparaître mon chien ?

— Exactement.

Cela semblait impossible. Et pourtant, Marley m'avait semblé bien vraie. Si c'était une illusion, elle était sacrément réussie.

— Et si ça tourne mal ? Si je fais une crise de claustro ou quelque chose comme ça ?

— Ne t'en fais pas, m'a-t-elle répondu. Mais si ça peut te rassurer, sache que les veddeurs et les phadeurs contrôlent chaque immersion depuis leur poste. Au moindre problème, ils arrêteront tout. Crois-moi, ils savent ce qu'ils font.

J'ai levé le bras pour toucher mon bracelet d'argent pourvu de trois boutons.

— À quoi sert-il ?

— À contrôler ton immersion. Si tu veux parler à ton phadeur, appuie sur le bouton de gauche. Pour interrompre le saut, c'est celui de droite.

— Et celui du milieu ?

— N'y touche pas. Il est réservé aux experts.

Ben voyons. Autant dire : « Ne regarde pas ! » Bien sûr, je n'ai plus eu qu'une idée en tête : actionner ce bouton pour experts.

– Combien de temps ça va prendre ? ai-je demandé.

– Je vais programmer ton immersion pour qu'elle ne dure que quelques minutes. Après tout, le but est de te montrer ce dont Utopias est capable. Ensuite, je pourrai t'expliquer pourquoi Veelox n'a rien à craindre de Saint Dane.

Le serpent se mordait la queue. C'était exactement la raison de ma présence ici : je devais découvrir ce qu'était le moment de vérité de Veelox et comment Saint Dane l'avait influencé pour que le territoire s'enfonce dans le chaos. Je commençais à comprendre pourquoi Aja voulait que je le voie de mes yeux. J'espérais qu'après mon immersion, ou quel que soit le nom qu'ils lui donnent, je serais à même d'affronter le vrai problème, en l'occurrence Saint Dane.

– Allonge-toi, a dit Aja. Les pieds devant.

J'ai haussé les épaules et fait ce qu'elle me disait. La table était chaude et a épousé les formes de mon corps. Le top du confort. Mais j'imagine que c'était un minimum si on devait y rester allongé pendant un bon bout de temps.

– Détends-toi, a dit Aja d'une voix étrangement rassurante. Croise tes bras sur ta poitrine. Je vais repousser la table et te faire rentrer dans le tube. Maîtrise bien ta respiration. Ferme les yeux, si ça peut t'aider. Quand je fermerai le panneau, tu te retrouveras dans le noir. Ne crains rien : c'est tout à fait normal. Tout ce que tu as à faire, c'est te concentrer au maximum.

Mon cœur s'est affolé. Pouvais-je vraiment lui faire confiance ? Et si cette fille s'apprêtait à m'envoyer au cœur d'un désintégrateur atomique qui allait me réduire en poussière d'électrons ? Mais c'était une Voyageuse. Il fallait que je croie en elle.

– Prêt ? a-t-elle demandé.

– Oui, ai-je menti.

La table s'est rétractée dans un bourdonnement à peine audible. Elle m'a emporté dans le cocon. J'avais un peu les boules. J'aurais bien voulu crier « pouce ! », mais cela n'aurait fait que prolonger la torture. Serre les dents, Bobby Pendragon. Quelques secondes plus tard, j'ai vu le bord du tube passer au-dessus de mon visage. Je n'ai pas fermé les yeux. J'aurais peut-être dû, mais je voulais voir à quelle sauce j'allais être mangé. Je suis resté allongé dans ce court tunnel dont le plafond était à quelques centimètres de mon nez. Si je devais me révéler claustrophobe, c'était le moment ou jamais.

– Ça va ? a demandé Aja.

– Ça va, ai-je menti à nouveau.

Je me suis décidé à poser la question qui me brûlait les lèvres, quitte à passer pour une chochotte :

– Aja ? ai-je demandé en espérant que ma voix ne tremble pas. Ça va faire mal ?

Elle s'est penchée vers moi jusqu'à se trouver juste au-dessus de ma tête et a dit quelque chose qui, pour la première fois, montrait qu'il y avait un semblant d'humanité derrière ces verres jaunes.

– Pendragon, a-t-elle dit, crois-moi, tu vas t'amuser comme tu ne t'es jamais amusé.

Sur ce, le couvercle a commencé à se refermer dans un bourdonnement. Quelques secondes plus tard, je me suis retrouvé plongé dans le noir absolu.

SECONDE TERRE

Mark accomplit alors un acte qui nécessita un grand effort de volonté.

Il se baissa et appuya sur le bouton noir à la base du petit projecteur. Aussitôt, l'hologramme représentant Bobby disparut. Cela lui faisait mal de devoir l'interrompre, surtout à un moment crucial, lorsque l'image de Bobby allait lui révéler le secret d'Utopias. Mais c'était justement pour ça qu'il devait l'interrompre.

Parce que Courtney n'était pas là.

Mark avait déjà l'impression d'avoir trahi leur pacte en regardant toute une partie du journal en solo. Mais cet hologramme était trop attirant. En fait, il était tellement captivé par cette image en trois dimensions qu'il avait mis un cer-tain temps à réaliser son erreur. La règle numéro un de leur arrangement était qu'ils devaient lire les journaux de Bobby ensemble, et il venait de la rompre. Enfin, d'une certaine façon. Il lui faudrait déjà expliquer à Courtney que le fait de voir jaillir l'image de Bobby l'avait surpris au point qu'il avait mis un certain temps pour reprendre ses esprits. Il n'avait pas décidé volontairement de regarder ce journal sans elle. Il s'était laissé entraîner. Elle comprendrait certainement.

Pas vraiment, se dit-il. Elle allait se mettre dans une rogne noire.

Il se mit à transpirer. Il avait déjà trahi sa confiance une fois, lorsqu'il avait omis de lui dire qu'Andy Mitchell avait découvert les journaux[1]. Et il venait de récidiver. Courtney serait furieuse, et elle aurait toutes les raisons de l'être.

Il prit le petit projecteur et le mit dans sa table de nuit. Puis il se recoucha et essaya de se détendre. Il avait déjà du mal à s'endormir lorsque le journal était arrivé, il était inutile d'espérer trouver le sommeil maintenant. Il mourait d'envie de savoir ce qui était arrivé à Bobby dans cet Utopias. Et la réponse se trouvait dans son tiroir, à quelques centimètres de sa main. Un vrai supplice chinois !

Dans son esprit, il se repassa tout ce que Bobby avait déjà enregistré. Ce projecteur/enregistreur était vraiment extraordinaire. Non seulement on aurait dit que Bobby était présent dans la pièce, mais en plus, il pouvait interpréter les événements qu'il décrivait. Il jouait différents rôles, changeait sa voix en passant d'un personnage à l'autre et faisait des gestes pour souligner les points importants. Et Bobby savait raconter une histoire. Ses journaux étaient déjà passionnants, mais le voir narrer en personne ses aventures était extraordinaire. Mark n'en pouvait plus d'attendre.

Il passa la nuit à fixer le plafond.

Lorsque le matin vint enfin, Mark cacha le gadget argenté dans la petite poche de son sac à dos, referma la fermeture éclair et l'emporta à l'école. Quand il le montrerait à Courtney, il espérait que la curiosité serait plus forte que la colère. Comme ils n'avaient pas de cours en commun, Mark ne la vit pas de la journée. Il valait mieux essayer de la retrouver à son entraînement de foot. Et espérer que celui-ci se passe mieux que la veille. Il préférait qu'elle soit de bonne humeur.

Son deuxième jour de lycée ne fut pas aussi douloureux que le premier. En fait, il évita de s'adresser à qui que ce soit. Ce qui n'était pas bien difficile : son corps était peut-être au lycée Davis-Gregory, mais son esprit était resté sur Veelox. La journée se passa sans anicroches jusqu'à la fin du dernier

---

1. Voir Pendragon n° 2 : *La Cité perdue de Faar.*

cours. Il écouta à peine son prof de chimie : il ne cessait de consulter l'horloge murale, comme s'il pouvait obliger les aiguilles à avancer par la simple force de sa pensée. Lorsque la cloche finit par sonner, il rangea ses affaires en un tournemain et fut le premier à passer la porte.

– Pardon ? Mark Dimond ?

Mark se retourna et vit qu'un professeur l'appelait depuis l'autre bout du couloir. Il reconnut M. Pike, le prof de physique. Tout le monde le connaissait : c'était un des enseignants les plus cool de tout le lycée. Il avait les cheveux relativement longs et était vêtu d'un jean et d'un pull de coton. Mark trouvait qu'il ressemblait plus à un artiste peintre qu'à un prof.

– Oui ? répondit Mark d'un ton hésitant.

Le professeur lui tendit la main.

– J'avais hâte de vous rencontrer. Je m'appelle David Pike. J'enseigne la physique.

– Heu, oui, je sais qui v-v-vous êtes.

Il était rare que des adultes se présentent par leur nom, encore plus des profs.

– Jusque-là, vous vous plaisez à Davis-Gregory ?

– Heu… oui, ça va. (Mark ne comprenait pas où il voulait en venir.) Et vous aviez hâte de me rencontrer, moi ?

– Tout à fait, répondit M. Pike en riant. J'ai vu votre robot de combat à l'exposition scientifique. Il m'avait déjà impressionné, mais lorsqu'il a remporté le prix, j'ai compris qu'une star allait entrer dans notre lycée.

Mark avait construit un robot de combat en prévision de ce concours, et son engin avait laminé la concurrence. Il comprenait un crochet capable de clouer sa victime au sol, une pelle pour la retourner et une scie circulaire pour porter le coup fatal. Et ce robot n'avait jamais été vaincu. Mark avait dans l'idée de concourir dans une de ces émissions télévisées spécialisées pour voir ce que donnait son jouet face à des adversaires plus coriaces, mais après avoir remporté le prix, il avait préféré prendre sa retraite en pleine gloire. Ainsi, il avait rangé sa machine infernale et avait fini par l'oublier. Jusqu'à ce jour.

– Votre invention était mille fois plus élaborée que celles des autres, continua M. Pike. Quand j'ai appris que vous étiez inscrit à Davis-Gregory, ça m'a fait très plaisir.

Mark n'avait pas l'habitude des compliments.

– Ce n'était pas sorcier, fit-il en baissant les yeux.

– Pas de modestie déplacée, renchérit M. Pike. Vous n'avez jamais pensé à rejoindre Sci-Clops ?

Mark n'en croyait pas ses oreilles. Sci-Clops était un club de scientifiques composé des élèves les plus brillants du lycée. C'était une vraie légende, du moins chez les forts en thème. Faire partie de Sci-Clops présentait un avantage considérable lorsque venait le moment d'entrer dans une école d'ingénieurs après le lycée. Quelques membres du Sci-Clops étaient même entrés au prestigieux Institut de technologie du Massachusetts, là où l'on formait l'élite scientifique.

– V-v-vous plaisantez ? Vous p-p-parlez bien *du* Sci-Clops ?

– Bien sûr ! Il n'y en a pas tant que ça !

Mark vira au rouge. Pike posa sur son épaule une main rassurante.

– Pensez-y. Nous aimerions beaucoup vous compter parmi nous.

Et il le laissa planté là, muet d'étonnement. Mark mit un certain temps à reprendre ses esprits :

– Oui. Bien sûr ! Je veux en faire partie.

Mais il était trop tard : Pike était déjà reparti.

Mark n'en revenait pas. Non seulement parce qu'on venait de lui proposer de rejoindre un club dont il ne se jugeait pas digne, mais aussi parce que, pour une fois, quelqu'un avait remarqué une de ses créations. Il sentit monter en lui un sentiment inconnu : de la fierté. Il ne savait toujours pas s'il était assez doué pour faire partie de Sci-Clops. Il lui faudrait encore bien du travail pour qu'il gagne de l'assurance. Mais c'était rassurant de savoir que quelqu'un d'autre que sa mère pensait qu'il était sur la bonne voie. Pas de doute, son deuxième jour d'école s'annonçait mieux que le premier.

Sauf qu'il lui fallait toujours affronter Courtney. À cette idée, son estomac se souleva. Plutôt que d'aller au terrain de foot, il préféra courir après M. Pike.

De son côté, Courtney, elle, ne passait pas une bonne journée. Elle était arrivée avec la ferme intention de rattraper le fiasco de la veille et de reconquérir sa place, celle de mètre-étalon, celle à qui tout le monde se comparait.

Et elle avait échoué.

La rumeur avait circulé : Courtney l'Invincible était soudain devenue Courtney la Minable. Ses amis venaient la trouver pour compatir et lui demander ce qui n'allait pas. D'autres, qu'elle intimidait depuis des années, l'abordaient pour savoir si la rumeur disait vrai, si elle était réellement tombée si bas. Certains semblaient bouleversés à l'idée que leur idole puisse avoir des pieds d'argile. D'autres refusaient d'y croire, tout simplement. Mais beaucoup se réjouissaient en silence de voir une icône chuter de son piédestal.

Courtney fit de son mieux pour dissimuler sa colère. On l'avait toujours enviée, et maintenant, on la prenait en pitié. C'était encore ça le pire. Toute la journée, elle dut sourire et répéter que tout allait bien, que ce n'était qu'une mauvaise passe. Mais en réalité, son sang bouillait dans ses veines. Elle avait hâte que les cours se terminent pour foncer sur le terrain et montrer aux incroyants ce dont elle était capable.

Toute une foule s'était massée sur les gradins – plus nombreuse pour ce simple entraînement que pour la plupart des matches, remarqua-t-elle. Elle avait l'habitude de jouer devant son public, mais pas comme ça. Il était là comme témoin. Il voulait savoir si le monde tournait toujours rond ou assister à la fin d'une époque.

À peine entrée sur le terrain, Courtney donna libre cours à son agressivité. Ce qui était une grave erreur. Elle en fit beaucoup trop et, du coup, permit aux autres de la laisser en plan. Elles la contournaient, refusaient de lui faire une passe ou lui arrachaient la balle. Durant les sprints, elles la laissaient en arrière.

Courtney n'était pas à son avantage. Et plus elle s'acharnait, moins elle obtenait de résultats. Sa légendaire assurance avait volé en éclats depuis longtemps. Tout en courant, elle vit les visages de ceux qu'elle surclassait depuis des années.

Certains avaient l'air déçus, d'autres bouleversés. D'autres encore arboraient des sourires disant clairement que, pour eux, l'heure du règlement de comptes était venue. Elle fit de son mieux pour ne croiser aucun regard, qu'il soit amical ou hostile. L'un comme l'autre étaient trop douloureux.

La foule ne s'attarda pas sur les lieux de sa déconfiture. Elle en avait assez vu. Ceux qui restèrent regardaient la scène comme on scrute les épaves après un accident de voiture. Mais elle n'était pas au bout de ses peines. Lorsque, après une éternité de tourments, l'entraînement toucha à sa fin, Courtney se précipita vers les vestiaires.

– Attends, Courtney !

C'était l'entraîneuse, Mme Horkey. Elle courut pour rejoindre Courtney, et elles se dirigèrent ensemble vers les vestiaires.

– Sale journée, hein ? dit Mme Horkey avec compassion.

Courtney ne put que hausser les épaules.

– Écoute, reprit Mme Horkey, je sais que c'est dur pour toi. Je t'ai vue jouer depuis que tu es assez grande pour taper dans un ballon. Je sais ce dont tu es capable. Ne perds pas courage.

– Non, répondit Courtney, totalement découragée.

C'est alors que Horkey lâcha sa bombe :

– Je pense que ça te ferait beaucoup de bien de jouer avec l'équipe des juniors.

Courtney s'arrêta net.

– Vous me rétrogradez ? fit-elle, à peine capable de prononcer ces mots.

– Non, répondit Horkey rassurante. Mais tu as besoin de réviser tes bases. Ce n'est pas si terrible. De toute façon, il est rare de trouver des bleus dans ce genre d'équipe.

– Il y en a déjà deux chez les juniors, remarqua Courtney. Écoutez, madame Horkey, il faut juste que je prenne le rythme.

– Je sais. Mais tu dois regarder plus loin. Tu n'es pas au niveau pour jouer dans cette équipe. Si tu restais là, tu devrais faire des efforts pour rester à flot, pas pour améliorer ton jeu. Chez les juniors, tu seras plus compétitive, et l'an prochain...

– L'an prochain ! Je devrais attendre toute une année avant de rejoindre mon équipe ?

– Tu es toujours dans l'équipe, Courtney. La **différence**, c'est que tu joues au niveau qui est le tien.

– Au niveau inférieur, vous voulez dire, rétorqua Courtney.

– Non, corrigea l'entraîneuse, au niveau qui te permettra de faire des progrès. Tu n'es pas du genre à renoncer, Courtney. Tu vas t'améliorer, mais pour ça, tu vas devoir bosser dur. Tu n'en as peut-être pas l'habitude.

Courtney avait envie de hurler. Mais en vérité, l'entraîneuse avait raison. Courtney n'avait jamais eu à faire des efforts pour se maintenir au niveau. Peut-être en était-elle incapable.

– C'est pour ton bien, conclut Horkey.

– Ben voyons, fit Courtney dans un souffle.

L'entraîneuse partit en courant vers l'école.

Courtney voulait se mettre à courir, elle aussi – jusque chez elle. Elle n'avait aucune envie d'entrer dans les vestiaires et de se changer au milieu de toutes ces filles qui la considéraient comme une grosse nulle. Or c'était faux. Même si, à ce moment, elle avait l'impression d'être la dernière des dernières.

– Courtney ! cria Mark en courant vers elle. C'est incroyable ce qui m'arrive ! On m'a demandé de rejoindre Sci-Clops !

– Cyclope ? Ce monstre avec un seul œil ?

– Non, répondit Mark en riant. Sci-Clops avec un « Sci » comme science ! Ce n'est rien, juste le club de scientifiques le plus respecté du pays. C'est le pied, non ?

– Oui, Mark, c'est super, fit Courtney sans grande conviction tout en marchant vers le lycée.

– Ah. Ça s'est mal passé à l'entraînement ?

– Je viens de me faire rétrograder.

– Quoi !

– Enfin, en tout cas, on m'a renvoyée chez les juniors.

Mark ne sut que dire. Il était en territoire inconnu. En général, ce n'était pas à lui de remonter le moral de Courtney.

– Voyons, dit-il sincèrement, tu sais bien que tu vaux mieux que ça.

– Vraiment ? répondit-elle doucement.

Jusque-là, Courtney ne s'était jamais avouée vaincue. Mark regarda autour de lui pour vérifier qu'il était le seul à l'avoir entendue.

– Ne dis pas ça, reprit-il. Il faut juste que tu prennes le rythme. (C'est alors qu'une idée le frappa.) Et puis, j'ai de bonnes nouvelles.

Il attendit sa réaction. Au bout d'un moment, Courtney le regarda et finit même par sourire.

– Tu veux rire ? demanda-t-elle prudemment.

– Il est arrivé la nuit dernière, confirma Mark avec un grand sourire. Mais je dois te faire un aveu. Quand tu verras le journal, tu comprendras mieux, mais pour tout dire, j'ai déjà regardé le début.

Courtney s'arrêta net et dévisagea Mark. Celui-ci ne perdit pas un instant – il devait s'expliquer, et vite :

– Je ne voulais pas, mais ce n'est pas un journal comme les autres. C'est un hologramme.

– Un quoi ?

– Bobby a enregistré son journal comme un film en trois dimensions. Ça m'a pris par surprise, si bien que je n'ai pas pensé à l'éteindre tout de suite. Mais je n'ai entendu que le commencement. J'ai tout arrêté avant qu'il entre dans le vif du sujet. Je ne voulais pas l'écouter sans toi.

C'était la vérité, dans les grandes lignes. Mark espérait qu'elle comprendrait. Il y eut un long silence. Mark ne savait pas trop si Courtney allait le pardonner ou lui casser la figure.

Au bout de plusieurs éternités, elle finit par dire :

– C'est bon. Je comprends. Tu peux passer ce soir ?

– Après le dîner, répondit-il, soulagé.

Courtney continua son chemin et entra dans le lycée. Mark faillit faire la danse du scalp sur le terrain. Vous parlez d'une journée ! D'abord Sci-Clops, puis le pardon de Courtney. Tout en courant autour du bâtiment pour prendre le dernier bus, Mark se sentait transporté d'enthousiasme. En fin de compte, l'avenir s'annonçait plus que bien.

Et pourtant, il se sentait encore tout drôle. Il n'avait pas l'habitude d'être en position de force face à Courtney. Il aurait cru qu'elle lui aurait reproché sa transgression et l'aurait laissé mariner dans son jus. Mais elle lui avait pardonné sans en faire une montagne. Comme si leur amitié avait atteint un niveau supérieur.

Mark n'était pas sûr d'apprécier ce nouveau développement.

Quelques heures plus tard, tous deux se retrouvaient sur le vieux canapé poussiéreux dans le sous-sol de chez Courtney. En général, c'est là qu'ils s'installaient pour lire les journaux de Bobby, dans cet atelier rempli d'outils poussiéreux où le père de Courtney ne descendait jamais. Elle l'appelait le « musée du bricolage ». Là, au moins, ils pouvaient lire en paix et discuter ensuite des journaux sans risque d'être dérangés. Cette fois-ci, il leur fallait toute leur intimité, car ils n'allaient pas lire, mais regarder et écouter.

– Comment ça marche ? demanda Courtney.

Elle avait pris une douche et se sentait mieux. Un peu de recul et un bon dîner pouvaient faire des merveilles. Et un nouveau journal envoyé par Bobby était la cerise sur le gâteau.

Mark portait les mêmes vêtements qu'au lycée. Il n'avait pas dîné. Il était trop surexcité pour avaler quoi que ce soit. Il tira de son sac le petit appareil argenté contenant le journal de Bobby.

– Ça marche comme un lecteur de CD, expliqua-t-il. Je vais revenir au commencement.

Il appuya sur le bouton orange. Il n'y eut pas le moindre bruit, pas le moindre mouvement.

– Tu as beaucoup d'avance ? demanda Courtney.

– Je n'ai regardé que le début.

Comme ils allaient tout revoir depuis le commencement, il pouvait bien prendre quelques libertés avec la vérité.

– Il va bien ? demanda Courtney.

– Ça m'en a tout l'air. Mais tu vas le constater par toi-même.

Mark posa l'appareil sur la table face au canapé et appuya sur le bouton vert. Aussitôt, le faisceau de lumière jaillit pour dévoiler l'image incroyablement réaliste de Bobby.

– *Salut, Mark. Salut, Courtney,* fit le faux Bobby.

– Incroyable ! s'exclama Courtney. On dirait l'hologramme de la tête flottante !

Mark eut un soupir. Jusque-là, il n'était pas sûr d'avoir correctement rembobiné. Maintenant, il était quitte vis-à-vis de Courtney. Peu importait s'il devait réécouter le récit de Bobby depuis son point de départ. L'important, c'est qu'ils allaient de l'avant.

Ensemble, cette fois-ci.

Et ils allaient apprendre ce qu'était Utopias.

Journal n° 13
(suite)

VEELOX

— Bobby ! a fait une voix familière. C'est l'heure de se lever !

Sauf que je dormais toujours. C'était un de ces moments où, quelle que soit la position qu'on prenne, elle semblait toujours plus confortable que la précédente. Non, qu'importait l'heure qu'il était, j'entendais bien rester au lit.

— Aujourd'hui, c'est le grand jour ! a repris cette voix agréable.

J'étais trop bien pour l'écouter. J'ai roulé sur moi-même pour prolonger cet état. Mais j'ai alors senti un poids sur ma poitrine. Je savais ce qui allait suivre. Je ne risquais pas de traîner au lit, puisque…

Une langue râpeuse s'est glissée dans mon oreille. Je ne sais pas ce qui la rend si appétissante, mais lorsque Marley veut me tirer du lit, c'est toujours là qu'elle passe à l'attaque.

— C'est bon, j'y vais ! ai-je dit en riant tout en repoussant mon retriever doré préféré.

Je crois qu'elle aime bien ce petit jeu qui consiste à me lécher l'oreille pendant que j'essaie de dormir parce que c'est le moment où je suis à sa merci. Avec celui où je la promène et doit ramasser ses crottes. Là, c'est elle qui contrôle la situation.

Un second poids s'est abattu sur le lit. Je savais qui c'était. Shannon, ma petite sœur.

— Le petit déj' est prêt, m'a-t-elle dit. Tu dois manger si tu veux prendre des forces pour ton match.

Shannon pensait tout savoir sur tout et, pour une gamine de huit ans, c'est vrai qu'elle ne se débrouillait pas mal. Et elle était

67

jolie, en plus, avec de longs cheveux bruns ramenés en deux couettes. Elle avait aussi de grands yeux bruns et un sourire qui semblait illuminer la pièce. On ne cessait de dire à maman qu'elle devrait se faire modèle, mais cela ne lui plaisait pas plus que ça. Elle craignait que Shannon ne grandisse trop vite, si ce n'était déjà le cas.

— Et ne traîne pas, que tu aies le temps de digérer, a-t-elle repris. Je ne veux pas te voir rendre ton déjeuner sur le terrain.

Sur cette dernière perle de sagesse, elle a sauté du lit et couru vers le couloir. Marley a fait de même et l'a suivie au-dehors.

Une douce odeur de bacon a chatouillé mes narines. C'était plus qu'il n'en fallait pour me convaincre. J'adore le bacon, mais j'en mange rarement, parce que maman trouve ça trop gras ou quelque chose comme ça. Mais dans les grandes occasions, elle se laisse fléchir. J'imagine que le match d'aujourd'hui rentrait dans cette catégorie. Cool. Je me suis levé, bien réveillé. Je portais un caleçon, mais j'ai passé un pantalon de jogging : on ne se présente pas à table en sous-vêtements. J'ai ramassé un tee-shirt, l'ai reniflé pour m'assurer qu'il ne puait pas et l'ai enfilé. La journée s'annonçait bien. Un bon petit déj', un match de basket, peut-être que Courtney viendrait me voir jouer et…

Non, mais ça va pas la tête ?

Retour à la réalité. Mes genoux m'ont lâché et je suis retombé sur mon lit. Qu'est-ce qui se passait ? J'ai parcouru des yeux ma chambre. Tout était comme avant. Mon bureau, mon ordinateur, mes trophées, mes CD, mon poster de l'équipe des New York Jets, même mes vêtements éparpillés sur le sol. C'était ma chambre. Chez moi. À Stony Brook.

En Seconde Terre !

Tout était comme à l'ordinaire, sauf que ce n'était *pas* l'ordinaire ! Comment était-ce possible ? Mon cœur s'est emballé. Tout était beaucoup trop normal. Mes aventures s'étaient-elles déroulées dans l'espace d'une nuit ? Mon départ avec l'oncle Press n'était-il qu'un rêve ? Denduron, Cloral, le *Hindenburg*, Saint Dane… Tout cela était-il le fruit d'un cauchemar ? J'ai regardé par la fenêtre en m'attendant presque à y voir le lapin blanc d'*Alice au pays des merveilles*.

– Descends, Bobby, ça va refroidir !

C'était la voix de mon père. Qu'est-ce qui se passait ? Depuis que j'étais devenu un Voyageur, j'avais vu bien des situations bizarres, mais celle-ci les surpassait toutes. Il m'a fallu puiser dans mes dernières réserves de courage pour bouger. Vas-y. Je devais découvrir ce qui se passait.

J'ai quitté ma chambre prudemment. Dans le couloir, j'ai vu les mêmes tableaux, le même tapis, les mêmes portes et ainsi de suite. Comme dans un rêve, j'ai descendu l'escalier, traversé le salon, la salle à manger et suis entré dans la cuisine. Lorsque j'y ai passé la tête, j'ai découvert une scène des plus ordinaire et en même temps totalement impossible.

Le petit déjeuner était servi. Maman servait des œufs brouillés en raclant le fond de la poêle ; papa était assis à sa place habituelle et remplissait les verres de jus d'orange ; Shannon était à table et attendait poliment que tout le monde soit installé pour commencer à manger ; et Marley était assise près de la chaise de Shannon, attendant tout aussi patiemment que quelqu'un laisse tomber quelque chose.

Je suis resté planté là, dans l'entrée, à regarder ce spectacle. J'étais tiraillé entre l'envie de bondir dans la pièce et de serrer ma famille dans mes bras en chialant comme un bébé, et celle de tourner les talons et de filer à toutes jambes.

Finalement, maman m'a vu et a dit :

– Mange. Ce n'est pas le moment d'être en retard.

Comme je ne savais pas quoi faire, je suis allé m'asseoir à ma place. Toujours la même depuis que j'étais en âge de m'asseoir : près de la fenêtre. Je ne pensais jamais la retrouver, puisque ma maison, ma famille et tout ce qui faisait mon existence avaient disparu[1].

Et maintenant, ils étaient revenus.

Je devais avoir l'air carrément à l'ouest, parce que mon père m'a demandé :

– Ça va, Bobby ?

---

1. Voir Pendragon n° 1 : *Le Marchand de peur*.

Je ne savais comment lui répondre, parce que non, cela n'allait pas du tout.

— À vrai dire, p'pa, je ne sais pas trop quoi penser.

— À propos de quoi, chéri ? a demandé maman d'un air innocent.

J'ai choisi mes mots avec soin pour ne pas avoir l'air trop ridicule :

— Est-ce qu'il n'est rien arrivé… de bizarre ?

— Quoi, par exemple ? a demandé papa.

— On a du bacon au petit déjeuner, a lancé Shannon. Ça, c'est bizarre.

— Qu'est-ce que tu racontes ? a demandé maman tout en s'asseyant à la table.

J'ai regardé ma famille. Ils se sont tournés vers moi en attendant que je m'explique. Marley a levé la truffe et m'a fixé, elle aussi, même si je pense qu'elle lorgnait surtout les morceaux de bacon. Je n'ai rien dit. J'en ai pris un et ai mordu dedans. C'était toujours aussi délicieux, et cuit juste comme je l'aimais, pas trop croquant. J'ignore pourquoi ça m'a surpris.

J'ai fini par reposer le morceau de bacon et me lever :

— Je… Je n'ai pas faim. Je ferais mieux d'aller m'habiller.

Et j'ai quitté la table pour me diriger vers la porte du séjour.

— Mais il faut bien que tu aies quelque chose dans l'estomac avant le match ! a lancé maman.

— Plus tard, ai-je répondu.

Je commençais à péter les plombs. Si mes parents m'avaient dit : « Eh bien, Bobby, tu as passé un an et demi dans le coma », j'aurais pu comprendre. Cela aurait voulu dire que toutes mes aventures s'étaient déroulées dans ma tête. Mais ce n'était pas le cas. Ils se comportaient comme s'il ne s'était rien passé.

Il n'y avait qu'une seule explication logique : j'avais rêvé. Un long rêve hyperdétaillé et qui avait duré toute une nuit. Un peu comme le vieux Scrooge dans le *Conte de Noël* de Dickens. J'ai lu quelque part que les rêves peuvent paraître très longs alors qu'ils ne durent que quelques secondes. C'est ce qui avait dû m'arriver. Tout en montant l'escalier, j'ai commencé à accepter cette possibilité. J'ai même fini par me détendre. J'étais de retour chez moi. Le cauchemar était fini. Tout allait redevenir normal.

Aussi réconfortant que puisse être ce sentiment, il n'a pas duré.

Je suis allé me planter devant un miroir. L'image que j'y ai vue n'était pas celle du type qui avait embrassé Courtney avant de monter à l'arrière de la moto de l'oncle Press pour gagner le flume. Pas du tout. Le type dans le miroir était plus âgé. D'un an et demi, très exactement. Tout ici était exactement comme dans mes souvenirs... à l'exception d'une chose : moi-même. C'est alors que cette histoire de rêve s'est écroulée comme un château de cartes. Il était strictement impossible que j'aie rêvé toute cette histoire en une seule nuit, tout simplement parce que je n'étais plus le même qu'hier. Non, ce n'était pas si simple.

C'est alors qu'un mot m'est venu à l'esprit. Tout d'abord, je n'ai pas saisi ce qu'il signifiait, mais je savais qu'il était la clé de ce mystère.

C'était... Utopias.

À peine me suis-je souvenu de ce mot que j'ai senti quelque chose contre mon poignet. J'ai baissé les yeux pour constater que je portais un grand bracelet avec trois boutons. Cela m'a surpris, car il n'était pas là auparavant. Et pourtant, il avait quelque chose de familier. Que m'avait-on dit ? Si je voulais parler à quelqu'un, appuyer sur le bouton de gauche. C'est donc ce que j'ai fait. Le bouton a émis une lueur blanche diffuse, puis un léger bourdonnement.

– Pas mal, Pendragon, a fait une voix du haut de l'escalier. Tu as compris plus vite que la moyenne.

Je me suis retourné pour voir quelqu'un assis sur la dernière marche. À part moi, c'était la seule touche inhabituelle dans cette maison. C'était une jolie fille avec une queue de cheval blonde, des yeux bleus et des lunettes jaunes. Je l'ai dévisagée pendant quelques secondes sans arriver à la situer. J'avais la réponse sur le bout de la langue, et pourtant...

– Respire, Pendragon, dit-elle. Ça va te revenir.

– Aja...

Aja a souri et applaudi.

– Bravo ! Au début, il y a toujours un sentiment de désorientation, surtout chez ceux qui n'ont encore jamais plongé.

J'ai regardé autour de moi. Chez moi. La maison semblait bien réelle, mais ce n'était pas le cas. C'était une illusion. Incroyable, magnifique, déchirante, mais une illusion tout de même. Cela m'est revenu. Je n'étais pas chez moi. Je me trouvais dans un tube au cœur de cette pyramide géante, et tout ça se passait dans ma tête.

— Je sais ce que tu penses, a dit Aja. Tu as eu une idée de ce dont Utopias était capable et tu es impressionné. (Elle descendit les marches pour se diriger droit vers moi.) Mais crois-moi, ce n'est qu'un aperçu. Utopias n'a pas d'autres limites que celles que tu lui imposes. (Elle a posé un doigt sur mon front.) Tout est là-dedans et ne demande qu'à sortir.

— Parce que ce n'est pas tout ? ai-je demandé.

Elle a éclaté de rire.

— Pendragon, tu n'as encore rien vu.

VEELOX

J'ai traversé le salon dans un brouillard total – je devrais dire : *l'illusion* du salon. Par contre, le brouillard qui obscurcissait mon esprit était bien réel. J'ai passé mes doigts sur le dos de mon canapé pour sentir la douceur du tissu. J'ai allumé une lampe et la lumière a jailli. J'ai ramassé un cadre contenant une photo sur laquelle je tenais dans mes bras une Shannon âgée de quelques jours à peine. Je m'en souviens, elle revenait juste de l'hôpital lorsque le cliché avait été pris. Tout semblait si normal, si *réel*.

– Ça ne devrait pas t'étonner, a remarqué Aja. Tout est forcément normal, puisque tout vient de ton propre esprit.

– Mais je peux tout *sentir*, ai-je dit. Et le goût du bacon... Comment est-ce possible ?

– Tu connaissais déjà son goût, donc c'est ce que tu as ressenti. C'est aussi simple que ça.

Aussi simple que ça ? Tu parles. Il n'y avait rien de simple dans tout ça. Je me suis préparé à la bombarder de questions. Trop de possibilités se bousculaient dans ma tête.

– Et si je me fais mal ? Est-ce que je me blesserai pour de bon ?

– Non. Tu sentiras la douleur et tu garderas ta blessure jusqu'à la fin de l'immersion, mais tu n'as jamais vraiment été là. Tu te trouves dans la pyramide d'Utopias. Il ne peut rien t'arriver physiquement ; tout se passe dans ta tête.

– Alors je ne peux pas mourir, par exemple ?

– Si, mais dans ce cas, l'immersion se termine automatiquement.

J'ai regardé mon bracelet, celui qui était apparu comme par magie dès que j'avais pensé à Utopias.

— Pourquoi ne l'ai-je pas vu dès le début ? ai-je demandé en levant le bras.

— Le principe même de l'expérience d'Utopias est de s'immerger totalement dans ce monde imaginaire. Ce bracelet de contrôle ne servirait à rien, sinon à te rappeler que rien de tout ça n'est réel. Tu ne le vois que quand tu en as besoin.

— Vraiment ? Comme si mon esprit lui disait quand apparaître ?

— Exact. Ton esprit a le contrôle de la situation.

— Alors je pourrais, je ne sais pas, faire apparaître une pizza ? Ou une piscine dans le garage ? Ou faire atterrir une soucoupe volante dans le jardin pour qu'elle m'emmène sur Mars ?

Aja a éclaté de rire. Ça, c'était une surprise. Pour une fois, elle n'avait pas l'air grognon. Je crois qu'elle aimait bien faire la démonstration des possibilités d'Utopias.

— Bien sûr, mais uniquement dans la mesure où ce genre de choses peut être normal. Utopias a été conçu pour proposer une expérience parfaite. Une expérience *réaliste*. Tu ne peux pas décider de te faire pousser des ailes et t'envoler. Ton esprit ne le permettrait pas, parce qu'il sait que c'est impossible. Les règles de la réalité s'appliquent toujours. Par contre, c'est une réalité *parfaite*.

Elle s'est approchée de moi et a appuyé sur le bouton du milieu de mon bracelet. *Ding dong !* La sonnerie de l'entrée a résonné. Maman s'est précipitée pour aller ouvrir.

— Tu attends quelqu'un ? m'a-t-elle demandé en passant.

J'ai haussé les épaules. Non, je n'attendais personne… Et je m'attendais à tout. Lorsqu'elle a ouvert la porte, j'ai vu qui avait sonné : un livreur de chez Pizza Hut.

— Pour qui la Trois-Fromages ? a-t-il demandé.

Maman m'a jeté un regard noir.

— Je comprends pourquoi tu ne voulais pas de petit déjeuner. (Elle a payé le livreur et pris la pizza.) Tu sais que c'est dégoûtant de manger ça si tôt le matin ?

— Hum, ouais, ai-je répondu, stupéfait.

Maman m'a alors souri et a dit :

– C'est bon. Comme c'est jour de match, je te donne l'autorisation. Mais va la manger dans la cuisine et n'en donne pas à Shannon, à ton père ou à Marley.

Et elle est retournée dans la cuisine en emportant la pizza. Elle n'avait même pas fait mine de remarquer Aja.

– Utopias lit dans mon esprit, ai-je dit sans m'adresser à qui que ce soit en particulier.

– Je n'ai pas cessé de te le dire.

– Pourquoi as-tu appuyé sur le bouton ? À quoi sert-il ?

– Là, on commence à passer au niveau supérieur. Quand tu as commencé ton immersion, je t'ai dit de penser à un endroit où tu aimerais te trouver. Utopias a lu tes pensées et a recréé cet endroit, maison et famille. C'est la base même de l'expérience d'Utopias. Ce bouton du milieu ne sert que si tu veux changer l'état des choses. Mettons que ta famille ait envie d'aller faire un pique-nique, mais qu'il se mette à pleuvoir. Il te suffit d'appuyer sur ce bouton pour qu'il fasse de nouveau beau. Ou si tu désires qu'un vieil ami te rejoigne dans ton immersion. Tu penses à cette personne, tu appuies sur le bouton, et hop ! Il apparaît !

– Tu veux dire que c'est un moyen de contrôler l'expérience ?

– Tout à fait. Mais c'est aussi une mesure de sécurité. Quand on plonge en immersion, Utopias recrée l'environnement qu'on a en tête. Une fois dedans, Utopias se contente de réagir en fonction des événements. L'ennui, c'est que personne ne peut contrôler tout ce qui nous passe par la tête. Imagine que soudain, tu aies envie de faire un tour en bateau. Utopias ne changera rien tant que tu n'auras pas appuyé sur le bouton. Sinon, ton cerveau enverrait beaucoup trop d'informations, et l'immersion serait gâchée.

– Donc, en ce moment, je pourrais penser à escalader une montagne et...

– Et il ne se passerait rien tant que tu n'aurais pas appuyé sur ce bouton. Auquel cas un ami à toi te ferait une visite surprise pour te dire qu'il va faire un tour en montagne et te demander d'aller avec lui.

– C'est trop cool ! me suis-je exclamé.

– On peut voir ça comme ça, oui.

— Mais alors, ai-je demandé, où es-tu ? Enfin, Utopias n'est pas en train de lire tes pensées à toi, non ?

— Je suis ta phadeuse pour ce saut. Tu te souviens du bureau qu'on a traversé en chemin vers la pyramide ? Je me trouve dans une de ces alcôves, d'où je contrôle ton immersion.

— Ces écrans vidéo ! me suis-je exclamé. Ils montrent ce que vivent les rêveurs !

— Tout à fait. Les phadeurs s'assurent que tout se passe bien. À vrai dire, c'est un boulot plutôt ennuyeux. En général, tout se passe sans anicroches. Mais il arrive qu'un rêveur ait besoin d'aide, ou qu'il faille remplacer son bracelet, ou qu'un problème mineur nous oblige à nous inoculer dans son immersion. Mais en fait, tant que le rêveur n'a pas appuyé sur le bouton de gauche, nous ne pouvons intervenir. Voilà pourquoi j'ai pu me montrer à toi. Si tu n'avais pas appuyé sur le bouton, je n'aurais jamais pu te rejoindre.

— Tu ne peux pas contrôler le saut, toi aussi ? ai-je demandé.

— Non, je suis là en touriste.

— Bobby ? Ta pizza va refroidir ! Tu n'en veux pas maintenant ?

Maman se tenait dans l'entrée du salon.

— Heu, oui, ai-je répondu. Dès que j'aurai fini de parler à mon amie ici présente.

Comment pouvais-je lui expliquer la présence d'Aja ? Mais elle s'est contentée de me regarder bizarrement.

— Tu me le refais ?

— Elle ne peut pas me voir, a dit Aja avec un petit rire. Je ne figure pas dans ce rêve.

Elle n'était qu'un fantôme. Bizarre, non ? En effet, aussi bizarre que soit cette expérience, elle avait ses propres règles.

— Ce n'est rien, ai-je dit à ma mère. J'arrive.

Maman m'a regardé d'un drôle d'œil, puis est repartie.

— Et maintenant, ai-je repris, qu'est-ce que je fais ?

— Ce que tu veux. Tu ne devais pas assister à un jeu quelconque ?

— Ah, oui ! Le match de basket. Je peux jouer ?

— Si tu veux.

— Bon sang, c'est le pied ! Combien de temps ça va durer ?

— Ne t'en fais pas pour ça. Amuse-toi bien. À ton retour, nous parlerons des rouages du système.

— Viens, Bobby ! a crié Shannon, impatiente.

Elle se tenait devant la porte du salon, les mains sur les hanches, l'air irrité.

— J'arrive ! lui ai-je crié.

Je me suis tourné à nouveau vers Aja, mais elle avait disparu, comme ça. Tout comme mon bracelet. Du moins je ne pouvais plus le voir. J'ai connu un moment d'incertitude, puis ai décidé d'en apprendre un maximum sur Utopias. Autant suivre le programme jusqu'au bout. Et si cela me donnait l'occasion de m'entraîner un brin, ça ne serait pas si terrible. J'ai donc décidé de m'abandonner totalement à cette immersion. Je suis passé dans la cuisine pour y manger la pizza la plus délicieuse que j'ai jamais goûtée. Mais le plus agréable était encore de retrouver ma famille. Shannon m'a parlé de la répétition d'une pièce à son école où elle devait avoir un rôle. Papa a discuté d'un article qu'il devait écrire, mais pour lequel il manquait d'inspiration et maman a annoncé qu'elle devait recevoir une promotion à la bibliothèque. C'était… formidable. J'étais chez moi. Le seul problème, c'est que je ne pouvais pas leur parler de moi. J'imagine que cela aurait détruit l'illusion. Mais personne ne m'a posé de questions.

Après le petit déjeuner, nous nous sommes tous tassés dans le 4 × 4 familial et je me suis préparé à mon match. J'avais fait des paniers avec Spader en Première Terre – lorsque nous n'étions pas aux trousses de Saint Dane – , mais cela n'avait rien à voir avec une vraie partie. La dernière fois que j'avais joué un match, c'était pour l'école de Stony Brook. Si j'étais resté chez moi, je serais actuellement dans l'équipe du lycée Davis-Gregory. Mais où mon propre esprit allait-il m'emmener ?

Papa nous a conduits à Davis-Gregory. J'y étais déjà allé et avais même participé à une compétition locale dans leur gymnase. Je connaissais donc le coin. J'ai quitté ma famille pour me diriger droit vers les vestiaires sans trop savoir ce que j'allais y trouver. Un instant, la scène a évoqué un de ces rêves où l'on doit passer un examen et où l'on réalise soudain qu'on n'a pas assisté à un seul cours. Mais je n'ai pas paniqué. Après tout, Utopias était censé me proposer quelque chose de parfait, non ?

Et il – ou elle – a assuré. Quand je suis entré dans la salle, j'ai eu le plaisir de retrouver tous mes collègues de lycée. Sauf qu'ils ne portaient pas les maillots jaunes de l'équipe de Stony Brook, les *Wildcats*, mais ceux des *Davis Gregory Cardinals* du lycée Davis-Gregory. J'avais toujours rêvé de jouer avec les *Cardinals*, et ce rêve allait devenir réalité. Enfin, si l'on veut.

Mes potes m'ont salué comme si tout était normal. J'avais envie de les serrer dans mes bras l'un après l'autre et de leur dire comme c'était bon de les revoir, mais j'ai préféré me la jouer cool. Dieu sait pourquoi, je savais quel casier était le mien. J'y ai trouvé un maillot avec mon numéro, le 15. Lorsque je l'ai retourné pour voir mon nom, PENDRAGON, brodé au-dessus du numéro, mes derniers doutes se sont évaporés. J'étais à ma place.

Avec le recul, si je passe en revue ce qui s'est passé, je comprends pourquoi Utopias a tout agencé ainsi. Mais sur le moment, je me suis totalement abandonné à cette illusion. Je savais ce qu'il en était, mais cela n'avait plus aucune importance. Je ne sais si c'était Utopias ou mon propre esprit qui menait la danse, mais on aurait dit que j'avais oublié qu'en réalité, j'étais allongé au cœur d'une immense pyramide. J'ai fait comme si tout était réel.

Et cette partie a été un régal. Les gradins étaient pleins et, à voir leur enthousiasme, on aurait cru à un match de championnat. L'orchestre a entamé son hymne de guerre. Les meneurs de ban ont enflammé les supporters. Nous affrontions l'équipe de l'autre lycée local, les *Black Knights* d'Easthill High. Notre équipe de départ était composée des mêmes qu'au collège : Jimmy Jag, Crutch, Petey, Joe Zip et moi-même. Bon sang, ils m'avaient manqué ! M. Darula, notre entraîneur, était à sa place sur les gradins et avait toujours ce même air confiant. En sortant des vestiaires pour entrer sur le terrain, j'ai ressenti une sensation familière, comme des papillons de glace voletant dans mon estomac. C'était un signe. J'étais prêt à passer à l'action.

Et je dois avouer que j'ai joué comme un dieu.

Dès le premier coup de sifflet, j'ai cassé la baraque. Ce qui s'est passé était phénoménal. Tout s'est mis en place, et l'interaction entre les joueurs relevait presque de la télépathie. Chacun de mes tirs semblait attiré par le panier comme par un aimant. Mais je n'ai pas monopolisé la balle, non. Je l'ai fait circuler. J'ai fait des passes à Joe Zip sans même le regarder, et il s'est chargé de marquer les buts. J'en ai balancé quelques-unes à Crutch, qui a sauté assez haut pour les placer. J'ai piqué la balle aux autres joueurs plus d'une fois. Bref, je me suis débrouillé comme un pro. Le rêve. Et d'ailleurs, c'était bien ça.

Et on n'a pas non plus écrasé nos adversaires. Ils nous talonnaient, ce qui rendait le jeu encore plus passionnant. En fait, à quelques secondes du coup de sifflet, ils menaient de deux points. Jimmy Jag m'a fait une passe, j'ai dribblé jusqu'au centre du terrain, mais leur avant-centre m'est rentré dans le lard. À quelques secondes du coup de sifflet, alors qu'ils menaient de deux points, une faute. Le pied total. Je suis resté là, les mains sur les hanches, épuisé et trempé de sueur. Formidable.

J'ai parcouru la foule des yeux. Tout le monde était debout et m'acclamait. L'arbitre m'a lancé la balle. Je l'ai fait rebondir une fois, ai fléchi mes genoux, ai visé… et hop ! Droit dans le panier, comme à l'exercice. La foule a hurlé de joie. Je me suis accordé un instant de réflexion avant ma seconde balle et ai regardé tous ces visages surexcités. J'en ai reconnu certains, pas d'autres. Mais tous m'acclamaient.

C'est alors que ce moment est devenu encore plus exaltant. Là, sur les gradins, j'ai vu toute ma famille. Maman, papa et Shannon. Mais ce n'était pas tout. Mark, tu étais là, juste derrière eux, avec Courtney à tes côtés. Vous me faisiez de grands signes d'encouragement. Je ne pouvais pas imaginer un spectacle plus réjouissant.

L'arbitre m'a lancé la balle ; la foule s'est tue ; j'ai visé, et… oh, comme c'était bon ! La cloche a sonné. Il y aurait des prolongations. J'ai couru jusqu'au banc sans vous quitter des yeux. Vous étiez en plein délire. Je n'aurais pu rêver mieux – même si, d'après ce que je savais d'Utopias, c'était bien moi qui avais imaginé tout ça.

Le manager m'a jeté une serviette. Je me suis assis pour reprendre mon souffle et me suis essuyé le visage. J'ai tenté de ne pas sourire comme un crétin. C'est alors que j'ai entendu une voix indésirable.

— Alors, on s'amuse bien ? a demandé l'intrus.

J'ai vu qu'Aja était assise sur le banc à côté de moi. Une fois de plus, il m'a fallu une seconde pour la remettre. Et ça ne m'a pas emballé. Je ne voulais pas la voir. Elle allait tout gâcher.

Elle a regardé la foule en délire et a ajouté :

— Dis donc, tu aimes te doper à l'adrénaline, non ?

— Et alors ? ai-je rétorqué. C'est mon rêve à moi. Je peux y faire ce que je veux.

— Tout à fait, a répondu Aja. Il n'y a qu'un problème. L'immersion touche à sa fin.

— Quoi ? Tu veux rire ! On commence à peine les prolongations !

— Désolée, a répondu Aja. Je t'avais bien dit que le plongeon était minuté.

— Laisse-moi encore vingt minutes ! ai-je supplié.

— Désolée. En plus, c'est le bon moment. La démonstration est parfaite.

— Ce n'est pas le bon moment !

J'ai alors remarqué que le bracelet était à nouveau à mon poignet. Le bouton de droite clignotait d'une lueur rouge. Cela ne me disait rien qui vaille.

Aja a ramassé une autre serviette et me l'a balancée à la figure.

— Essuie-toi, a-t-elle ordonné. Tu es trempé de sueur.

J'ai obéi, mais lorsque j'ai reposé la serviette, à ma grande horreur, j'ai constaté que j'étais devenu aveugle. Du moins en apparence, car la salle était plongée dans le noir. Pire encore, j'étais sourd, en plus. On aurait dit que quelqu'un avait débranché un poste de télé. Tout était sombre et silencieux. J'étais complètement désorienté, mais j'ai alors entendu une voix calme et familière qui m'a ramené à la réalité.

— Détends-toi, Pendragon, a déclaré Aja. Tout est normal. Tu es en train de sortir de ton immersion.

C'est alors que j'ai compris. Je n'étais ni sourd, ni aveugle. Je gisais dans un tube, dans le silence et l'obscurité.

– Attends encore quelques minutes, a-t-elle dit. Je viens te sortir de là.

Toutes sortes d'émotions bataillaient en moi. D'abord, la colère. Utopias m'avait fait le plus beau des cadeaux pour me le reprendre au meilleur moment. Mais après la partie, j'étais toujours dopé à l'adrénaline. Je n'étais pas fatigué, puisque je n'avais rien fait physiquement. Mais l'émotion était toujours présente. Je ressentais encore la joie d'avoir marqué ces buts. Mais plus que tout, j'étais triste. J'avais eu la sensation de retrouver ma famille. Ç'avait été si vrai que, du coup, elle me manquait encore plus.

J'ai entendu un bourdonnement, et un rai de lumière est entré dans le tube. Le couvercle situé derrière ma tête rentrait dans le mur. Maintenant, c'était sûr : je n'avais pas bougé d'un poil, j'avais juste été projeté dans une simulation particulièrement réaliste. La table a coulissé pour sortir du tube. La première chose que j'ai vue, c'est Aja qui me regardait. Elle se tenait assise devant le panneau de contrôle.

– Comment te sens-tu ? a-t-elle demandé.

– Comme quelqu'un qui serait bien resté encore une vingtaine de minutes, merci.

– Je suis contente que ça se finisse comme ça, parce que c'est une bonne illustration de ce que je voulais t'expliquer.

– Qu'est-ce que tu veux m'expliquer ?

Avant qu'elle n'ait pu répondre, un signal d'alarme s'est déclenché. C'était une sorte de corne de brume qui a résonné dans toute la pyramide. Aja s'est empressée de consulter son bracelet.

– Qu'est-ce que c'est ? ai-je demandé.

– Une urgence médicale, a-t-elle répondu, soudain très pro. Et c'est dans le secteur.

Sans un mot de plus, elle s'est précipitée vers la porte. J'étais encore un peu groggy, mais comme je voulais savoir ce qui se passait, je me suis levé. Tout d'abord, mes jambes ne m'ont pas semblé très solides, puis j'ai pu courir après elle.

J'ai passé la porte et ai failli perdre l'équilibre en me retrouvant face à l'immensité de cette pyramide. Vous parlez d'un réveil en fanfare. Mais je devais reprendre mes esprits, et vite, parce qu'Aja fonçait le long du balcon. Je me suis lancé à sa poursuite.

Devant nous, une lumière rouge clignotait au-dessus d'une porte. De toute évidence, c'est de là que venait le signal. Avant qu'Aja ne l'atteigne, j'ai vu un veddeur en combinaison rouge accourir de l'autre côté.

– Où est son phadeur ? a demandé Aja.

– Je n'en sais rien, a répondu le veddeur.

Tous deux sont entrés dans la cabine. Je suis arrivé à sa hauteur et ai jeté un œil dans l'entrebâillement de la porte pour voir ce qui s'y passait. Aja appuyait déjà sur des boutons du panneau de contrôle. Le signal d'alarme s'est tu.

– C'est arrivé tout d'un coup, a déclaré le veddeur. Sans signe avant-coureur.

– Le plongeur n'a pas cherché à tout arrêter ?

– Non ! Subitement, tous ses signes vitaux se sont emballés.

Un peu plus tard, le disque argenté a pivoté et la table a coulissé. Le veddeur s'est alors occupé de celui qui était allongé là. C'était un homme de l'âge de mon père. Il n'avait pas l'air si mal en point. Au contraire, il semblait dormir d'un sommeil paisible. Le veddeur a tiré un gadget ressemblant à une Game Boy. Il l'a posé sur la poitrine du pauvre bougre et a lu les résultats. Puis il l'a retiré en secouant la tête :

– Trop tard, a-t-il dit d'un air triste.

– Trop tard ? ai-je répété. Comment ça ?

– Qu'est-ce que tu crois, Pendragon ? a demandé Aja. Il est mort.

Mince. Je ne m'attendais pas à ça.

– Je croyais que votre Utopias était sans danger ! ai-je rétorqué.

– C'est vrai, a répondu Aja. Mais parfois… il se passe de drôles de choses.

Le veddeur s'est dirigé vers la porte.

– Où vas-tu ? a lancé Aja. Tu dois remplir ton rapport !

– Pas moi, s'est offusqué le veddeur. Je ne suis plus en service. Je pars en immersion. Le prochain pourra s'en charger !

Et il est parti. Quel nul ! Quelqu'un venait de mourir pendant qu'il était de garde, et tout ce qui le préoccupait, c'était de plonger dans son propre monde imaginaire.

– Que s'est-il passé ? ai-je demandé à Aja.

Elle semblait ébranlée. Elle a fait de son mieux pour reprendre ses esprits.

– Je ne sais pas. Il faut consulter les archives de cette immersion. Il y a des milliers de personnes dans cette pyramide. Certains meurent de causes naturelles. Mais...

– Mais ?

– Ce genre d'accident arrive de plus en plus souvent, répondit-elle sobrement.

Alors ça, ça ne me plaisait pas du tout.

– Tu as vu Utopias sous son meilleur jour, Pendragon, a-t-elle continué. C'est un jouet merveilleux qui a fait le bonheur des habitants de Veelox. Mais il y a un revers à la médaille. Tu vas pouvoir le constater de tes yeux.

Je vais m'arrêter là, les amis. Pendant qu'Aja examinait le mort, elle m'a laissé dans une pièce comportant cet incroyable enregistreur. Je voulais prendre part à l'enquête, mais Aja ne savait pas trop comment expliquer ma présence aux autres. Et pourtant, j'ai hâte de connaître leurs conclusions. Lorsqu'ils auront terminé, Aja va m'emmener chez elle. Et demain, elle me fait visiter le reste de Rubic.

Mais en vérité, je ne suis pas là pour jouer les touristes. Et pas non plus pour découvrir les merveilles d'Utopias et plonger dans un univers de rêve. Je suis là pour trouver quel plan diabolique Saint Dane a bien pu mettre en branle. Après ce qui est arrivé au rêveur, j'ai l'impression que je viens d'en avoir une petite idée.

C'est pour ça que je m'arrête là. Ici se termine le journal n° 13. Lorsque j'attaquerai le n° 14, j'espère avoir quelques réponses à mes questions. Au revoir, les gars. Vous me manquez.

Fin du journal n° 13

SECONDE TERRE

Après un dernier salut, l'image de Bobby disparut brutalement, laissant Mark et Courtney fixer le vide. Ils n'échangèrent pas un mot ; ils en étaient incapables. Ils avaient vu l'histoire de Bobby se dérouler sous leurs yeux. Mieux : c'est Bobby lui-même qui leur avait tout raconté, comme s'il se trouvait là, devant eux, en chair et en os.

Au bout de plusieurs secondes, Courtney prit la parole :

– Eh bien, c'était... *différent*.

– Je n'arrive pas à imaginer un système tel qu'Utopias, fit Mark pensif. (Il prit le petit projecteur argenté et le tourna dans sa main.) Cela dit, j'ai aussi du mal à admettre qu'un tel appareil puisse exister.

– Tu crois que Saint Dane a saboté ce système ? demanda Courtney.

– Ça semble probable, mais je suis sûr que ce n'est pas si simple. Bon sang, je donnerais n'importe quoi pour pouvoir essayer cet Utopias !

– Que ferais-tu ?

– Oh, plein de choses, s'empressa de répondre Mark. Je monterais à cheval. J'ai toujours eu envie de le faire. Je piloterais un avion, jouerais dans un groupe de rock et courrais le marathon de New York.

– Mais tu peux faire tout ça pour de vrai, remarqua Courtney.

Mark haussa les épaules. Il n'en était pas si sûr.

– Et toi ? demanda-t-il à Courtney. Qu'est-ce que tu ferais ?

Elle n'hésita pas un seul instant :

— J'apprendrais comment je m'appelle à cette équipe de pétasses. Crois-moi, elles pleureraient leur mère.

— C'est pareil, tu peux le faire pour de vrai.

Tout comme Mark, Courtney haussa les épaules. Elle était si démoralisée qu'elle ne savait même plus si elle pouvait encore assurer sur le terrain. Mark regarda le projecteur. Une idée lui traversa l'esprit, et il fronça les sourcils.

— Qu'est-ce qu'il y a ? demanda Courtney.

— Il y a un os. Bobby ne nous aurait jamais envoyé ça.

— Pourquoi ? C'est bien mieux que de lire ses journaux.

— Mais il n'est pas censé faire passer ce genre d'objets d'un territoire à un autre, a contré Mark tout en tripotant nerveusement le projecteur. C'est contraire au règlement.

— On n'a qu'à le déposer dans notre coffre à la banque, proposa Courtney. Personne ne le verra.

— Bonne idée. J'irai l'y mettre demain, tout de suite après l'école. Bon sang, pourquoi Bobby n'y a-t-il pas pensé ?

— Peut-être qu'il n'y a pas de papier sur Veelox et qu'il n'avait pas d'autre moyen de nous envoyer son journal.

— Et pourtant, renchérit Mark, ça peut provoquer…

Soudain, son anneau se mit à tressauter. Mark se tut et leva la main.

— Tu rigoles ? demanda Courtney, surprise. C'est du service rapide !

Mark regarda l'anneau, interloqué.

— Ce n'est pas comme les autres fois, réussit-il à dire.

Il s'empressa de le retirer et le posa sur la table. Courtney vint se poster à ses côtés. Tous deux fixèrent l'anneau. En général, lorsque l'un des journaux de Bobby leur parvenait, la pierre grise au centre de l'anneau devenait transparente comme du cristal. Puis le bijou lui-même grandissait et déposait le journal dans un déluge de lumières et de musique. Mais ce ne fut pas le cas cette fois-ci. Ce n'était pas la pierre grise qui changeait.

Sur toute sa surface, l'anneau comportait une série de gravures représentant d'étranges symboles. Chacun d'eux était unique, et il n'y avait pas le moindre schéma déchiffrable.

Tout au début, Mark avait fait une recherche sur Internet dans l'espoir de les déchiffrer. Mais il n'avait rien trouvé. Tout ce qu'il avait appris, c'était que ces symboles ne provenaient d'aucun langage ou culture originaire de la Terre.

Et maintenant, un de ces symboles s'était mis à luire, comme s'il était éclairé de l'intérieur. Ce n'était guère plus qu'un gribouillis traversé par une ligne droite. Sous les yeux abasourdis de Mark et Courtney, l'anneau se mit enfin à croître.

– Quelque chose va arriver, hoqueta Mark. Enfin, je crois…

L'anneau n'avait pas autant grandi qu'à l'habitude, mais ils entendirent l'amas de notes musicales enchevêtrées qui accompagnait chaque transfert. Puis la lumière jaillit du symbole en un rayon qui traversa la pièce, aveuglant brièvement Mark et Courtney. Comme toujours, cela ne dura pas bien longtemps. L'anneau redevint aussitôt normal. Plus de bruit, ni de lumière, rien d'inhabituel…

Sinon ce qu'avait déposé l'anneau. Ce n'était pas un journal, mais une enveloppe. Une enveloppe blanche de taille normale comme on en trouvait partout en Seconde Terre.

– Qu'est-ce que c'est ? demanda Courtney.

– Une enveloppe, répondit Mark.

Courtney leva les yeux au ciel.

– Je vois, merci. Mais pourquoi Bobby nous enverrait-il une enveloppe maintenant ?

Mark ramassa le courrier en question et le retourna entre ses doigts. L'enveloppe semblait tout à fait ordinaire. Elle était fermée et il n'y avait rien d'écrit dessus. Courtney hocha la tête pour l'encourager : il l'ouvrit en tentant de ne pas trop la déchirer. À l'intérieur, il trouva une simple feuille de papier.

– Je ne crois pas que ce soit un message de Bobby, dit-il.

Courtney regarda la feuille sur laquelle figurait une écriture qui n'était certainement pas celle de Bobby. Celui-ci rédigeait ses journaux d'une façon classique tandis que cette page présentait des lettres majuscules ; de plus, les mots étaient hachés, comme si le scripteur avait la tremblote. Le texte était très simple. C'était une adresse.

– 229, Amsterdam Place, appartement 5A, New York, lut Mark à voix haute. Tu connais quelqu'un qui habite là ?

– Non. Pourquoi Bobby nous enverrait-il une adresse sans plus d'explications ?

Mark leva soudain les yeux, comme s'il venait d'avoir une idée.

– Quoi ? demanda Courtney.

– Est-ce possible ?

– Qu'est-ce qui est possible ? reprit Courtney, impatiente.

Mark regarda à nouveau l'adresse, puis leva les yeux.

– Et si c'étaient les Acolytes ?

Courtney en resta bouche bée. Ce n'était pas ce qu'elle voulait entendre. Elle se laissa retomber sur le canapé :

– Tu es toujours sur ce coup ?

Mark reprenait de l'énergie.

– J'ai demandé à Bobby de se renseigner à ce sujet. C'est peut-être le seul moyen qu'il ait trouvé de nous orienter dans la bonne direction !

– Je ne veux pas en entendre parler, rétorqua Courtney.

– Tu m'as promis d'y réfléchir ! répliqua Mark.

– C'est ce que j'ai fait, et j'en ai conclu que je ne voulais pas en entendre parler.

– Mais ça nous donnerait un moyen d'aider Bobby pour de bon !

– Mark, j'ai déjà bien assez de soucis comme ça.

Celui-ci ne se laissa pas démonter.

– Quoi, par exemple ? Tes histoires de foot ?

On aurait dit qu'il avait agité une cape rouge devant un taureau furieux. Courtney se leva d'un bond :

– Parfaitement, mes histoires de foot !

Il n'y a pas si longtemps, Mark aurait reculé devant une telle démonstration de colère. Mais cette fois-ci, il tint tête à Courtney :

– Comment peux-tu te préoccuper de ce sport débile alors qu'il se passe tant de choses autrement plus importantes ?

– Pour moi, c'est important, rétorqua Courtney.

– Mais ce n'est qu'un jeu !

– Non ! Tu ne comprends donc pas ? Mark, je n'ai jamais échoué. Jamais. Bien sûr, tu ne sais pas ce que c'est…

Mark se crispa.

– Pourquoi ? Parce que je suis un minable ?

Courtney lutta pour se calmer et parler avec plus de mesure :

– Excuse-moi, Mark. Ce n'est pas ce que je voulais dire. (Elle se rassit sur le canapé et inspira profondément.) Il n'y a pas que le foot, reprit-elle. Chaque personne a son rôle dans la vie, quelque chose qui forge son identité. Et le mien me plaisait bien. J'aimais faire l'admiration de tous. Être la meilleure. Mais après ce qui s'est passé ces derniers jours, je commence à croire que je ne suis pas celle que je m'imaginais.

– Voyons, Courtney, ce n'est qu'un *jeu* ! reprit Mark avec compassion.

– Oui, peut-être. Mais qui sait ce qui peut m'attendre au coin de la rue ? C'est la première fois que je doute de moi. La première fois.

Mark y réfléchit un instant, puis ramassa le projecteur argenté, l'enveloppe avec l'adresse et fourra le tout dans son sac à dos.

– Je suis désolé, Courtney, déclara-t-il. Je comprends ce que tu veux dire avec cette histoire d'identité. J'ai toujours cru que mon rôle à moi était celui du minable dont tout le monde se moque. Mais je commence à penser que je vaux mieux que ça. Peut-être que tu n'es pas celle que tu croyais, toi non plus, et ce n'est pas forcément si mal. Ça signifie peut-être que tu as mieux à faire de ta vie que de courir après un ballon.

Courtney lui jeta un coup d'œil. Mark se dirigea vers l'escalier.

– Demain, c'est vendredi, dit-il. J'irai mettre tout ça dans notre coffre à la banque. Samedi, je vais aller à l'adresse indiquée sur ce bout de papier. Si tu ne veux pas venir avec moi, je comprendrai. Mais j'espère que tu choisiras de m'accompagner.

Et Mark la laissa seule dans le sous-sol.

Le lendemain, au lycée, Mark et Courtney ne se virent pas de la journée. Mark avait rendez-vous avec M. Pike pour parler de Sci-Clops et reçut son emploi du temps pour le reste du semestre. Il tenta de manifester un minimum d'enthousiasme, mais avait du mal à se concentrer. L'aventure qui l'attendait lui semblait tellement plus importante !

Après les cours, Mark se rendit à la Banque nationale de Stony Brook. Toujours aussi aimable, Mlle Jane Jensen lui ouvrit la salle des coffres où il put déposer le projecteur contenant le journal n° 13 dans leur casier, à côté des journaux 1 à 12. Mais il garda le mystérieux morceau de papier et l'adresse qui s'y trouvait. Il en aurait besoin.

Quant à Courtney, elle prit la pénible décision d'accepter de redescendre en catégorie junior. Elle espérait dominer haut la main le reste de l'équipe, si bien que Mme Horkey se verrait forcée de la réintégrer.

Les choses prirent une tournure différente. Le match démontra qu'elle était l'une des meilleures joueuses de l'équipe, mais certainement pas *la* meilleure. Cependant, elle ne se laissa pas démonter. Elle n'alla pas jusqu'à se résigner à son sort, mais se força à en tirer le meilleur parti. Du moins pour l'instant.

Le lendemain, samedi donc, Mark se leva tôt et dit à ses parents qu'il allait prendre le train pour se rendre au musée des Sciences de New York. Maintenant, il était assez grand pour voyager seul. Et ce n'était pas difficile : la station se trouvait au bout de Stony Brook Avenue, tout près de sa maison. Après un coup d'œil aux horaires, il choisit de prendre le train de 8 h 05 qui le ferait arriver à New York pour 9 heures. Cela lui laisserait certainement le temps de se rendre à cette mystérieuse adresse et de revenir à temps pour le dîner.

Il espérait que Courtney lui passerait un coup de fil, mais elle ne le fit pas, et il n'allait certainement pas la supplier. C'est ainsi que, ce samedi matin, il se retrouva seul sur le quai de la gare, prêt à entamer un nouveau chapitre de cette aventure qui avait commencé il y avait bien longtemps, lorsque Bobby était parti de chez lui.

Le train s'arrêta face au quai et les portes s'ouvrirent. En semaine, il était bourré d'employés se rendant à leur travail, mais le trafic était plus réduit le week-end, si bien que Mark eut un compartiment pour lui tout seul. Il s'assit à la meilleure place, au milieu du wagon, jeta son sac à dos dans le porte-bagages au-dessus de sa tête, puis se laissa tomber sur le siège.

– Qu'est-ce qu'il y a ? fit une voix derrière lui. Tu ne veux plus t'asseoir à côté de moi ?

Mark se retourna, surpris, et vit... Courtney.

– J'ai appelé chez toi, expliqua-t-elle, mais je t'ai raté de quelques secondes. Ta maman m'a dit que tu prendrais ce train. Je suis montée à l'arrêt d'avant.

– Tu es sûre que c'est prudent ? demanda Mark, nerveux.

– Non, répondit-elle en souriant, mais si je ne viens pas, qui va surveiller tes arrières ?

Mark eut un grand sourire et alla s'installer aux côtés de Courtney. Ils étaient redevenus une équipe. Tandis que le train les emmenait en ville, ils discutèrent de tout, sauf de ce mystérieux message. Ils n'évitaient pas délibérément le sujet : c'est plutôt qu'ils n'avaient pas la moindre idée de ce qui les attendait à Amsterdam Place.

En arrivant à Grand Central Station, ils plongèrent dans le métro. Courtney savait qu'Amsterdam Place se trouvait à l'est de Manhattan, si bien qu'un coup d'œil à la carte leur donna l'itinéraire à suivre. Le trajet leur prit vingt minutes avec un seul changement, après quoi ils sortirent de la station Amsterdam Place. Mark regarda le numéro d'un bâtiment, 429, et ils durent marcher quelques centaines de mètres.

Finalement, ils se retrouvèrent devant un immeuble de brique à l'air ancien. Le quartier était plutôt sympa, avec une belle vue sur l'East River. En face, il y avait un parc rempli d'enfants avec quelques adolescents qui jouaient à la balle. On était en septembre, et les feuilles commençaient à prendre leur parure d'automne. Mais l'air était encore chaud et le ciel arborait ce bleu profond typique du début de la saison. Tout était normal et rassurant.

Sauf qu'il leur restait à découvrir qui pouvait bien les attendre dans l'appartement 5A. Mark et Courtney échangè-rent un bref regard, puis grimpèrent les escaliers de béton menant à l'entrée. Les doubles portes semblaient supporter au moins cinq cents couches de peinture noire. Mark s'empara de la poignée de bronze et l'ouvrit en s'effaçant pour laisser passer Courtney. Au bout du vestibule, il y avait d'autres portes, mais seuls les locataires pouvaient les actionner de l'intérieur. Sur sa droite, Mark trouva un panneau de métal gris énumérant tous les habitants de l'immeuble. Mark et Courtney s'empressèrent de chercher le 5A.

– Dorney, dit Mark, lisant le nom du locataire. Voilà un nom tout à fait normal.

– Tu t'attendais à quoi ? railla Courtney. À une plaque annonçant « Quartier général des Acolytes » ?

Malgré sa nervosité, Mark ne put s'empêcher de rire. Tous deux fixèrent le nom et le bouton noir qui y correspondait. Ni l'un ni l'autre n'était vraiment pressé d'appuyer dessus.

– Qu'est-ce qu'on va lui dire ? demanda Mark.

– Pourquoi pas : « Salut, on vient pour l'entretien d'embauche. Il y a un poste d'Acolyte de libre ? »

Mark lui décocha un sourire torve. Il s'empressa d'appuyer sur le bouton avant de changer d'avis. Ils attendirent. Rien ne se passa.

– Ils sont peut-être sortis pour faire des trucs d'Acolytes, remarqua Courtney.

Mark sonna de nouveau. Toujours rien.

– On peut repasser plus…

– *C'que c'est ?* fit une voix masculine peu amène dans l'interphone.

Mark et Courtney se regardèrent. Courtney fut la première à reprendre ses esprits :

– Monsieur Dorney ?

– Qui c'est ? fit la voix.

– Heu, je m'appelle Courtney. Je suis accompagnée de mon ami Mark. On se demandait si…

– Allez-vous-en ! aboya l'homme, et il coupa l'interphone.

– Quoi encore ? demanda Courtney.

Mark réappuya sur le bouton.

– J'veux rien acheter, alors fichez-moi le camp ! gronda la voix.

– On n'a rien à vendre, répondit poliment Mark. On est venus pour vous parler de… heu… Bobby Pendragon.

Pas de réponse. Mark et Courtney se regardèrent une fois de plus. Mark allait resonner quand un bourdonnement sonore le fit sursauter.

– Qu'est-ce que c'est ? demanda-t-il.

Courtney regarda la porte, puis la poussa.

– Il nous a ouvert. (Elle resta là, à tenir la porte.) C'est maintenant ou jamais.

– Ne dis pas ça, répondit Mark. Je pourrais changer d'avis.

Il inspira profondément, puis dépassa Courtney pour entrer dans le bâtiment. Courtney le suivit et laissa le panneau se refermer derrière eux.

Prochain arrêt, l'appartement 5A.

SECONDE TERRE

Un ascenseur grinçant les emmena au cinquième étage. Mark et Courtney regardèrent nerveusement défiler les numéros au-dessus de la porte.

– Et si on tombe sur Saint Dane ? bafouilla Courtney. C'est peut-être un piège.

– J'y ai pensé, répondit Mark, presque aussi nerveux. Mais pourquoi se soucierait-il de nous ? On n'est que deux gamins.

– Oui, renchérit-elle. Deux gamins qu'il pourrait utiliser contre Bobby.

Mark lui jeta un coup d'œil. Il n'y avait pas pensé. La cabine s'arrêta dans un claquement sourd et la porte coulissa. Devaient-ils continuer ?

– S'il voulait nous prendre au piège, affirma Mark avec une confiance qu'il était loin de ressentir, il n'aurait pas à se donner tant de mal.

Courtney acquiesça et descendit de la cabine. Le couloir était tapissé et plutôt accueillant. De chaque côté, des fenêtres diffusaient une douce clarté automnale. Sous chacune, il y avait une table avec un vase rempli de jolies fleurs. Elles devaient être en plastique, mais l'effet était tout de même réussi. Ce n'était pas un palace, mais pas un taudis non plus. Il y avait une douzaine de portes réparties de chaque côté du couloir, toutes peintes du même noir brillant que celle de l'entrée. Chacune comportait un heurtoir de bronze et le numéro de l'appartement gravé sur une plaque de métal. Ils partirent en quête du 5A, Mark regardant à droite et Courtney à gauche. Ils le trouvèrent à la droite de l'ascenseur.

– Alors ? demanda Courtney. On y va ou on n'y va pas ?

En guise de réponse, Mark tendit la main vers le heurtoir et l'abattit deux fois. Pas trop fort pour ne pas paraître prétentieux, mais suffisamment pour ne pas passer pour un dégonflé. De l'autre côté du panneau, il entendit des pas traînants s'approcher de la porte. La personne s'arrêta, sans doute pour regarder par l'œilleton. Ils sentirent un regard les toiser et se redressèrent en tentant de prendre un air sincère. Peu après, la porte déverrouillée s'entrouvrait. Pas de beaucoup. Mark et Courtney se regardèrent comme pour dire : et maintenant ? Courtney s'avança et poussa prudemment la porte.

La première chose qu'ils virent fut le dos d'un homme qui s'éloignait d'eux – un vieux bonhomme vêtu d'une chemise à carreaux et d'un pantalon kaki, aux cheveux gris et courts.

– Fermez la porte, lança-t-il sans se retourner.

Mark et Courtney entrèrent et poussèrent le panneau. Mais pas jusqu'au bout. D'un coup de menton, Courtney montra à Mark qu'elle laissait la porte légèrement entrouverte au cas où ils devraient filer en vitesse.

– Venez ! leur cria l'inconnu d'un ton irrité. Vous êtes venus jusqu'ici, vous n'allez pas vous dégonfler maintenant.

Mark et Courtney le suivirent prudemment en restant serrés l'un contre l'autre, prêts à bondir au moindre signe de danger.

Le décor était on ne peut plus normal. Il était conforme à l'image qu'on se faisait de l'appartement d'un vieil homme. Les meubles étaient anciens, mais en bon état. Des tableaux au mur représentaient des paysages et des photos de gens souriants étaient posées sur les tables de bois. Dans tout ce décor, il n'y avait pas la moindre touche de modernisme.

Deux choses se remarquaient tout de suite. D'abord, les livres. Des milliers de livres. Sur des étagères, des tables, empilés jusqu'au plafond. Pas de doute, ce type aimait la lecture. La seconde, c'étaient les plantes. Il y en avait des douzaines, ainsi que des espèces de lianes qui s'entrecroisaient sur les murs et le long des étagères sans qu'on puisse dire où elles commençaient et se terminaient.

Malgré cela, l'appartement semblait très propre. Leur hôte n'était pas un vieux crado incapable de prendre soin de lui. Jusque-là, Mark et Courtney avaient appris qu'il était soigneux, qu'il aimait lire et qu'il avait la main verte. Rien qui les aidait vraiment à déterminer à qui ils avaient affaire.

– Asseyez-vous, fit le vieil homme en désignant un canapé trop rembourré.

Il marcha d'un pas lourd vers un fauteuil et s'y inséra lentement. Courtney et Mark ne le quittèrent pas des yeux. En s'asseyant, il dut se cramponner aux bras comme si ses jambes n'étaient pas assez fortes pour le soutenir. Il n'était pas impotent, mais ne risquait pas de courir le marathon. Mark et Courtney obéirent et s'installèrent côte à côte sur le canapé. Tous deux crurent sentir un relent de naphtaline, mais se dispensèrent d'en faire la remarque.

Maintenant qu'ils étaient face à face, ils remarquèrent que le vieil homme portait de petites lunettes cerclées de métal. Sa coupe de cheveux était presque militaire. Sa posture était si parfaite que tous deux se redressèrent instinctivement. Il les scruta d'un regard sévère, comme s'il les jugeait. Il était peut-être âgé, mais c'était un dur.

Mark décida de briser la glace :

– Je m'appelle Mark D-D-Dimond.

– Et moi Courtney Chetwynde.

Il y eut un long silence, durant lequel il ne cessa de les dévisager. Puis il finit par demander :

– Qu'est-ce que ça peut vous faire ?

Mark et Courtney échangèrent un regard. Ils étaient aussi perdus l'un que l'autre.

– Comment ça ? demanda Courtney.

– Vous êtes venus jusqu'ici, non ? Alors qu'est-ce que ça peut vous faire ?

– On a reçu votre adresse…, commença Mark.

– Je sais, rétorqua le vieil homme. Sinon, vous ne seriez pas là. Ce que je veux savoir, c'est pourquoi.

Ce type allait droit au but. Il ne cherchait pas à faire preuve de politesse, ni à mettre à l'aise ses interlocuteurs.

– On est là parce qu'on veut aider notre ami Bobby Pendragon, dit Mark.

– Bien, répondit-il. Pourquoi ?

– C'est un ami à nous, intervint Courtney. Ça ne suffit pas ?

– C'est à voir.

– Qu'est-ce qui est à voir ? rétorqua Courtney.

– Si oui ou non, vous êtes prêts à mourir pour lui.

Servez chaud. Dans la pièce, la tension monta de quelques degrés. Le vieil homme ne cligna même pas des yeux. Mark et Courtney ne savaient que dire.

C'est alors que l'anneau de Mark se mit à tressauter.

Il regarda sa main. Courtney fit de même. La pierre grise entama sa métamorphose. Mark posa son autre main sur l'anneau pour le cacher.

Trop tard.

– Enlève-le ! ordonna le vieil homme.

Mark le regarda, de plus en plus paniqué.

– Je t'ai dit de l'enlever ! Pose-le sur la table !

Mark n'avait pas le choix : l'anneau s'était mis à grandir. Il le retira de son doigt et le posa sur la table juste devant lui. La pierre émit des rayons de lumière qui illuminèrent l'appartement. L'anneau grandit jusqu'à prendre la taille d'un frisbee, révélant le trou noir en son cœur. Puis vinrent les notes de musique. Après un ultime crescendo, tout redevint normal.

Mark et Courtney regardèrent la table pour voir ce que l'anneau avait bien pu leur apporter. C'était un autre petit projecteur argenté. Bobby venait d'envoyer son dernier journal au moment le plus inattendu. Mark récupéra son anneau, ramassa le journal et se redressa.

– C'était une erreur, dit-il nerveusement. Filons d'ici.

Mark se tourna vers la porte, suivi par Courtney.

– Arrêtez ! s'écria le vieil homme en luttant pour se lever.

Mark se retourna et le regarda dans les yeux.

– Écoutez, dit-il sincèrement, nous sommes venus chercher des réponses, et vous ne faites que poser des questions. Et vous savez quoi ? Je n'ai aucune confiance en vous. Et rien de ce que j'entends ne me fait changer d'avis. Donc, si vous croyez qu'on va rester assis bien sagement pendant que vous nous bombardez de questions et de menaces, vous feriez bien de nous donner une bonne raison de supporter votre mauvaise humeur, ou nous ne restons pas une seconde de plus.

Courtney jeta un coup d'œil à Mark, comme si elle ne le croyait pas capable d'une telle tirade. Elle se tourna vers le vieil homme.

– Pareil, ajouta-t-elle.

Le vieil homme soutint leurs regards, puis acquiesça lentement. Il leur tourna alors le dos et se dirigea vers un placard construit dans le mur.

– Je m'appelle Tom Dorney, dit-il fermement. Ça fait presque cinquante ans que j'habite cet appartement. Je ne suis pas marié. Je ne l'ai jamais été. J'ai deux sœurs et trois neveux.

Il tira une clé de sa poche et déverrouilla la porte du placard. Il l'ouvrit en grand, dévoilant plusieurs boîtes de métal identiques d'une soixantaine de centimètres carrés.

– J'ai passé vingt ans dans l'armée, continua-t-il. J'ai fait la Seconde Guerre mondiale dans le Pacifique.

Il tira une des boîtes du placard et la porta vers la table. Elle semblait lourde, mais ni Mark, ni Courtney ne firent mine de venir l'aider. Cela ne semblait ni nécessaire, ni désiré.

– Ces boîtes sont à l'épreuve du feu, continua-t-il. Le bâtiment entier pourrait partir en fumée que leur contenu resterait intact.

Dorney prit une autre clé et déverrouilla la boîte. Il jeta un coup d'œil à Mark et Courtney comme s'il se demandait encore s'il devait l'ouvrir.

– Je suis un Acolyte, finit-il par dire. Vous en voulez la preuve ?

Mark et Courtney acquiescèrent machinalement.

Dorney souleva le couvercle de la boîte. Elle était remplie de feuilles de papier. Certains étaient rangés dans des classeurs, d'autres ressemblaient plutôt à des parchemins roulés scellés par des brindilles nouées. Mark et Courtney les fixè-rent, des points d'interrogation plein la tête.

– Ce sont… ? demanda Mark.

– Les journaux d'un Voyageur, compléta Dorney.

– Lequel ? demanda Courtney.

– Mon meilleur ami, Press Tilton.

Dorney leva la main pour montrer un anneau semblable à celui de Mark.

– Si je vous ai fait venir ici, c'est parce que je me fais vieux et que j'ai besoin d'aide. Mais ma question est toujours valide. Qu'est-ce que ça peut vous faire ? Et si vous n'avez pas de réponse convaincante à me donner, vous pouvez prendre la porte. Peu m'importe ce que ce Pendragon pense de vous.

Journal n° 14

VEELOX

Salut, les gars. Alors, on s'habitue à me voir en chair et en os ?

C'est bizarre, mais après Utopias, filmer mon journal sous forme d'hologramme me semble presque primitif. Utopias est une invention fabuleuse... mais aussi extrêmement dangereuse. Et j'ai bien peur que Saint Dane en soit conscient. S'il en profite, je ne suis pas sûr qu'on puisse l'en empêcher. Je ne plaisante pas. Il est peut-être déjà trop tard pour sauver Veelox. Mais je n'ai pas l'intention de jeter l'éponge. Aja et moi avons un plan. Pour le mettre à exécution, je vais devoir retourner dans Utopias. À vrai dire, j'ai une frousse de tous les diables, parce que cette fois-ci, ça ne sera pas pour revoir ma famille.

Cette immersion sera dangereuse.

Je sais ce que vous pensez : comment peut-il y avoir du danger alors que tout se passe dans mon propre esprit ? Eh bien, il ne faut pas sous-estimer la puissance du mental et de l'imagination. Croyez-moi. J'ai vu ce que ça donne lorsque les choses tournent mal, et ce n'est pas beau à voir. Je préférerais ne pas courir ce risque, mais il n'y a pas d'autre moyen. Je dois y retourner. Il le faut.

Enfin, je crois.

Laissez-moi vous expliquer comment j'en suis venu à effectuer ce plongeon démentiel au cœur d'Utopias...

Après ma première incursion, je trouvais Utopias plutôt cool. Même si ce n'était qu'une illusion, c'était bon de rentrer chez moi, revoir ma famille et battre l'équipe d'Easthill High. C'est dur à avaler, mais tant que j'étais dedans, j'ai fini par oublier que ce n'était qu'une illusion. C'était si réel que mon cerveau voulait croire que tout était vrai. Ou du moins mon cœur le désirait. Vous n'y comprenez rien, je présume ? Il aurait fallu que vous soyez là.

Mais à mon retour, j'ai assisté à la mort d'un autre rêveur. De toute évidence, Utopias comportait des risques. Lorsque Aja m'a retrouvé après le débriefing, j'ai commencé à apprendre lesquels.

— Je t'emmène chez moi, a-t-elle déclaré en entrant dans le bureau où j'enregistrais mon journal. Nous allons manger quelque chose, et après je vais continuer de faire ton éducation.

Mon éducation. Super. Aja aimait bien me rappeler qu'elle était une grosse tête. Quelle chance j'avais !

— Qu'est-il arrivé à ce pauvre bougre ? ai-je demandé. Pourquoi est-il mort ?

— Ça peut arriver, s'est-elle empressée de répondre. Il y a pas mal de monde dans cette pyramide.

— Mais tu m'as dit que ça se produisait de plus en plus souvent.

— C'était un accident, d'accord ? a-t-elle rétorqué. Je te l'ai dit, nous avons le contrôle de la situation.

Eh bien ! Elle était vraiment sur les nerfs. Ces opérateurs ne me semblaient pas maîtriser la situation autant qu'elle le prétendait. Mais il était inutile de discuter. Elle a quitté le bureau sans un mot de plus. Elle s'attendait sans doute à ce que je la suive, c'est donc ce que j'ai fait.

On a quitté la pyramide d'Utopias pour reprendre le véhicule tricycle qui nous avait amenés ici. Nous sommes montés à bord et sommes partis dans les rues paisibles. J'avais un million de questions à poser sur Utopias, la façon dont il fonctionnait, pourquoi Aja était si sûre que le plan de Saint Dane allait échouer — et au passage, ce qu'était exactement ce satané plan. Mais ce n'était pas le moment de procéder à un interrogatoire en règle. Elle avait l'air furax. Tout en pédalant, elle regardait droit devant elle, comme si son esprit était bien loin d'ici.

Elle me laissait à mon dilemme. Comme vous avez dû le comprendre, il m'était difficile de m'entendre avec Aja. Elle a un sale caractère et explose à la moindre contrariété. Elle est fière de son intelligence supérieure et ne manque pas une occasion de la ramener. Bref, c'est tout le contraire de quelqu'un comme, mettons, l'oncle Press. Lui savait à peu près tout sur tout, mais ne jugeait pas nécessaire de vous le rappeler constamment. Ce doit être une question de confiance en soi. Aja m'avait donné l'impression que, tout au fond, elle n'était pas si sûre d'elle, et c'est pourquoi elle ne ratait jamais une occasion de faire son intéressante.

Mais c'était la Voyageuse de Veelox, et nous devions nous supporter. Si elle avait raison et que le plan de Saint Dane était déjà dans les choux, tout allait bien. Rien ne nous obligeait à faire ami ami et je pourrais m'en aller. Cependant, après avoir entendu Saint Dane déclarer que Veelox était déjà tombée et constaté qu'Utopias connaissait des problèmes, j'en doutais fort. J'étais sûr qu'Aja et moi pouvions arriver à œuvrer ensemble, et c'était à moi de faire le premier pas.

— Tu es née ici ? ai-je demandé pour engager la conversation.

— Oui.

— À Rubic ?

— Oui.

— Et quand as-tu appris que tu étais une Voyageuse ?

— Il y a deux ans.

Bon. Elle n'était pas très coopérative. Mais je ne me suis pas découragé.

— Quel âge as-tu ?

— Dix-huit ans.

— Hé bien ! Les phadeurs sont tous si jeunes ?

— Tu veux que je te raconte l'histoire de ma vie, Pendragon ? a-t-elle soudain déclaré. Alors voilà. Depuis mon plus jeune âge, j'ai été élevé dans une communauté. Je n'ai jamais connu mes parents. Et à ce jour, je ne sais toujours pas si on m'a arraché à eux où s'ils m'ont abandonnée pour que je subisse cette éducation.

Hou là. Cela faisait beaucoup d'informations en une seule phrase. Quel sujet devais-je approfondir ?

— Quelle éducation ? ai-je demandé.

C'était toujours moins personnel que cette histoire de communauté.

— Les directeurs sélectionnent les bébés les plus doués et les entraînent à devenir phadeurs ou veddeurs. Depuis que je suis en âge de m'asseoir, on m'a collée devant un écran pour m'apprendre à rédiger des codes informatiques. À douze ans, j'étais déjà phadeuse à plein temps. Maintenant, je suis chef de groupe.

Elle se dévoilait un peu. C'était bon signe.

– Qui sont les directeurs ? ai-je demandé.

– Ils prennent toutes les décisions concernant Utopias. Et pour répondre à ta question, oui, les phadeurs comme les veddeurs sont jeunes. Les directeurs tiennent à ce que les esprits les plus brillants contrôlent le processus. Mais ce n'est pas tout. En prenant de l'âge, les gens ont envie de s'immerger eux-mêmes, pas de diriger les rêves des autres. Lorsqu'un phadeur atteint vingt-cinq ans, il se détourne de son travail.

– Pour faire quoi ?

Aja n'a pas répondu. Elle a regardé autour d'elle. J'ai compris et fait de même. Et j'ai vu… une ville fantôme. Comme je l'ai déjà dit, elle ressemblait à une cité de notre bonne vieille Seconde Terre, sauf qu'il n'y avait personne. Les ordures s'accumulaient dans les ruelles, les vitres étaient opaques de crasse, les véhicules restaient garés et la plupart avaient des pneus à plat. J'ai eu l'impression que, jadis, ces rues étaient très actives.

Je commençais à comprendre.

– Ils sont tous dans Utopias, c'est ça ?

– Pourquoi vouloir vivre ailleurs alors qu'on peut se créer une existence de rêve ? a répondu sèchement Aja.

– Et c'est partout comme ça ? Je veux dire, dans les autres villes.

– C'est commun à tout le territoire, Pendragon. Sur Veelox, la réalité n'est là que pour soutenir le rêve. (Elle m'a regardé droit dans les yeux.) C'est pour ça que Saint Dane croit avoir gagné. Ce territoire va tomber, et nous ne pouvons nous en prendre qu'à nous-mêmes.

C'était plus que logique. Si plus personne ne voulait affronter la réalité, le territoire allait s'effondrer. Cela m'a fait penser à un type de notre école. Vous vous souvenez d'Eddie Ingalls ? Il était accro à un de ces jeux sur Internet. Il passait des heures devant son ordinateur. Je crois qu'il ne dormait pas beaucoup, surtout le week-end. Il passait tant de temps sur ce jeu qu'il avait perdu la plupart de ses amis, puisqu'il ne voulait plus rien faire d'autre. Puis ses notes ont chuté. Je ne suis pas sûr, mais je crois que ses parents ont dû l'envoyer dans une école spécialisée pour qu'il reprenne pied dans la vraie vie. Eh bien, ce qui était arrivé à Eddie Ingalls arrivait à Veelox… huit milliards de fois.

À cette idée, la tête m'a tourné et mon cœur s'est emballé. On avait perdu Veelox avant même d'avoir eu une chance de la sauver !

– Alors Saint Dane avait raison, ai-je déclaré. C'est trop tard. Il a gagné !

– Calme-toi, a répondu Aja d'un ton sévère. Je te l'ai dit, je contrôle la situation.

– Ah, oui ? D'après ce que j'ai pu voir, personne ne contrôle rien ! Cette ville est en train de pourrir. Combien de temps va-t-il s'écouler avant qu'Utopias ne plante pour de bon ? Parce que c'est inévitable. Et c'est pour ça que les rêveurs tombent comme des mouches, non ? C'est ça, l'avenir de Veelox ? Tous les immergés vont mourir en plein rêve parce que personne ne veut plus gérer le monde réel ? Il faut les sortir de là ! Si on débranche le système, on pourra peut-être les convaincre de se réveiller ! C'est le seul moyen de…

– Tais-toi ! a crié Aja en donnant un grand coup de frein.

J'ai fait un bond en avant et ai bien failli traverser le pare-brise. Aja m'a regardé avec une telle fureur que j'ai cru que j'allais me consumer sur place.

– J'essaie de t'apprendre ce qui se passe ici, a-t-elle dit sévèrement. On ne peut pas « débrancher le système » et dire à tout le monde de reprendre leur vie normale. J'aimerais que ce soit si simple, mais ce n'est pas le cas. Une seule puissance peut sauver cet endroit : celle de l'imagination. Si tu refuses de le comprendre, autant rentrer chez toi.

Il fallait que je me calme. Je devais me persuader qu'Aja savait ce qu'elle faisait, même si mon bon sens me disait le contraire. Je ne connaissais rien à la technologie de Veelox. Si elle prétendait contrôler la situation, je devais lui laisser le bénéfice du doute. Du moins pour l'instant.

– Je suis désolé, ai-je dit. J'aimerais bien rester et en apprendre davantage sur Veelox.

Aja m'a dévisagé. Allait-elle me jeter dehors ou m'arracher les yeux ? Ou les deux ? Heureusement, elle s'est remise à pédaler. Nous ne nous sommes plus rien dit jusqu'à l'arrivée.

Aja vivait dans un joli bâtiment situé dans une rue paisible bordée d'arbres. J'ai dit « paisible » ? Quelle rigolade ! Toute cette ville était un havre de paix ! L'immeuble était fait de briques et comportait trois étages. On aurait dit la demeure d'un millionnaire. Pour compléter le tableau, les grands arbres luxuriants de l'avenue donnaient au quartier un côté accueillant.

— Tous les phadeurs vivent dans des maisons aussi chouettes ? ai-je demandé en montant l'escalier de marbre menant à l'entrée.

— Ils habitent là où ils veulent, a-t-elle répondu. La plupart des demeures sont abandonnées. Celle-ci appartient à une des directrices. La première, en fait. Le Dr Kree Sever.

— C'est gentil de sa part de te la laisser.

— Crois-moi, c'est le dernier de ses soucis. Elle est dans Utopias depuis un an. Son rêve doit être sacrément intéressant.

Un an. Incroyable.

Elle a ouvert la lourde porte et nous sommes entrés dans le manoir.

— Je reviens tout de suite, a-t-elle dit en grimpant l'escalier menant au premier étage.

L'intérieur était tout aussi magnifique. Il y avait une vaste entrée avec d'épais tapis. L'escalier comportait une rampe de bois luisant. Un couloir bordé de portes s'enfonçait dans la maison. En y regardant de plus près, j'ai vu que chacune de ses pièces était vaste avec un plafond haut. Étonnant qu'on puisse abandonner une si belle demeure pour vivre dans un monde imaginaire – quoique, peut-être que dans son rêve, le Dr Sever disposait d'un manoir encore plus luxueux. Ou peut-être d'une douzaine. C'était son trip, elle pouvait avoir tout ce qu'elle désirait.

Mais il y avait quelque chose de bizarre. L'endroit était d'une propreté immaculée. Il n'y avait pas un grain de poussière. Le bois était verni, les vitrines remplies d'objets luisaient et on aurait pu manger à même le sol. Rubic était crade parce que personne ne s'en occupait, mais cette baraque était digne de figurer dans *Maisons et Jardins*. Je voyais mal Aja prendre le temps de tout briquer. Alors qui ?

J'ai tout de suite eu la réponse.

– Tu dois être Bobby Pendragon ! a lancé une voix chaleureuse venue de profondeurs de la maison.

J'ai levé les yeux pour voir une vieille dame courir vers moi. C'était l'archétype de la grand-mère qu'on a tous rêvé d'avoir, avec ses longs cheveux gris ramenés en une queue de cheval ressemblant à celle d'Aja. Elle portait un pull bleu, un pantalon noir et des bottes… Décidément, elle ne s'habillait pas en grand-mère. Elle s'est précipitée vers moi en tendant la main. Je l'ai prise sans trop savoir si je devais la serrer ou pas. Mais elle ne manquait pas de poigne pour son âge.

– Oh, c'est trop bête ! Dans mes bras, dit-elle.

Avant que je n'aie pu réagir, elle m'a serré contre sa poitrine. Fort. À ma grande surprise, son étreinte s'est prolongée. Drôle de situation ! Je ne savais si je devais lui rendre la pareille. Nous n'avions même pas été présentés.

– Je regrette ce qui est arrivé à Press, a-t-elle dit. C'était quelqu'un de formidable.

Je comprenais mieux. Elle voulait me témoigner sa compassion. Je me sentais moins gêné. Puis elle a tendu les bras pour m'examiner de la tête aux pieds :

– Tu es exactement comme il t'a décrit.

Elle avait des yeux pleins de bonté avec un fond de tristesse.

– Merci, ai-je dit. L'oncle Press était quelqu'un d'exceptionnel.

– Il nous manquera beaucoup. (Elle a souri et dit :) Viens. Vous arrivez juste à l'heure pour le dîner.

Parfait ! Je n'avais rien dans l'estomac depuis notre petit déjeuner, en Seconde Terre. La pizza de mon rêve ne comptait pas. La dame m'a pris la main et entraîné vers l'arrière de la maison.

– Vous ne m'avez pas donné votre nom, lui ai-je dit.

Elle a éclaté d'un rire chaleureux.

– Je manque à tous mes devoirs ! Évangeline. Je suis la tante d'Aja.

Alors là, il y avait un os.

– Sa tante ? Je croyais qu'Aja n'avait jamais connu sa famille.

– Eh bien, je ne suis pas sa vraie tante. Enfin pas par le sang. Je travaillais dans la communauté où Aja a été élevée. Et j'y suis toujours. J'aime tous ces enfants, mais Aja était différente des

105

autres. Quand elle a été en âge de partir, j'ai eu l'impression de perdre ma propre fille. Nous avons donc décidé d'emménager ensemble, et voilà.

— Vous avez une très belle maison, ai-je dit en pensant que c'était le genre de remarque qui plairait à une vieille dame.

— Merci, mais ce n'est pas vraiment la nôtre, a-t-elle chuchoté comme si cela devait rester un secret. Le Dr Sever ne reviendra pas de sitôt, mais je préfère que sa maison reste impeccable, au cas où. Tu as faim ?

— Je suis affamé !

— Parfait ! Alors tu vas te régaler.

Évangeline commençait à me plaire. D'abord, elle était sympa, avec une personnalité agréable. Elle avait le sens de l'humour. Et elle avait l'air de bien m'aimer. En d'autres termes, elle n'était pas du tout comme Aja. Nous sommes entrés dans une grande cuisine où la table était mise pour deux. Évangeline s'est chargée de mettre un troisième couvert.

— Qu'est-ce qu'il y a au menu ? a demandé Aja en entrant derrière moi.

Elle avait retiré sa combinaison bleue de phadeur et portait désormais un pantalon de survêtement gris et des chaussures noires ressemblant à des baskets. Sans la connaître, j'aurais pu la prendre pour une ado normale, et pas une Voyageuse prétentieuse et cérébrale.

— Ton plat préféré, a répondu Évangeline. Du gloïde tricolore.

Du gloïde. Je me souvenais de toutes ces pubs. Pourvu que ce soit aussi bon que la pizza d'Utopias.

Mais non. Évangeline a déposé une petite tasse sur chaque assiette. Chacune était remplie d'un liquide qui semblait, hem, tricolore. C'était un liquide épais, comme une soupe, divisé en bandes vert vif, orange et bleue. On aurait dit de la peinture pour enfants.

Évangeline et Aja se sont assises et ont pris leurs cuillères.

— Assieds-toi, Bobby, dit Évangeline. Et régale-toi.

J'ai obéi et regardé ma tasse. Soudain, je n'avais plus d'appétit. Mais Aja et Évangeline ont attaqué cette soupe comme s'il n'y avait rien de plus délicieux dans tout le territoire. Et pour autant que je sache, c'était peut-être le cas. Je les ai regardées plonger leurs cuillères dans ce breuvage qui avait la consistance d'une crotte de pigeon. Évangeline était délicate : elle goûtait une couleur à la fois. Aja, elle, a mélangé les trois.

— On n'a pas souvent de gloïde tricolore pour dîner, a expliqué Évangeline. Ça devient de plus en plus difficile d'en trouver.

J'ai souri comme si j'étais impressionné. Ce n'était pas le cas.

— Au risque de paraître impoli, ai-je dit, je n'ai jamais mangé de gloïde.

Aja et Évangeline se sont regardées. Zut. J'avais dit une bêtise. Aja comprendrait, puisqu'elle savait que je n'étais pas originaire de ce territoire. Mais si ce gloïde était si important, comment expliquer que je n'en avais jamais mangé ? C'était comme d'admettre que j'ignorais qui était le Dr Zetlin, l'inventeur d'Utopias. J'ai cherché une excuse, mais en vain : je ne connaissais pas assez Veelox pour trouver quelque chose de plausible.

— C'est quasiment notre seule nourriture, a expliqué Aja. Les veddeurs l'ont créée pour Utopias, afin de pouvoir nourrir les immergés lorsqu'ils restent longtemps dans la pyramide. Ils l'absorbent par la peau.

Et moi qui me demandais comment ces gens pouvaient rester si longtemps sans manger. Je m'attendais à ce qu'Évangeline me demande comment je pouvais ignorer ce qu'était le gloïde lorsque Aja a dit :

— Je doute qu'il y en ait en Seconde Terre.

Hé bé ! Évangeline savait-elle tout sur les territoires et les Voyageurs ? C'est vrai qu'elle avait fréquenté l'oncle Press, mais lui-même connaissait pas mal de monde dans les territoires, et il ne leur avait pas pour autant révélé qu'il était un Voyageur. En général, il prétendait venir d'une autre région du territoire en question. Du moins, c'est ce que je croyais.

Évangeline s'est tournée vers moi :

— Un jour, Press m'a parlé de quelque chose que vous appelez… « gatorade ». Est-ce que ça ressemble à du gloïde ?

— Heu, pas vraiment, ai-je répondu. C'est une boisson pour quand on fait beaucoup de sport et… Pardon. Je suis perdu. Vous connaissez l'existence de la Seconde Terre ?

J'imagine qu'à ce stade, je n'avais plus rien à perdre. Après tout, c'était elle qui en avait parlé en premier.

– Bien sûr, voyons ! a-t-elle répondu avec un bon sourire. Pourquoi pas ?

Bon. Autant passer tout de suite aux choses sérieuses.

– Évangeline, êtes-vous une Voyageuse ?

Aja et Évangeline ont éclaté de rire en chœur.

– Bien sûr que non ! a-t-elle répondu.

Alors là, je n'y comprenais plus rien. Si elle n'était pas une Voyageuse, comment pouvait-elle en savoir autant sur la Seconde Terre ?

Évangeline a enlevé une petite chaîne accrochée autour de son cou. En guise de bijou, j'ai vu quelque chose que je connaissais bien. C'était un anneau d'argent avec une pierre grise en son centre.

– Je ne suis pas une Voyageuse, mais une Acolyte. Maintenant, mange ton gloïde.

Journal n° 14
(suite)

VEELOX

Acolyte.

Encore ce mot. L'oncle Press m'avait dit qu'il désignait des habitants des territoires qui venaient en aide aux Voyageurs. Mais la seule preuve de leur existence était la présence de vêtements locaux à chaque fois que je sortais d'un flume. Je n'avais encore jamais rencontré d'Acolyte... Du moins jusqu'à maintenant. Et j'avais l'impression qu'une autre pièce du puzzle venait de s'assembler.

– Mange ton gloïde, Bobby, a répété gentiment Évangeline.

Même ce nom ne me disait rien qui vaille. Gloïde. On aurait dit un organe. « Je crains que nous ne soyons obligés de procéder à l'ablation de votre gloïde. » Beurk. Mais ç'aurait été malpoli de refuser. J'ai donc pris ma cuillère et l'ai prudemment plongée dans la tranche orange. C'était gluant, comme du pudding. Je n'ai rien contre, mais cette couleur orange n'était pas très engageante. Cela dit, Aja et Évangeline semblaient aimer ça, ce ne devait donc pas être si terrible. Je me serais bien pincé le nez pour supprimer le goût, mais ce n'aurait pas été sympa. J'ai inspiré profondément et ai fourré la cuillère dans ma bouche.

Ce n'était pas mauvais. Un peu amer, avec un goût de noisette. J'ai essayé la partie verte pour découvrir qu'elle était plutôt bonne, quoique totalement différente de l'orange. La verte évoquait plutôt des baies ; d'abord sucrée, elle avait un arrière-goût aigre. C'est avec confiance que j'ai entamé le bleu... et j'ai bien failli tout recracher. Gare au bleu ! J'ai dû me forcer à avaler. On aurait dit un chou de Bruxelles pourri mélangé à de la litière pour chats.

À ce moment précis, j'ai vu Évangeline enfourner une grosse bouchée de gloïde bleu. Mon estomac s'est retourné. Mais je me suis senti obligé de finir ma ration. J'ai opté pour la méthode d'Aja et ai tout mélangé. Bien vu : l'orange et le vert adoucissaient le bleu, et j'ai pu avaler le tout.

J'ai alors eu la surprise de constater que je n'avais plus faim du tout. Et ce n'est pas parce que ce goût étrange m'avait coupé l'appétit. J'étais vraiment rassasié, comme si je venais de finir un bon repas. Et je débordais d'énergie. Quoi que puisse être ce machin, c'était efficace. J'aurais préféré une bonne vieille pizza aux poivrons, mais je n'allais pas me plaindre.

– C'était... délicieux, ai-je menti. Vous faites un excellent gloïde.

– Merci, a répondu Évangeline avec un petit rire. Quand il s'agit d'ouvrir une boîte de gloïde, je suis la meilleure.

Elle m'a fait un clin d'œil. Ah. Une blague. Le gloïde devait arriver tout préparé, comme la crème glacée. Au temps pour moi.

– Le gloïde est quasiment notre seule nourriture, a dit Aja. Il n'y a plus personne pour faire pousser des légumes ou s'occuper de bétail.

– C'est vraiment dommage, a renchéri Évangeline.

Elle a ramassé les tasses et Aja est allée les laver dans l'évier.

– Je peux vous aider ? ai-je demandé.

– Non, a répondu Évangeline. Ça ne prendra qu'un instant.

Je cherchais une ouverture pour demander à Évangeline de me parler de cette histoire d'acolyte, mais je ne savais pas trop comment aborder le sujet sans avoir l'air débile.

– Tu ne sais pas ce qu'est un Acolyte, n'est-ce pas ? a demandé Aja non sans morgue.

Merci bien, Aja. Je vois que tu ne manques jamais une occasion de souligner mon ignorance. Mais au moins, elle avait brisé la glace.

– L'oncle Press m'en a parlé, ai-je répondu, mais sans entrer dans les détails. J'aimerais en savoir plus.

Évangeline s'est essuyé les mains et s'est rassise à la table. Aja faisait la vaisselle en nous tournant le dos.

– Tout le monde doit avoir un but dans la vie, a dit Évangeline en me regardant droit dans les yeux. Et quoi de mieux que d'aider ceux dont la destinée est d'accomplir de grandes choses ?

– Une destinée ?

– Comment appellerais-tu cela ? Les Voyageurs veillent à l'équilibre des territoires. Si ce n'est pas une destinée, je ne sais pas ce que c'est. Pour ma part, j'avoue que votre simple existence me rassure. Les Voyageurs m'aident à mieux dormir la nuit.

Quoi ? Évangeline se sentait bien parce que j'assurais l'équilibre des territoires ? C'était du délire. Je me suis demandé si elle connaissait l'existence de Saint Dane. Si elle savait ce qu'il mijotait, elle en perdrait le sommeil.

– Je dois avouer que je reste dubitatif sur ce statut de Voyageur, ai-je dit. L'oncle Press m'a dit que j'apprendrais en cours de route, mais je n'ai pas l'impression d'avoir fait tant de progrès que ça.

Évangeline m'a fait un petit sourire, puis a pris ma main dans la sienne.

– Et Denduron ? a-t-elle demandé. Il paraît que tu as sauvé ce territoire d'une guerre civile.

Hein ? Elle savait ce qui s'était passé là-bas ?

– Je n'étais pas seul, me suis-je empressé de déclarer.

– Et sans votre intervention, à toi et tes alliés, Cloral aurait connu une grande famine.

– C'est le peuple de Faar qui a sauvé Cloral, ai-je corrigé.

– Et la Première Terre ? Saint Dane a cherché à changer le destin de trois territoires en sauvant ce zeppelin de la destruction.

Il faut croire qu'elle savait qui était Saint Dane.

– Tout ça était moins dramatique que vous ne le croyez, ai-je dit.

– Vraiment ? a-t-elle rétorqué. Tu t'es fait une sacrée réputation, Bobby. Je crois que tu as beaucoup appris depuis tes débuts.

– Comment pouvez-vous en savoir tant ? ai-je demandé.

Évangeline a jeté un coup d'œil à Aja, qui a détourné le regard d'un air irrité. Quoi encore ?

– Les Acolytes sont bien informés, a-t-elle répondu en montrant son anneau. La plupart d'entre nous ont la garde des journaux rédigés par les Voyageurs. Aja m'a demandé de conserver les siens. C'était déjà un honneur, mais je voulais en faire davantage. C'est pour ça que je suis devenue Acolyte.

– Maintenant que vous en parlez, ai-je renchéri, des amis à moi voudraient aussi proposer leurs services. C'est à eux que j'envoie mes propres journaux.

– Tu as confiance en eux ? a demandé Aja.

J'en avais marre de ses piques incessantes. J'ai décidé de rendre coup pour coup :

– Si ce n'était pas le cas, je ne ferais pas la bêtise de leur confier mes journaux, non ?

– Je ne parle pas que de leur refiler une liasse de papiers, Pendragon, a rétorqué Aja. Mais d'être là à toute heure du jour ou de la nuit, quelle que soit la situation, quel que soit le moment où on les appelle.

– Ce sont mes amis, ai-je affirmé. J'ai confiance en eux.

Je n'aimais pas la façon dont elle doutait de vos motivations, ou des miennes.

– Je m'en occupe, Bobby, a dit Évangeline pour rétablir la paix. Tes amis auront leur chance.

– Mes deux amis, ai-je corrigé. Mark Dimond et Courtney Chetwynde.

– Peut-on aborder un instant le vrai problème ? a demandé Aja, irritée.

– Qui est ? s'est enquérie Évangeline.

– J'essaie de convaincre Pendragon que Veelox n'a plus rien à craindre de Saint Dane, qu'il n'a rien à faire ici et que je perds mon temps à lui servir de guide touristique.

C'en était trop. Aja était allée trop loin. J'ai regardé Évangeline.

– Je suis désolé.

Elle a acquiescé comme si elle savait parfaitement ce que j'avais en tête.

– Je comprends.

Je me suis alors tourné vers Aja et ai dit sans chercher à dissimuler ma colère :

– Et si tu me lâchais un peu, pour changer ? Depuis mon arrivée, tu me traites comme le dernier des crétins. Je n'ai rien dit parce que je ne savais pas comment fonctionnait ce monde, mais maintenant que je me suis fait mon idée, je dois te dire le fonds de ma pensée. Pour moi, Saint Dane avait raison. Veelox va tomber. Tu dis avoir le contrôle de la situation ? Je demande à voir. Tu as intérêt à me répondre pour de bon, ou je vais reprendre le flume. Et quand je reviendrai, ce sera avec quelques amis qui partagent cette fameuse destinée, et…

— Et quoi ? a rétorqué Aja. Vous allez faire sauter la pyramide ? Détruire Utopias ? Convaincre tout le monde que la réalité vaut mieux que leur monde de rêve ? C'est ça que tu comptes faire ?

J'étais vraiment en rogne, mais elle avait raison : je ne savais pas ce que j'allais faire. Et pourtant, pas question de lui faire croire que je traitais ça par-dessus la jambe. Je me suis efforcé de reprendre mon calme, mais je ne voulais pas non plus perdre mon avantage.

— Tu n'as pas la moindre idée de ce dont Saint Dane est capable, ai-je dit entre mes dents serrées. Es-tu déjà allée dans un autre territoire ?

Aja a perdu de sa superbe.

— Heu, non, je suis trop occupée ici et…

— Eh bien moi, j'ai pas mal bourlingué, et même après toutes les horreurs que j'ai vues, je sais que je n'ai eu qu'un aperçu de ce qu'il peut comploter. C'est ce qui nous sépare, toi et moi. Je me préoccupe de tout ce que j'ignore. Et si j'étais toi, je ne m'inquiéterais un peu plus au lieu de prétendre avoir déjà gagné.

Voilà qui a paru la refroidir. Aja a tourné les talons, a plongé la main dans sa poche et en a tiré quelque chose.

— Peu m'importe ce qui s'est passé sur les autres territoires, Pendragon. Là, tu ne peux affronter Saint Dane sur le champ de bataille, parce qu'il n'y en a pas. Il n'y a pas de méchants à combattre ou de zeppelin à détruire. Mais la situation est tout aussi dangereuse que ce que tu as déjà vécu. Parce qu'ici, le véritable ennemi est la *perfection*.

— J'avais compris. Il faut montrer aux gens ce qui se passe dans le monde réel.

— Mais ils le savent déjà ! a rétorqué Aja. Et ils s'en moquent ! Ils pensent avoir créé un système parfait fonctionnant en autarcie.

Mais la vérité, c'est que les veddeurs comme les phadeurs préfé-reraient être dans leur propre immersion plutôt que de faire leur boulot. Tu étais avec moi lorsque ce veddeur a pris à la légère la mort d'un rêveur parce qu'il ne pensait qu'à plonger à son tour. Tu n'as eu qu'un avant-goût d'Utopias, Pendragon. Et sauf erreur, tu n'avais aucune envie d'en sortir, non ? Qu'est-ce que tu m'as demandé ? Vingt minutes en plus ? C'est ce qu'ils veulent tous. Vingt minutes, vingt heures, vingt jours, mois, années ! La plupart d'entre eux ne réalisent même plus qu'ils vivent dans un rêve ! Si je n'avais pas minuté ton saut, tu y serais encore.

Je ne pouvais nier qu'elle avait raison.

– D'accord, tu m'as convaincu, ai-je admis. Utopias entraîne, disons, une addiction. Mais ma question reste valide. Qu'est-ce qui te fait dire que tu contrôles la situation ?

Aja a jeté sur la table ce qu'elle avait sorti de sa poche. C'était un petit disque argenté de la taille d'une pièce de monnaie dans un emballage de plastique transparent. On aurait dit un mini-disque.

– Ça fait un an que je travaille là-dessus, a-t-elle dit fièrement.

Évangeline l'a ramassé et me l'a tendu avec révérence.

– Elle ne parle que de ça.

– D'une certaine façon, a repris Aja, Saint Dane avait raison. Il n'a plus rien à faire ici. Si les choses continuent, Veelox ne tardera pas à s'effondrer. Et Utopias la suivra de près. Mais je sais comment sauver ce territoire.

– Avec ça ? ai-je demandé en brandissant le disque.

– Avec ça, a-t-elle répondue, confiante.

– Qu'est-ce que c'est ?

– J'appelle ça « Réalité détournée », a-t-elle dit. Et demain, tu vas retourner dans Utopias pour découvrir comment ça fonctionne.

Journal n° 14
(suite)

VEELOX

Après avoir vu mourir ce pauvre bougre, je n'étais pas sûr de vouloir retourner dans Utopias. De plus, je commençais à m'inquiéter pour Gunny. Il avait suivi Saint Dane sur le territoire d'Eelong et était censé revenir après avoir jeté un coup d'œil. Comme Aja avait mis l'entrée sous surveillance, c'était elle qui devait me prévenir de son retour. Je ne pouvais m'empêcher de me demander ce qu'il avait trouvé là-bas. Je n'étais guère optimiste, mais à vrai dire, je m'attends toujours au pire.

L'ennui, c'est que j'ai souvent raison.

Le mieux que je pouvais faire était encore de me concentrer sur Veelox. J'ai passé la nuit dans une des chambres d'amis de la demeure. Elle était si confortable que j'aurais dormi comme un loir si mon esprit avait bien voulu me laisser en paix. Je n'arrêtais pas de me faire du souci pour Gunny et de me demander ce qui m'attendait dans Utopias. À force de me poser des questions sans réponses, je n'ai pas fermé l'œil de la nuit.

Le lendemain matin, Évangeline nous a préparé un petit déjeuner de première bourre... Composé de gloïde, bien sûr. Mais cette fois-ci, c'était uniquement de la variété orange. Du moment qu'il n'était pas bleu... Une fois de plus, cela m'a étonné qu'une petite tasse de cette gelée puisse être aussi nourrissante. J'aurais préféré un bon bol de corn-flakes, mais ça me convenait.

Aja avait déjà enfilé sa combinaison bleue et était prête à partir. Elle m'en a donné une verte. Elle m'a précisé que ceux qui devaient rester un moment dans Utopias en portaient de cette couleur. Je n'avais aucune envie de m'attarder dans cette machine infernale, mais de toute façon, il me fallait des habits de Veelox. J'ai donc retiré mon jean et ma chemise de flanelle pour enfiler mon nouveau costume. Aja m'a aussi passé des bottes noires légères. Mais j'ai gardé mon caleçon. Toujours, quoi qu'il arrive, et quoi qu'en dise le règlement.

Au moment de partir, Évangeline m'a serré dans ses bras. Cette fois, je lui ai rendu son étreinte. Je l'aimais bien. Et puis ce devait être un ange pour supporter Aja.

— Prends soin de toi, Bobby, m'a-t-elle dit.

— N'oubliez pas que j'ai promis à mes amis de me renseigner à propos des Acolytes.

— Je n'oublierai pas, m'a-t-elle affirmé.

Je l'ai étreinte une fois de plus en guise de remerciements, puis ai suivi Aja. Évangeline nous a regardés descendre les marches pour monter dans le véhicule qui nous emmènerait à la pyramide d'Utopias.

— Au revoir, Vange, a lancé Aja à sa tante. Je rentrerai à l'heure où je rentrerai.

Nous sommes montés dans le tricycle et nous sommes mis à pédaler en direction d'Utopias.

— Parle-moi de cette Réalité détournée, ai-je demandé.

— Je vais te faire une démonstration.

— Je sais. Mais vas-y, explique.

— Ce sera plus simple de te le montrer.

— Je n'en doute pas, ai-je répondu avec une pointe d'impatience dans la voix. Mais ça ne serait pas plus mal que je sache à quoi m'attendre.

Aja a soupiré. J'ai eu la nette impression qu'elle me prenait pour un simple d'esprit incapable d'aligner deux pensées cohérentes.

— C'est un programme informatique, a-t-elle expliqué à contrecœur. Utopias est conçu pour lire dans les pensées du plongeur et lui offrir une expérience idéale. Réalité détournée est une sorte de virus, un bogue qui altère le programme de façon… subtile.

– Comment ?

– Il s'introduit dans le flux de données, le modifie et rend l'expérience moins parfaite.

– Vraiment ? En quoi ?

– C'est ce que je vais te montrer, a-t-elle répondu sèchement. Après ça, tu ne poseras plus tant de questions.

Je n'avais aucune envie de discuter. De toute façon, je ne tarderais pas à avoir des réponses. Ce serait moins pénible de la laisser mener la danse. Je me suis donc tu, et on a continué notre chemin en silence.

À notre arrivée, on a suivi le même chemin que la veille. On a traversé cet interminable couloir de stérilisation pour passer au comptoir où l'on m'a mis un autre bracelet avec trois boutons. Cette fois-ci, heureusement, ils n'ont pas prélevé mon sang. J'étais déjà dans le système.

En attendant mon bracelet de contrôle, j'ai regardé le portrait de l'enfant qu'Aja appelait le Dr Zetlin. Après mon passage dans Utopias, j'avais du mal à concevoir qu'un gamin comme lui ait pu inventer un concept aussi incroyable. Mais après tout, Beethoven n'avait-il pas écrit des symphonies à quatre ans ? Ce devait être un don ou quelque chose comme ça.

Nous avons quitté le comptoir pour continuer notre chemin. Cette fois, Aja s'est arrêtée à une des stations de contrôle. Une porte de verre a coulissé, et on est entrés dans la salle bourrée d'instruments dernier cri. Un petit phadeur maigrichon, qui ne devait pas avoir plus de douze ans, était assis dans le fauteuil. Il scrutait le mur d'écrans, à l'affût de la moindre anicroche, tout en aspirant bruyamment du gloïde bleu. Beurk.

– Hé, Alex, on va procéder à une double immersion, a dit Aja. J'ai besoin que tu nous phades.

Il n'a pas détaché son regard des écrans. J'ai remarqué qu'il avait pas mal d'acné et me suis demandé de quelle couleur était le gloïde qui provoquait ces éruptions.

– Mon service est presque terminé, a-t-il répondu d'une voix nasillarde.

– Mais tu es le meilleur, Alex, a imploré Aja non sans une pointe de séduction dans sa voix. J'ai horreur de plonger avec un autre.

Alex a eu un petit sourire. Aja avait gagné. Elle savait comment manipuler ce type.

— Tu veux un veddeur ? a-t-il demandé.

— Non, ça ne durera pas.

Ça, ça me convenait parfaitement.

Alex s'est alors arraché à ses écrans pour nous regarder. Il m'a toisé, puis s'est tourné vers Aja avec un sourire rusé et a dit :

— Attention à ce que tu fais là-dedans. Je ne te quitterai pas des yeux.

— Tu n'as pas honte de dire des choses pareilles ? a répondu froidement Aja.

Aussitôt, le sourire d'Alex s'est effacé et il est retourné à ses écrans, gêné.

— Ne tarde pas trop, a-t-il dit en enfournant du gloïde bleu. Dès que j'ai fini, je plonge.

— Ne t'en fais pas.

Aja a quitté la salle de contrôle, et je l'ai suivie.

— C'est un vrai blaireau, a expliqué Aja, mais c'est le meilleur phadeur qui soit. Avec moi, bien sûr.

— Alors pourquoi as-tu besoin de lui ?

— Tu n'as pas entendu ce que j'ai dit ? On y va ensemble.

— Ah, je ne savais pas que c'était possible, ai-je répondu, surpris.

Aja n'a rien dit. Elle est entrée dans une autre salle de contrôle, vide celle-ci. Il n'y avait personne dans le fauteuil et les écrans étaient éteints. Elle a jeté un coup d'œil en direction du couloir pour vérifier que personne ne nous épiait, puis s'est assise sur le fauteuil et, d'une main experte, a pianoté sur les touches incorporées dans le bras. Aussitôt, une petite section de la console devant nous s'est mise à clignoter. Aja a tiré de sa poche la disquette argentée qu'elle appelait Réalité détournée. Après un autre coup d'œil prudent, elle s'est levée et a inséré le disque dans une fente de la console. Elle s'est rassise, a appuyé sur quelques boutons, puis a éjecté le disque pour le remettre dans sa poche. Encore quelques coups de clavier, et la console s'est éteinte. Le tout n'avait pas duré plus de vingt secondes.

— Je l'ai chargé, a-t-elle annoncé.

Et elle a quitté la pièce, comme ça.

Soit elle savait très bien ce qu'elle faisait, soit c'était une excellente actrice.

— Qu'est-ce que tu viens de faire ? ai-je demandé en courant pour arriver à sa hauteur.

Elle m'a jeté un bref regard qui voulait clairement dire : « La ferme, idiot ! »

Nous sommes allés au centre de la pyramide. Une fois de plus, son gigantisme m'a laissé sans voix. On a pris l'ascenseur, continué sur ce pont suspendu entre ciel et terre et trouvé une cellule vide. Celle-ci était différente des autres que j'avais vues. Elle était plus grande, avec deux disques argentés sur le mur au lieu d'un. Aja est allée tout droit au clavier de commandes pour programmer notre saut.

— Comment ça marche ? ai-je demandé. Je veux dire, comment peut-on plonger ensemble ?

— C'est ton immersion, a-t-elle expliqué tout en pianotant sur le clavier. Utopias tirera de ton esprit tout ce qu'il lui faut. Je ne fais que t'accompagner.

— Tu peux contrôler ce qui se passe ?

— Non. Je te l'ai dit, c'est ton immersion. Mais nous vivrons la même expérience. Nous serons ensemble dans ton rêve.

Elle a pianoté sur le clavier et les deux disques argentés ont coulissé, laissant la place aux deux tables.

— Il y a quelque chose que je ne comprends pas…

— Il y a *beaucoup* de choses que tu ne comprends pas, a-t-elle coupé.

J'ai ignoré l'insulte.

— Si des gens passent des années là-dedans, comment peuvent-ils se nourrir ? Ou aller aux toilettes ?

Aja a désigné l'intérieur du tube.

— Tu vois ces deux tampons ?

Il y avait deux carrés noirs juste au sommet du tube.

— En cas de saut prolongé, ces tampons descendent et les veddeurs les attachent à l'estomac du sauteur.

Elle m'a montré deux fermetures éclair à l'avant de nos combinaisons. Elles mesuraient six centimètres, la même taille que les tampons.

— Ils les attachent ? Ça semble barbare.

— Ça ne fait pas mal, m'a affirmé Aja. Ils sont en contact avec la peau. L'un des tampons sécrète une forme de gloïde qui est absorbé par le corps. L'autre charrie les excréments.

— Donc, tout entre et, hem, sort par le biais de ces tampons ? ai-je demandé, écœuré.

— Oui. Ce système prévaut sur le processus métabolique du corps. Il réduit tout à sa plus simple expression chimique pour qu'il puisse traverser la peau. Je ne peux pas t'en dire plus : ce n'est pas mon domaine. Mais sache que la découverte de ce système d'alimentation a été la dernière pièce du puzzle. À partir du moment où les gens pouvaient passer de longues périodes dans les tubes, ils n'avaient plus de raison d'en sortir.

L'idée d'être allongé dans un tube dans le noir pendant qu'un tampon nourrissait mon corps et que l'autre évacuait le surplus était assez peu engageante. Heureusement que notre immersion serait brève.

— Allons-y, a fait Aja en montant sur une des tables.

— Que dois-je faire ? ai-je demandé en grimpant sur l'autre.

— Comme la dernière fois. Tu penses à un endroit où tu aimerais aller, et on va s'y retrouver.

— Mais Réalité détournée va changer tout ça.

— Oh, ça oui ! a fait Aja avec un petit rire.

Ça ne me plaisait guère. J'aurais voulu savoir à quel point l'expérience allait être altérée, mais n'ai pas eu l'occasion de le demander. Aja a appuyé sur quelques boutons sur son bracelet et nos tables ont coulissé dans le tube.

— Tu es sûre de ce que tu fais, hein ? ai-je eu le temps de demander avant de disparaître dans cette machine à rêves.

Aja a répondu d'un éclat de rire. Pourvu que cela signifie que oui ! Puis la porte s'est refermée derrière moi.

J'étais à nouveau dans le noir. Dans tous les sens du terme. Où Utopias allait-il m'envoyer cette fois-ci ?

Journal n° 14
(suite)

VEELOX

Mon corps est devenu lourd, comme si la gravité venait d'augmenter. Et je me sentais un peu endormi. Ça n'avait rien d'inquiétant, puisque c'était ce que j'avais déjà ressenti la dernière fois. Mais le suspense était tel que mon cœur s'est mis à battre.

Quelque chose de sec et râpeux me recouvrait le visage. Ça ne m'a pas fait peur, parce que même si je ne savais pas ce que c'était, ça m'a paru… normal. On aurait dit une serviette. Que faisait-elle là ? Je l'ai retirée et…

Le rugissement du stade a assailli mes oreilles, comme si quelqu'un venait d'ouvrir une porte insonorisée. Je me suis retrouvé sur un banc entre Petey Boy et Jimmy Jag. J'étais de retour en pleine partie de basket au moment exact où je l'avais quittée. Parfait ! Tout compte fait, j'aurais droit à mes vingt minutes de rab !

Il m'a fallu quelques secondes pour reprendre pied. J'ai regardé le score. On était toujours à égalité avec 58 à 58, et il fallait toujours entamer les prolongations. Je venais d'envoyer deux paniers et la foule était en plein délire. L'entraîneur Darula est venu s'agenouiller devant nous :

– Cinq minutes de prolongations ! a-t-il crié par-dessus les hurlements de la foule. On a déjà vu ça. On a l'expérience, on a l'entraînement, et maintenant, on leur a fichu la frousse. Il suffit de garder la tête froide et on a gagné. Alors allez-y.

On a entrecroisé nos mains pendant que l'entraîneur criait :

– Un, deux, trois…

– *Victoire !* avons-nous répondu en chœur.

On a alors baissé nos mains avant de nous répandre sur le terrain. J'étais en pleine forme, échauffé et prêt à l'action. Bizarrement, je me sentais moite et fatigué, comme si j'avais effectivement joué une partie… Ce qui était le cas, dans mon rêve. Alors qu'on courait vers le terrain, j'ai entendu une voix en provenance des gradins. Une seule. Elle n'était pas très sonore, mais a dominé le fracas de la foule :

– Bonne chance.

Je me suis retourné pour voir Aja assise là, en tenue d'étudiante, avec un jean et un sweat. Elle portait une bannière *Cardinals* qu'elle agitait sans le moindre enthousiasme. Elle contrastait vraiment avec le reste du public, qui hurlait de joie.

La façon dont elle a prononcé ce simple encouragement a eu l'effet inverse. Elle m'a mis mal à l'aise. J'ai levé les yeux vers les gradins, là où je vous avais vus, Mark et Courtney, mais vous n'étiez plus là. Bizarre. Tout était comme la dernière fois, à part ce détail. À seconde vue, ma famille non plus n'était plus là. Ce devait être ce que voulait dire Aja en décrivant les effets du virus Réalité détournée.

À peine suis-je arrivé au centre du terrain que j'ai remarqué un autre changement. Les joueurs d'Easthill High semblaient plus grands qu'avant. Ils ne s'étaient pas transformés en géants, mais avaient gagné quelques centimètres et pris quelques kilos de muscles. Et ils avaient l'air en pleine forme. Je ne savais pas trop ce qui se passait, mais une chose était sûre.

Ce serait une très, très longue prolongation.

L'arbitre a lancé la balle, ils nous l'ont prise, et c'était parti. Mais rien à voir avec la partie d'avant. C'était l'horreur. Je ne sais pas si l'équipe adverse était devenue meilleure ou si on était devenus des nazes. Peu importe, car le résultat a été le même.

Ils nous ont flanqué la pâtée grave.

Ils ont dribblé autour de nos joueurs, sont passés derrière nous et se sont ménagé des ouvertures pour des paniers directs. Bref, ils nous ont repoussés comme des gamins. Si je montais au panier en tournant le dos à l'adversaire, celui qui me surveillait m'empêchait de progresser. Si je voulais faire une passe, il me prenait la balle pour courir à l'autre bout du terrain, vers notre panier.

Après trois minutes de prolongations, ils nous menaient de douze points à un. Ça en devenait gênant. Si nous avions marqué un point, c'est parce que j'avais tenté un saut et que leur avant-centre avait renvoyé la balle si fort qu'elle avait rebondi sur mon front pour finir dans les gradins.

À vrai dire, tout le monde jouait dans les règles. Mais l'arbitre a dû nous prendre en pitié et nous a accordé un panier. Contrairement à la dernière fois où j'avais eu à tirer, la foule s'est tue. Je n'aurais jamais cru que tant de gens rassemblés en un seul endroit puissent faire si peu de bruit.

C'est dans ce silence de mort que j'ai lancé ma balle, qui nous a valu notre premier point. Mais j'ai raté la seconde, ce qui allait me coûter cher. Elle a rebondi sur le panier pour revenir vers moi. J'ai bondi pour m'en emparer. Leur avant-centre a fait de même. Il m'a pris la balle avant de retomber… le coude en premier.

Il est retombé droit sur mon nez. Bon sang, j'ai vu trente-six chandelles ! Je suis tombé à terre pendant que la salle tournoyait autour de moi. C'était peut-être une illusion, mais ce coup me semblait bien réel. Il a fallu arrêter la partie et Darula est venu m'aider. Mon nez pissait le sang et la tête me tournait. Je n'étais même pas sûr de pouvoir retourner dans les gradins. Crutch et Joe Zip ont dû m'accompagner jusqu'au stand.

La foule m'a ovationné. Au moins, ils étaient toujours vivants. Mais, avant de m'asseoir, j'ai entrevu Aja. Elle arborait un grand sourire, comme si elle était contente que je me sois pris un gadin. Je n'ai rien pu faire d'autre que lui décocher un regard noir. Elle a haussé les épaules. Je suis resté là, sur mon banc. J'avais ma dose pour aujourd'hui.

Sauf que ma journée était loin d'être terminée.

Malgré tout ce qu'on se prenait, Darula n'avait pas jeté l'éponge. Il courait tout au long du terrain en nous lançant des encouragements et criait à la faute lorsque l'équipe adverse nous rentrait dans le lard (c'est-à-dire tout le temps). Je ne l'avais jamais vu dans un tel état. Il était rouge comme une pivoine. Je craignais qu'il n'en fasse trop. Et la suite devait me donner raison.

Il nous restait encore trente secondes. Ils nous menaient par quinze points, et on n'avait plus la moindre chance de nous rattraper. À ce stade, on tentait juste de survivre. Pendant un moment, j'ai eu l'impression que ce désastre était entièrement ma faute. J'ai dû me forcer à me rappeler que ce n'était qu'un rêve. Mais à ce moment précis, ça me semblait bien réel. Mon nez me faisait un mal de chien. Easthill venait de marquer, une fois de plus, et Darula demandait un arrêt de jeu. Il a sauté sur le banc en criant après l'arbitre tout en dessinant un T avec ses mains… et c'est alors que c'est arrivé. L'entraîneur a posé la main sur sa poitrine, son visage s'est figé et il est tombé à genoux. Je ne suis pas docteur, mais je me doutais de ce qui venait de se passer.

Il faisait une crise cardiaque. La partie s'est arrêtée. L'arbitre s'est précipité et l'a allongé sur le dos. Il a alors fait signe aux gardiens d'appeler les infirmiers. Un peu plus tard, deux types en uniforme sont venus s'occuper de l'entraîneur. Je ne croyais pas que ce soit possible, mais la foule était encore plus silencieuse qu'avant. Elle s'est contentée d'applaudir nerveusement lorsque les infirmiers ont emmené Darula sur une civière.

Ensuite, plus personne n'avait le cœur à jouer. Tout le monde s'en est allé, sous le choc. Même l'équipe d'Easthill n'a pas fêté sa victoire. Drôle de moment. J'ai cherché Aja des yeux, mais elle aussi était partie. Faute de mieux, j'ai suivi mon équipe dans les vestiaires et ai pris une douche. Mon nez avait enfin cessé de saigner. Je suis resté là, sous la douche, à nettoyer le sang séché.

– Des questions ? a lancé une voix familière.

Aja se tenait à l'entrée des douches, les bras croisés, l'air très content d'elle. Je me suis empressé de nouer ma serviette autour de ma taille. On ne peut donc pas avoir la paix deux secondes !

– Pas mal, oui, ai-je répondu en coupant l'eau. Mais tout d'abord, je voudrais savoir pourquoi j'ai si mal au nez alors que tout ça est censé se passer dans ma tête.

Aja a eu un petit rire.

– Tu n'es pas blessé, Pendragon. Pas vraiment. Quand tu sortiras de ton immersion, ton nez sera intact.

– Génial. Tu veux bien me lâcher deux secondes, que je puisse m'habiller ?

Aja a levé les yeux au ciel et obéi. Je me suis empressé de retourner au vestiaire pour passer les vêtements que j'y avais laissés lors de mon précédent séjour.

À présent, l'endroit était désert. Les autres étaient partis depuis longtemps. Je laçais mes bottes lorsque Aja est venue s'asseoir sur le banc à côté de moi.

– Utopias a puisé dans ton esprit pour créer un rêve parfait, a-t-elle expliqué. Réalité détournée en a aussi extrait tes défauts et tes craintes. Au lieu de se contenter du meilleur, ils ont puisé aussi dans le négatif. Comme dans la réalité. Au fond de toi, tu devais redouter de subir une telle défaite. Tu devais même t'inquiéter de voir un jour ton entraîneur trop se démener et tomber malade. Réalité détournée a déterré ces craintes et les a incorporées à ton rêve.

– Mais pourquoi ?

Aja s'est levée et s'est mise à faire les cent pas.

– Tu n'as donc rien compris ? Les gens de Veelox ne voudront jamais quitter Utopias de leur plein gré. Ce territoire tombe en ruine parce que personne ne veut s'occuper de la réalité. Celle-ci est trop pénible. Il faut travailler, entretenir sa maison, avoir des enfants, traiter avec des gens qui ne sont pas forcément d'accord avec soi et tout ce dont un monde a besoin pour vivre. Mais dans Utopias, ils n'ont pas à s'en faire. C'est pour ça que Saint Dane est en train de l'emporter. Le rêve est de son côté. Mais mon virus, Réalité détournée, est la solution. Si Utopias n'est plus si agréable, les gens auront moins envie d'y rester. Il les forcera à revenir à la réalité.

– Donc… tu l'as déjà testé sur d'autres plongeurs ?

– Quelques-uns. À chaque fois, ils ont mis fin à leurs immersions plus tôt que prévu. Pendragon, ça marche ! Une fois que j'aurai installé pour de bon le virus, il affectera toutes les immersions effectuées dans la pyramide.

Aja s'est assise à côté de moi. C'était la première fois qu'elle semblait heureuse.

– Tu comprends ? a-t-elle repris. Avec ce virus, Utopias va ressembler de plus en plus à la réalité, ce qui le rendra moins attirant ! Et personne ne saura pourquoi. J'ai bien caché le virus. Personne ne le trouvera jamais.

Cela me coûtait de l'admettre, mais le plan d'Aja était logique. Et pourtant, quelque chose me dérangeait.

— Je trouve ça génial, Aja, ai-je dit en tentant de formuler ce que je pensais. Si tout marche comme prévu, tu vas réussir. Tu auras battu Saint Dane.

— Merci ! a-t-elle fait en un souffle, comme si elle attendait de m'entendre dire ça depuis le début.

— Mais…

— Il n'y a pas de mais, a-t-elle rétorqué.

— Peut-être pas, mais tu m'as dit toi-même que la bataille pour Veelox allait se dérouler dans l'imagination des gens. Maintenant, je comprends. Est-il vraiment si facile de contrôler les imaginations ? Si tu prends mon exemple, je me suis ramassé un gnon. Tu as dit que c'était le résultat de mes propres peurs. Mais si quelqu'un a des angoisses plus profondes que de se casser le nez ? L'immersion peut devenir dangereuse.

— Et alors ? a-t-elle rétorqué. C'est un rêve. Personne ne va se blesser. Tous sont tranquillement allongés dans la pyramide.

— Donc, quand nous en sortirons, je n'aurai plus mal au nez ?

— Tout à fait !

J'aurais bien voulu la croire, mais il restait quelque chose qui me dérangeait. Cette Réalité détournée n'était rien d'autre qu'un virus informatique particulièrement élaboré. Et ces virus aux noms farfelus étaient assez effrayants. On ne savait jamais quand ils pouvaient apparaître ni ce qu'ils pouvaient faire comme dégâts. Une fois, chez moi, une de ces saletés avait infecté mon ordinateur et bousillé mon disque dur. Si un vulgaire virus avait pu détruire mon petit PC, je préférais ne pas imaginer son effet sur un système aussi complexe qu'Utopias.

— Tu sais quoi ? a dit Aja. Je vais t'en donner la preuve. On va faire un ultime test, ici et maintenant.

— Un test ? ai-je répété nerveusement.

— Ton bracelet. Tu te souviens du bouton du milieu ?

J'ai levé la main. En effet, ce bout de métal venait de réapparaître.

— Celui qui altère le saut, c'est bien ça ?

— Tout à fait. Appuie dessus. On verra bien ce qui se passe.

126

— Tu es dingue ? ai-je crié en sautant sur mes pieds. Et si ça tourne mal ?

— C'est bien ce que j'espère. C'est le seul moyen de te démontrer que même si un rêve vire au cauchemar, il suffit d'y mettre fin pour sauver la situation.

J'ai secoué la tête et me suis mis à tourner comme un lion en cage. Je n'aimais pas cette idée.

— C'est le test ultime, Pendragon. La première chose que font les plongeurs lorsque quelque chose ne va pas, c'est d'appuyer sur ce bouton. Tous vont chercher à modifier leur rêve. On va voir ce qui se passe ensuite.

— Et d'après toi, qu'est-ce qui va arriver ?

— Je n'en sais rien. Ça dépend de toi.

À vrai dire, j'avais une frousse bleue de ce qui se passerait. Et s'il y avait un incendie ? Ou un tremblement de terre ? Même si ce n'était qu'un rêve, je n'avais aucune envie d'en passer par là. Mon nez douloureux me suffisait amplement.

— Allons, Pendragon, a-t-elle insisté d'un ton doucereux. Tu es le Voyageur valeureux qui a battu plusieurs fois Saint Dane. Comporte-toi en héros, une fois de plus. Appuie sur le bouton. Vérifions une bonne fois pour toute que Réalité détournée est au point.

— Tu me jures qu'on peut mettre fin au rêve à tout moment ? Je veux dire, il suffit que je crie « stop ! » pour que tu arrêtes tout ?

— Tu peux le faire toi-même ! a-t-elle remarqué en désignant mon bracelet. Il te suffit d'appuyer sur le bon bouton pour mettre fin à l'immersion. Tout doit fonctionner normalement, sauf que Réalité détournée influencera le rêve.

Aja semblait avoir trouvé la réponse au moment de vérité de Veelox. Si elle disait vrai, les Voyageurs auraient vaincu Saint Dane et remis le territoire sur la bonne voie. S'il ne restait plus qu'à appuyer sur un bouton, je n'allais pas me dégonfler.

— Tu es sûr de savoir ce que tu fais ? ai-je demandé.

— Tu m'as déjà posé la question ! a-t-elle craché, impatiente. Je ne t'ai pas encore assez impressionné ?

Si, je dois le reconnaître. J'ai inspiré profondément, levé le bras et ai posé mon doigt sur le bouton du milieu de mon bracelet.

– Prête ? lui ai-je demandé.

– Toujours, a-t-elle répondu.

J'ai appuyé sur le bouton. Il s'est mis à luire d'une lueur rouge pendant un moment, puis…

Il ne s'est rien passé. Le sol n'a pas tremblé, le toit ne s'est pas effondré. On est restés là comme deux crétins.

– Rien n'a changé, ai-je dit. Peut-être que…

C'est alors que le ciel nous est tombé sur la tête.

Aja a levé son propre bras pourvu du même bracelet.

– Mon contrôleur, a-t-elle dit, surprise. Il s'active.

– Qu'est-ce que ça veut dire ?

Un faisceau de lumière a jailli de son bracelet pour projeter un hologramme. Si ce virus Réalité détournée devait plonger dans mes pires angoisses, c'était une réussite. Parce que là, devant nous, dans les vestiaires, se tenait celui que je redoutais le plus au monde.

En l'occurrence : Saint Dane.

– C'est vraiment mon rêve ? ai-je demandé à Aja, stupéfait.

– Non ! a-t-elle répondu d'une voix tremblante. Ton immersion n'est plus subordonnée à mon bracelet. C'est la réalité. C'est un enregistrement.

– Ma chère Aja, a repris l'image de Saint Dane. Tu croyais vraiment que je te laisserais saboter Utopias ? Je n'ai pas passé des années à aider ces programmateurs à le mettre au point pour te permettre de le détruire avec un vulgaire virus.

Aja m'a jeté un coup d'œil. Ce n'était pas mon cauchemar.

Mais le sien.

– Ma chère Aja ! a repris Saint Dane. Depuis ta naissance, je n'ai cessé de veiller sur toi. J'ai fait en sorte que tu sois choisie par les directeurs pour devenir phadeuse ; je t'ai vue grandir et devenir la Voyageuse arrogante que tu es aujourd'hui ; et je t'ai même aidée à programmer ton vilain petit virus. Pendragon a dû te dire que j'étais toujours là, et je suis sûr que tu ne l'as pas cru.

En effet. Mais elle devait être en train de réviser son opinion.

– Tu vois, ma chère, a continué Saint Dane, tu es mon plan de rechange. Si la négligence de ses habitants ne suffisait pas à détruire Veelox, je devais m'assurer que ton virus nommé Réalité détournée aurait des effets bien supérieurs à ce que tu crois. Et tu n'es pas au bout de tes peines !

Saint Dane a éclaté d'un rire à vous donner froid dans le dos.

— Dans les deux cas, j'ai gagné, a-t-il conclu. Merci de ton aide, Aja. Grâce à toi, détruire Veelox a été une partie de plaisir ! Passe mes amitiés au jeune Pendragon.

L'image a disparu. Saint Dane était reparti. Aja semblait prête à tomber dans les pommes. Elle n'y comprenait rien. Malheureusement, moi, je ne comprenais que trop. Saint Dane avait toujours su ce qui se passait. Il maîtrisait la situation. Comme toujours.

— Il ment, a-t-elle déclaré. Mon virus n'échouera pas.

— Je crois que c'est justement ça le problème, ai-je dit. Il risque de fonctionner mieux que tu ne le crois.

— Comment pourrait-il le savoir ?

— Je n'ai pas arrêté de te le répéter, Aja ! ai-je crié. C'est tout à fait son genre. Il manipule les gens à leur insu, fait en sorte qu'ils s'imaginent savoir ce qu'ils font, alors qu'il les mène à la catastrophe ! On ne s'aperçoit de rien jusqu'à ce qu'il soit déjà trop tard. Tu es intelligente, Aja. Mais tu as commis une grave erreur. Tu t'es crue plus maligne que Saint Dane.

Aja m'a décoché un regard empli de colère et de douleur. Mais je disais la vérité. C'est lorsqu'on croit l'avoir emporté que Saint Dane frappe le plus fort. Et là, le coup était rude.

— Aja ? a crié une voix provenant de l'extérieur. Tu es là ?`

— Qui est-ce ? ai-je demandé.

— C'est Alex, a répondu Aja surprise.

Elle a couru vers la porte des vestiaires et je l'ai suivie. On a continué notre chemin le long du couloir menant à la salle de gym, mais on s'est arrêtés en voyant Alex, notre phadeur, devant le gymnase désert. Il pianotait nerveusement sur son bracelet.

— Qu'est-ce qui se passe ? nous a-t-il lancé.

— Comment ça ? a répondu Aja.

— J'ai perdu le contrôle des immersions, a-t-il gémi. Un flot de données a jailli sur mon cadran et, en cherchant leur source, je suis tombé sur toi !

— Qu'est-ce que ça signifie ? ai-je demandé.

— Je l'ignore, a répondu Aja en tentant de se maîtriser. Ça peut vouloir dire que Réalité détournée a été activé.

— Je croyais qu'il l'était déjà ? ai-je dit en frottant mon nez douloureux.

— Uniquement pour notre immersion. Mais il est programmé pour se propager dans le réseau dès que j'en aurai donné l'ordre.

— Je pense qu'il vient d'être donné, ai-je dit. Saint Dane s'en est chargé.

— Réalité détournée ? a demandé Alex. C'est quoi ?

— Mets fin à cette immersion, m'a-t-elle dit. Il faut retourner au centre.

Je me suis empressé d'appuyer sur le bouton du milieu de mon bracelet.

Il ne s'est rien passé.

— Pourquoi on est toujours là ? ai-je demandé.

— Je vais désactiver ta commande et nous faire revenir moi-même.

Elle a appuyé sur quelques boutons de son propre bracelet et froncé les sourcils.

— Qu'y a-t-il ? ai-je demandé.

— Les commandes ne répondent pas.

— Comment ça ? ai-je crié.

J'ai martelé le bouton de mon propre bracelet, en vain. Les doigts d'Aja ont couru sur le sien, tentant de trouver la combinaison qui lui permettrait d'en reprendre le contrôle. Ce qui n'a rien donné.

— Alex ! a crié Aja au phadeur, qui était toujours au même endroit à tripoter son propre bracelet. Retourne au centre de contrôle et coupe le courant. Sors-nous de là !

— Tu es sûre ? a-t-il répondu. Et si…

Grrrrrr.

Ce grondement a résonné à l'intérieur du gymnase, derrière Alex.

— Qu'est-ce que c'était ? a demandé Aja.

Elle s'est dirigée vers le couloir menant au gymnase, mais je l'ai arrêtée en lui prenant le bras :

— Je ne sais pas, ai-je dit, même si ce grognement sourd avait quelque chose de familier. Alex ! Il y a quelque chose là-dedans ?

Le phadeur a jeté un coup d'œil dans la salle.

— Je ne vois rien…

GRRRRRRRRR…

Pas de doute, il y avait quelque chose, et ça se rapprochait.

— Aja ! ai-je insisté. Il faut qu'on s'en aille !

— J'essaie ! a-t-elle répondu en martelant son bracelet hors service.

J'ai alors entendu un grand raclement, comme si quelque chose de lourd se traînait sur le sol. Je connaissais ce bruit, j'en étais sûr. Il me rappelait de terribles souvenirs d'un endroit que je n'oublierais jamais.

Denduron[1].

— Hé là ! s'est écrié Alex, surpris.

Aja et moi avons levé les yeux pour voir le phadeur s'encadrer dans la porte du gymnase. Il regardait sur sa droite… et avait l'air terrifié.

— Qui a bien pu imaginer *ça* ? a-t-il demandé d'une voix blanche.

— Ça quoi, Alex ? a demandé Aja.

Alex a fait deux pas en arrière. Ses yeux reflétaient sa frayeur.

— Je vais retourner au…

Il n'a pas fini sa phrase. Des mâchoires puissantes se sont refermées sur sa gorge. Aja a poussé un grand cri tandis que de surprise je faisais un pas en arrière. La bête avait surgi de nulle part. Elle venait de bondir et de renverser Alex.

— C'est impossible ! ai-je hurlé en luttant pour ne pas paniquer. D'après ce que tu m'as dit, il n'est même pas vraiment là !

— C'est vrai ! a hurlé Aja. C'est notre immersion. Il n'a rien à faire là-dedans.

— Ah, oui ? Dis ça à Alex… et au quig qui vient de le tuer !

À ce moment, la bête a levé la tête de sa victime et s'est tournée vers nous. Ses mâchoires dégoulinantes de sang me

---

1. Voir Pendragon n° 1 : *Le Marchand de peur.*

rappelaient de mauvais souvenirs. C'était bien un des quigs de Denduron. Et il était là, dans le gymnase de mon collège, dans mon rêve à moi...

Et il venait de nous repérer, Aja et moi.

Journal n° 14
(suite)

VEELOX

Un cauchemar venu tout droit de mon passé venait de jaillir de mon esprit et se dressait devant nous. En chair et en os.

Ne me demandez pas comment, mais le virus d'Aja l'avait extirpé des profondeurs de mon cerveau pour le faire renaître. Cela semblait impossible, et pourtant il était là, exactement comme je l'avais vu sur Denduron. On aurait dit un ours préhistorique avec une tête surdéveloppée et des mâchoires qui l'étaient encore plus. Il avait d'énormes crocs acérés protubérants comme ceux d'un sanglier. Son corps était recouvert d'une fourrure gris sale, et une sorte de crête osseuse jaunâtre saillait sur son dos. Ses pattes étaient puissantes et prolongées par des griffes acérées comme des rasoirs. Mais le trait le plus frappant de ces quigs, sur tous les territoires, c'étaient leurs yeux. Ils étaient jaunes et furieux et braqués...

Sur nous.

Celui-là était plus petit que dans mes souvenirs, mais tout de même de la taille d'un grizzly. Ce n'était pas mieux, parce que ça signifiait qu'il pouvait passer les portes. Or on était à un couloir près de nous faire dévorer. Le quig a enjambé le cadavre d'Alex et s'est dirigé vers les vestiaires... et nous. Il ne me restait plus qu'une seule chose à faire.

J'ai refermé la porte du couloir.

Juste à temps. À peine l'avais-je bouclée qu'il s'est jeté dessus dans un grand craquement. Je savais que ce monstre n'était pas assez intelligent pour tourner un bouton, si bien que je n'ai même pas pris la peine de fermer la porte à clé. J'espérais juste qu'il ne réussirait pas à la défoncer.

Paralysée par la frayeur, Aja ouvrait de grands yeux.

– D'où vient cette chose ? ai-je demandé.

– De… de ton esprit, a-t-elle balbutié. Je te l'ai dit, ce programme plongera au plus profond de toi pour en tirer tout ce que tu peux redouter.

– Mais tu m'as dit qu'Utopias restait dans les limites de la réalité, ai-je crié.

– Parce que ce machin n'est pas réel, peut-être ?

Comme pour lui répondre, le quig s'est jeté à nouveau contre la porte.

– Mais ces monstres n'existent pas en Seconde Terre. Ils viennent d'un autre territoire. De Denduron.

– C'est impossible ! a crié Aja. Utopias ne peut pas faire une chose pareille !

Le quig s'est jeté une troisième fois contre le panneau avec un cri de douleur et de colère.

– Maintenant, il peut !

Cette fois-ci, la porte a commencé à céder. Encore quelques coups comme ça et le quig serait sur nous.

– Viens !

J'ai pris la main d'Aja et me suis mis à courir. Je ne savais pas où aller, mais je ne pouvais pas rester là, à attendre de me faire étriper. On a trouvé une porte à l'autre bout des vestiaires. Elle donnait sur l'extérieur, mais une fois dehors, on s'est tous les deux figés de terreur.

On se retrouvait face au grand terrain de football. Sauf que celui-ci n'était pas rempli de joueurs, mais de quigs ! Ils occupaient tout le terrain. Certains étaient aussi gros que ceux que j'avais affrontés au stade Bedoowan de Denduron, d'autres plus petits que celui du gymnase. Certains se battaient entre eux, visant leurs gorges respectives. Je savais où ça les mènerait. Ces quigs étaient cannibales. Si l'un d'entre eux tombait, les autres le dévoreraient.

– La porte ! ai-je crié.

Elle se refermait derrière nous. Si elle claquait, on était fichus. Aja s'est empressée de fourrer son pied dans l'interstice juste avant que le panneau se referme. Si elle avait raté son coup, on aurait fini en casse-croûte, et croyez-moi, notre viande aurait eu meilleur goût que du gloïde bleu.

J'ai regardé la meute de quigs derrière nous. Certains levaient déjà leurs mufles. Ils nous avaient sentis. Dans quelques secondes, ils nous fonceraient dessus, et ce serait la curée.

— Retournons là-dedans ! ai-je crié.

Une fois à l'intérieur du gymnase avec Aja, j'ai refermé la porte. Heureusement, parce que quelques quigs nous avaient repérés et fonçaient déjà vers nous.

— Il y a une autre sortie ? a demandé Aja, désespérée.

— Je... Je crois, oui...

Nous sommes sortis en courant des vestiaires et traversions le gymnase quand... *crac !* La porte a fini par céder, laissant le passage à un quig furax de devoir se donner tant de mal pour attraper son déjeuner. Aja et moi avons continué de courir vers la porte donnant sur le vestiaire des filles. Le quig nous a poursuivis tout en se cognant contre les casiers dans un grand fracas métallique.

La porte du vestiaire des filles n'avait pas de loquet, ce qui fait qu'on y est entrés en coup de vent. C'était notre chance. Le quig ne pourrait jamais l'ouvrir. On est tombés dans un vestiaire tout à fait semblable au précédent. On était sauvés, mais pour combien de temps ?

— Sors-nous de là ! ai-je hurlé à Aja.

— Ce n'est pas si terrible, Pendragon, a-t-elle répondu.

— Tu veux rire ?

— Non, c'est un rêve. Même si ces bêtes nous mettent en pièces, nous nous réveillerons à l'intérieur de la pyramide.

— Je doute que ça soit si simple ! ai-je rétorqué. Tu as dit que ces quigs ne pouvaient pas être là, et pourtant c'est le cas. Et nos bracelets devraient nous ramener à la réalité, sauf qu'ils ne fonctionnent plus. Et Alex ne devrait pas être mort dans cette salle de gym, lui qui n'était même pas dans cette immersion. Pourtant, c'est bien son cadavre. Il se passe bien trop de choses impossibles pour que je laisse ces monstres me bouffer dans l'espoir qu'ils me renvoient dans la pyramide.

– Mais...

– Tu as entendu ce que disait Saint Dane ? Il *savait* ce pour-quoi tu avais créé le virus Réalité détournée. Il a trafiqué ton programme. Maintenant, Dieu sait de quoi il est capable. Il faut sortir de là, de préférence en un seul morceau, et examiner ce qui est arrivé.

Aja a acquiescé. Pour une fois, elle était d'accord.

– À toi de jouer, ai-je ajouté. Moi, je n'ai pas la moindre idée de la façon dont on peut sortir de ce piège.

J'ai bien vu que son cerveau carburait sec alors qu'elle cher-chait un moyen de nous tirer de là. Finalement, elle a dit :

– J'ignore comment, mais on a déconnecté nos contrôleurs. Quoi qu'ait fait Saint Dane, c'est arrivé quand tu as appuyé sur le bouton du milieu.

– D'accord, je ne le ferai plus.

– Mais les appareils de contrôle d'Alex sont reliés au système central. C'est une autre paire de manches.

– Et tu peux te servir de son bracelet pour mettre fin à notre saut ? ai-je demandé.

– Sans l'ombre d'un doute, a-t-elle affirmé. Si toutefois il marche encore.

Je savais ce que nous devions faire. Retourner dans la salle de gym, retrouver le cadavre d'Alex et lui prendre son bracelet. Facile, non ? Ben voyons. Nous avons facilement trouvé la porte du vestiaire donnant sur le gymnase. Aja et moi l'avons entrou-verte et jeté un œil.

Curieusement, la salle était vide. Il n'y a pas si longtemps, elle était bourrée de supporters braillards. Maintenant, il ne restait plus qu'Alex, et il était bien silencieux. Restait la question à dix dollars : où se planquait le quig ?

– Tu es sûre que c'est la seule façon de se tirer de ce piège ? ai-je murmuré à Aja.

– Non, mais c'est la seule à laquelle j'ai pu penser.

– Dans ce cas, il faut courir le risque. Attends-moi.

J'allais partir lorsqu'elle m'a pris le bras et demandé :

– Où vas-tu ?

– Récupérer son bracelet, qu'est-ce que tu crois ?

– Tu ne sais pas comment le lui retirer.

Bien vu. On devait y aller ensemble. Aja et moi nous sommes regardés d'une façon inédite à ce jour. On était des Voyageurs tous les deux, mais le moins qu'on puisse dire, c'est que notre relation était jusque-là orageuse. Pourtant, à présent, nous allions devoir affronter une situation dangereuse ensemble. Ce regard était assez éloquent. Qu'on le veuille ou non, on était dans le même bain. J'ai hoché la tête et on s'est aventurés dans la salle de gym.

On n'avait qu'une vingtaine de mètres à parcourir, mais ça semblait énorme. Si le quig nous coinçait au beau milieu du gymnase, impossible de fuir. On a commencé d'un pas normal, mais sentant qu'il valait mieux aller le plus vite possible, on a accéléré à chaque pas.

Le cadavre d'Alex gisait droit devant l'entrée des vestiaires des hommes. Le quig s'y trouvait probablement encore. J'ai gardé les yeux braqués sur cette porte, m'attendant à le voir surgir d'un instant à l'autre. On n'a pas échangé un mot de peur d'alerter le monstre.

Alors qu'on se rapprochait du cadavre, j'ai réalisé que je ne voulais pas voir ce que le quig avait fait à ce pauvre bougre. Rêve ou pas, tout ça semblait bien réel. Mais je n'allais pas me dégonfler. Pas maintenant. On n'était plus qu'à quelques dizaines de centimètres du corps et j'ai vraiment cru qu'on allait y arriver.

Grave erreur.

Comme je le craignais, le quig a jailli de la porte. Sans réfléchir, j'ai agrippé Aja et l'ai entraînée vers les gradins. C'était notre seul refuge possible. Ils étaient déployés pour recevoir les spectateurs du match. Ce réflexe nous a sauvé la vie, enfin pour un instant.

Le quig m'a donné un coup de patte au moment même où je plongeais sous une rambarde métallique. Ses griffes monstrueuses ont heurté le métal, mais leur pointe a atteint mon bras et déchiré le tissu de ma combinaison. Une éruption de douleur m'a appris qu'il avait aussi lacéré ma peau. Mais ça n'allait pas m'arrêter.

– Continue ! ai-je crié à Aja.

Les gradins étaient maintenus par un réseau complexe de poutres d'acier. On a rampé dans ce labyrinthe métallique, de haut en bas et de gauche à droite, pour échapper à ce monstre. J'ai jeté un coup d'œil en arrière pour constater que le quig était toujours à nos trousses. Il avait plus de mal que nous à traverser les infrastructures d'acier, mais ça ne l'arrêtait pas. Il les mettait en pièces pour nous atteindre.

C'est alors que j'ai eu une idée géniale.

– Vite, va de l'autre côté ! ai-je crié à Aja.

Pour que mon idée fonctionne, on devait sortir de là-dessous le plus vite possible. Je n'arrêtais pas de pousser Aja pour la forcer à se faufiler entre les barreaux de métal. On est arrivés au bout de l'échafaudage.

– Par où, maintenant ? a-t-elle crié.

– Reste là où tu es ! ai-je ordonné.

Aja m'a regardé comme si j'étais devenu fou. Mais je n'avais pas le temps de lui expliquer. Aja était peut-être experte en informatique, mais les gymnases étaient mon domaine à moi. Avant de devenir un Voyageur, j'y étais tout le temps fourré. Je savais comment ils étaient conçus. J'ai couru vers une petite boîte argentée contre le mur, ai ouvert le couvercle de sécurité et ai appuyé sur le gros bouton rouge.

Aussitôt, les gradins se sont rétractés et le quig est resté pris au piège dessous.

– Génial ! s'est exclamé Aja.

C'était bien la première fois qu'elle me faisait un compliment. On est restés là, à regarder la scène en espérant que le quig se ferait écraser par les poutrelles d'acier qui se refermaient sur lui. Au moins, ça le retiendrait une minute, le temps nécessaire pour qu'on aille récupérer le bracelet.

Mauvais calcul.

Dans un rugissement terrifiant, le quig s'est extirpé des gradins, arrachant de longs fragments de métal. Mon idée n'était pas si géniale que ça, après tout. Il ne nous restait plus qu'à nous enfuir. On a cavalé le long de la salle en passant tout près du bracelet – mais on n'avait pas le temps de l'attraper au passage. On a jailli dans le couloir menant à l'école.

J'ai toujours trouvé qu'il n'y avait rien de plus angoissant qu'une école déserte. Je ne saurais dire pourquoi. Peut-être parce qu'on les voit toujours bondées ? En tout cas, ces couloirs avaient bien des raisons d'être inquiétants, et pas parce qu'ils étaient vides. Aja et moi avons dévalé le long vestibule aux murs de verre qui partait du gymnase pour aboutir au grand hall de l'école. Celui-ci était une pièce grande comme un hangar qui desservait toutes les autres ailes. Aja et moi avons couru au centre de la salle pour pouvoir regarder tout autour de nous. Si quelque chose nous fonçait dessus, on aurait tout le temps de partir du côté opposé.

— Il doit bien y avoir un autre moyen de mettre fin à tout ça, ai-je dit entre deux hoquets.

Une fois de plus, Aja a pianoté sur son bracelet pour émettre un grognement de frustration.

— Ça ne marche toujours pas !

Il ne nous restait plus qu'à trouver un moyen d'éviter le quig, ou du moins de détourner son attention le temps de récupérer le bracelet d'Alex.

— Tu connais le coin ? a demandé Aja. Il y a des armes ?

— Dans une école ? Ouais, bien sûr !

— Réfléchis, Pendragon ! Y a-t-il quelque chose qui puisse nous servir d'arme ?

A priori, je ne voyais pas. Il fallait que j'y réfléchisse. Que pouvions-nous trouver qui nous permettrait de vaincre un quig ? Sur Denduron, l'oncle Press en avait tué à coups de lance, mais rien de tel au lycée Davis-Gregory. On en avait aussi fait exploser un autre à l'aide du tak, mais nous n'en avions pas sous la main non plus. Alors quoi ?

C'est alors qu'une idée a germé.

— Ces quigs, ai-je demandé. Je sais qu'Utopias les a créés, mais sont-ils réels ? Je veux dire, similaires aux quigs de la réalité ?

— Ils sont comme tu t'en rappelles, a expliqué Aja. Utopias les a extirpés de ton esprit. Ce qui compte, ce n'est pas les caractéristiques des véritables quigs, mais celles qu'ils ont dans tes souvenirs. Si tu penses qu'ils peuvent faire des claquettes, ils en sont capables.

— Dans ce cas, nous devons trouver un sifflet à chiens.

— Pardon ?

— Les quigs sont très sensibles aux fréquences aiguës. Ça les rend dingues. Si on peut trouver un sifflet quelconque, on pourra retenir celui-ci le temps de récupérer le bracelet d'Alex.

— Parfait ! Où peut-on trouver un sifflet ?

— Je n'en sais rien, ai-je avoué.

— Pfff ! a soupiré Aja exaspérée. Réfléchis ! Y a-t-il quelque chose d'autre qui puisse produire un tel son ?

On a alors entendu ce qui ressemblait à un roulement de tonnerre. J'ai regardé autour de nous et ai vu quelque chose qui bougeait de l'autre côté des fenêtres. J'ai failli pousser un hurlement. Les quigs de l'extérieur nous avaient retrouvés ! Ils nous fixaient à travers la vitre en cherchant probablement un moyen de nous atteindre. Soudain, j'aurais bien voulu disposer de *cent* sifflets.

Cent sifflets…

Une idée se frayait un chemin depuis les profondeurs de mon cerveau.

— On n'a pas toute la vie devant nous, Pendragon ! a chuchoté Aja.

Cent sifflets. Voilà. Le plan B commençait à prendre tournure.

— Par là ! ai-je crié.

J'ai pris la main d'Aja et me suis mis à courir. Nous avons traversé l'école en nous dirigeant vers l'aile des bureaux. C'est là qu'on trouvait celui du directeur et des secrétaires. Et si je ne me trompais pas, il y aurait aussi quelque chose qui nous permettrait de stopper les quigs.

Le bureau était sombre et désert. Je me suis précipité vers le guichet, quand soudain… *crac !* une fenêtre a volé en éclats. Aja et moi avons sursauté. Un des quigs l'avait fracassée et allait entrer. Trois autres fenêtres ont explosé, et deux quigs les ont franchies. Ils savaient très bien où nous étions. Soit mon idée marchait, soit on finirait en pâtée pour quigs.

— Que fait-on là ? a demandé Aja d'une voix trahissant sa terreur.

— Cent sifflets, ai-je murmuré en continuant à avancer vers le guichet de la réception. On n'en a peut être pas un seul, mais je peux peut-être en fournir cent.

Je cherchais la sono qu'on utilisait pour faire des annonces publiques. Il y en avait une dans n'importe quelle école pour les alertes et tout ça. Pourvu que Davis-Gregory ne soit pas l'exception. C'était notre dernière chance.

J'ai trouvé une manette que j'ai aussitôt actionnée. Une série de lumières se sont allumées. Il y avait une rangée de boutons qui devaient sans doute activer les haut-parleurs disséminés dans l'école. J'allais les presser tous lorsque j'ai vu une autre manette avec la mention « général ». Bon. Je l'ai abaissée.

Le premier quig avait réussi à rentrer et se relevait. Dans quelques secondes, il passerait à l'attaque.

J'ai mis le volume sur quinze. C'est parce qu'il ne pouvait pas monter plus haut. Puis j'ai pris le micro déposé sur son support. J'ai jeté un coup d'œil à Aja, déplacé le bouton et tourné le micro vers l'ampli.

On appelle ça un larsen. On a tous déjà entendu ça mille fois. Je n'ai aucune idée de ce qui provoque exactement le phénomène, mais c'est toujours lorsque le volume est trop fort. Je crois que c'est parce que le système est en surcharge et… à vrai dire, je m'en fichais comme de ma première paire de baskets. L'essentiel, c'était que ça se produise, et vite.

Gagné. Les haut-parleurs ont émis un gémissement suraigu à vous percer les tympans. C'était affreux… et magnifique. Les quigs se sont mis à hurler comme ils l'avaient fait sur Denduron, lorsque j'avais utilisé le sifflet. Ils étaient à présent paralysés par la douleur. J'ai attrapé un rouleau de scotch et en ai enveloppé le micro pour immobiliser le bouton, puis l'ai posé sur le haut-parleur. Tant qu'il fonctionnerait, nous aurions bien cent sifflets à notre disposition.

Aja a fait une grimace douloureuse face à cette torture sonique, mais a réussi à sourire.

– On peut y aller ? a-t-elle crié.

On est repartis en courant vers le gymnase. Ce bruit abominable résonnait dans toute l'école. En cours de route, j'ai regardé au-dehors et ai remarqué d'autres quigs qui s'enfuyaient, pris de panique. Comparé à mon sifflet à chiens, ce larsen était monstrueux.

141

Aja et moi sommes arrivés dans le long couloir débouchant sur le gymnase. Le quig qui s'y trouvait devait être dans le même piteux état que ses congénères. Maintenant, il n'y avait plus qu'à espérer que le bracelet d'Alex daigne fonctionner.

On a jeté un coup d'œil dans la salle de gym. Notre ami le quig se roulait bien par terre en grognant de douleur. Aja et moi avons échangé un regard soulagé avant de nous engager dans la salle.

Et le bruit strident s'est tu.

D'un coup, comme ça. Peut-être que l'amplificateur avait rendu l'âme. Peut-être à cause d'une panne de courant, ou encore d'autre chose, qui sait, mais le résultat restait le même. Nos cent sifflets s'étaient tus.

Et le quig avait déjà sauté sur ses pattes, prêt à remettre ça.

Journal n° 14
(suite)

VEELOX

Aja et moi nous sommes figés sur place. Mais pas le quig. Il était redevenu lui-même et il était furieux. Il nous a vus et a chargé sur nous. Plus qu'une chose à faire : courir.

C'est alors que je l'ai vue. Je ne sais pourquoi je n'y avais pas encore pensé, et d'ailleurs, peu importe. Maintenant, je l'avais repérée, et pouvais toujours tenter le coup. Avant de quitter le gymnase, j'ai tiré sur la poignée de l'alarme anti-incendie située près de la porte.

Aussitôt, la sonnerie s'est déclenchée, un bruit évoquant une corne de brume plus puissante encore que le larsen. Mais serait-ce suffisant pour arrêter le quig ? Aja et moi nous sommes retournés…

Le monstre était retombé en arrière et se prenait le crâne entre les pattes. C'était tout bon. Sans s'arrêter, Aja a couru vers Alex. Je lui ai emboîté le pas. On a contourné le quig pour atteindre le cadavre du malheureux phadeur. Je n'ai pas eu le courage de le regarder de trop près. Son sang coagulait sur le sol du gymnase. Ça me suffisait amplement.

Aja a pris son bras et l'a tiré pour accéder au bracelet.

– Il marche ? ai-je demandé.

– On ne va pas tarder à le savoir.

D'une main experte, elle a pianoté sur le bracelet, et il s'est passé quelque chose d'étrange. Tout à coup, je me suis senti tout étourdi. Le gymnase s'est mis à tourner. Je me suis demandé si le larsen et la sirène d'alarme n'avaient pas endommagé mon oreille interne.

143

Soudain, je me suis retrouvé dans le noir. Étais-je de retour dans la pyramide d'Utopias ? Pourtant, j'entendais toujours beugler la sirène d'alarme. C'était incompréhensible : soit j'y étais, soit je n'y étais pas. Puis une lumière m'a ébloui. J'ai alors vu mes bottes noires. Je gisais bien dans le cocon d'Utopias. J'étais de retour !

Mais pourquoi entendais-je toujours le signal d'alarme ? La table a coulissé hors du tube. J'ai regardé sur ma gauche et m'aperçus qu'Aja venait de sauter de la sienne.

– Qu'est-ce qui se passe ? ai-je demandé.

– Suis-moi ! a-t-elle crié.

On est sortis de la cabine pour courir vers le centre de la pyramide. J'ai tout de suite compris le problème. Des centaines de lumières rouges clignotaient au-dessus des portes des cabines. Des phadeurs et des veddeurs couraient dans tous les sens. L'alarme qui résonnait n'avait rien à voir avec celle du gymnase. Celle-ci était bien réelle… tout comme le danger.

– Il faut aller au noyau ! a crié Aja en courant vers l'ascenseur.

On a passé un pont, sauté dans le tube et on est descendus en catastrophe.

Dans le couloir de verre du noyau, c'était la folie. Partout, des alarmes beuglaient et des lumières rouges clignotaient.

Un phadeur a pris le bras d'Aja et a crié :

– Des centaines de sauts tournent mal !

– Contacte les directeurs ! a-t-elle répondu avant de continuer son chemin.

Alors qu'on fonçait, j'ai regardé les postes de travail. L'image sautait sur plusieurs des écrans surveillant les immersions. Les phadeurs avaient beau pianoter sur leurs claviers de contrôle, ça ne semblait pas servir à grand-chose. Un peu plus tard, Aja a ouvert en grand la porte du poste de travail d'Alex.

– Alex ! a-t-elle crié. Qu'est-ce qui s'est passé ?

Il n'a pas répondu. Il en était incapable. Il était affalé sur son siège et ses yeux vitreux fixaient les écrans.

Alex était mort. Il y avait des morsures sur son cou. Pas de doute, le quig de mon rêve avait réussi à le tuer. Le virus Réalité détournée avait mis Utopias sens dessus dessous. En ce moment, dans tous les coins de la pyramide, des gens étaient en danger de mort alors qu'ils affrontaient leurs pires cauchemars dans leurs propres vies… et pour de vrai.

– Éteins-le, ai-je dit.

Aja fixait Alex d'un regard incrédule. Elle semblait incapable de bouger.

– Éteins Utopias, Aja ! ai-je crié. Tu dois sauver tous ces gens !

– C'est impossible, a-t-elle marmonné. Ce ne sont que des *rêves* !

Je l'ai secouée et l'ai forcée à me faire face.

– Plus maintenant !

– Mais ce sont des illusions ! Ce n'est pas la réalité !

– Ce n'est pas assez réel, peut-être ? ai-je dit en désignant ce malheureux Alex.

– Il doit y avoir une autre explication, a-t-elle insisté.

– Ah, oui ? ai-je rétorqué. Alors comment expliques-tu tout ça ?

Je lui ai montré mon bras. Je voulais qu'elle voie une preuve que ce qui se passait dans Utopias n'était plus un rêve. Dans le mien, les griffes du quig avaient lacéré mon bras alors que nous nous planquions sous les gradins. Ma combinaison était déchirée et les bords des coupures étaient maculés de sang séché.

– Cette plaie est bien réelle, ai-je dit. Mon bras me fait mal, et mon nez aussi. Je ne suis plus dans le cocon, et pourtant mes blessures sont toujours là.

Aja a regardé mon bras comme si son cerveau n'arrivait pas à assimiler ce que ses yeux lui transmettaient.

– Ce n'est plus un rêve, Aja, ai-je dit doucement.

Elle m'a regardé, troublée. Son petit monde bien ordonné venait de voler en éclats. C'est alors que la porte du poste s'est ouverte et qu'un phadeur terrifié est entré :

– Aja ! s'est-il écrié. Utopias est totalement corrompu. Et ça se répercute sur tout Veelox !

Aja s'est forcée à embrayer. Elle a cligné des yeux, puis son regard s'est éclairci.

– Tu as prévenu les directeurs ? a-t-elle demandé.

– Ils sont tous en immersion ! Tous jusqu'au dernier. On ne peut plus les contacter !

Aja a regardé le tableau de contrôle d'Alex.

– Coupe-le, Aja, ai-je insisté.

– Je ne peux pas, a-t-elle fini par dire. C'est impensable. Il y aura des morts.

– Mais il faut bien faire quelque chose !

Aja réfléchissait à toute allure. J'ai vu une étincelle s'allumer dans ses yeux. Une idée. Elle s'est tournée vers le phadeur et a dit :

– Il faut suspendre le réseau.

– Quoi ? a rétorqué le phadeur. C'est impossible !

– Tu as mieux à me proposer ?

Apparemment non.

– Prends ta clé ! lui a-t-elle ordonné.

Elle a porté sa main à son cou et a tiré une sorte de cordelette noire de sous sa combinaison. Y était suspendue une grande carte verte.

Le phadeur n'avait pas bougé.

– Allez ! a crié Aja.

Le phadeur a repris ses esprits. Il a couru vers le panneau de contrôle tout en tirant sa propre carte. Ils se sont postés de chaque côté de cet amas d'instruments complexes.

– J'espère que tu sais ce que tu fais, a-t-il dit d'une voix douce.

Aja lui a jeté un regard noir.

– Insertion !

En même temps, ils ont pris leurs cartes et les ont insérées dans des fentes situées de chaque côté du panneau. Ensuite, Aja a abaissé environ une douzaine de manettes dont la dernière se cachait sous un couvercle de plastique transparent. Elle l'a soulevé pour révéler une grosse manette rouge. Le phadeur s'affairait sur des commandes similaires, qui se terminaient sur une manette rouge semblable à celle d'Aja.

Aja a inspiré profondément :

– À mon signal… Un, deux, trois… *go* !

Ils ont tous deux abaissé leur manette rouge.

Aussitôt, les écrans sont redevenus opaques. Les milliers d'images différentes ont été remplacées par une couleur verte uniforme. Les signaux d'alarmes se sont tus, suivis d'un silence étrange.

J'ai regardé le phadeur. Il était en larmes.

– Que s'est-il passé ? ai-je demandé.

Aja a ouvert de grands yeux. Sa voix était calme et égale.

– On a suspendu le réseau.

– Tu veux dire que vous l'avez éteint ?

– Non, les plongeurs sont toujours dans Utopias, mais les immersions sont gelées. Il ne leur arrivera rien. Et c'est valable pour tout Veelox. Des millions de personnes sont immobilisées dans le système et attendent.

– Quoi ?

Alors Aja m'a regardé. Ses yeux rouges trahissaient sa frayeur.

– Ils attendent que je trouve ce qui ne va pas et que je résolve le problème.

Journal n° 14
(suite)

VEELOX

– Comment as-tu pu faire ça ?

– Que s'est-il passé ?

– C'est impossible !

Aja se tenait au centre de la pièce, entourée de veddeurs et de phadeurs qui lui criaient dessus. Ils voulaient tous savoir pourquoi elle avait suspendu le système. Quoi que ça puisse signifier. À peine Aja et son collègue avaient-ils actionné les deux manettes que des techniciens en combinaisons bleues et rouges avaient envahi la salle de contrôle, bourdonnants de questions. À présent, la plupart des écrans montraient des images en direct de phadeurs et veddeurs de tout Veelox qui voulaient savoir ce qui s'était passé. Ce n'est que lorsqu'ils sont apparus en masse que j'ai saisi l'importance de ce qui arrivait.

Aja n'avait pas suspendu Utopias uniquement ici, à Rubic, mais dans *le territoire tout entier* ! À ce moment même, dans tout Veelox, des millions de gens étaient en animation suspendue.

– Écoutez-moi, tous ! a crié Aja.

Peine perdue. Tout le monde avait trop peur. Mais je ne pouvais leur en vouloir. Leur monde était au bord du gouffre. Il aurait été illogique de ne *pas* crever de frousse.

– Laissez-moi parler ! a demandé Aja, mais les questions ne cessaient d'affluer.

– Toute ma famille est en pleine immersion !

– Il faut réactiver le réseau et les faire revenir !

C'était le chaos. Je ne pouvais rien faire, sinon espérer qu'Aja parvienne à maîtriser la situation. Finalement, d'un pas déterminé, elle s'est dirigée vers les tableaux de contrôle et a appuyé sur un gros bouton vert. Aussitôt, un abominable bruit de sirène a forcé tout le monde, moi y compris, à se boucher les oreilles. Les techniciens aussi faisaient la grimace.

Après quelques douloureuses secondes, Aja a retiré son doigt du bouton et le silence est retombé. Les phaseurs et les veddeurs n'ont rien dit, sans doute de peur qu'elle appuie à nouveau sur le bouton. Aja a abaissé une autre manette et a parlé dans un micro installé sur la console. Sa voix a résonné dans toute la pyramide afin que même les techniciens puissent l'entendre depuis leur poste de travail.

— Je m'appelle Aja Killian, a-t-elle déclaré. Je suis phadeuse en chef ici même, à Rubic. C'est moi qui ai autorisé la suspension du système.

Tout le monde s'est mis à hurler.

Aja a réactionné la sirène. Une fois de plus, le silence est revenu. Elle a cessé d'appuyer sur le bouton, mais sa main est restée tout près, au cas où quelqu'un l'interrompe à nouveau.

— Nous avons eu une urgence, a-t-elle expliqué. Dans tout Veelox, les plongeurs sont en danger.

J'ai regardé les techniciens. Plusieurs d'entre eux ont acquiescé. Pour la première fois, j'ai remarqué à quel point ils semblaient jeunes. J'ai regardé les postes de commande, cherchant au moins un savant aux cheveux gris susceptible de nous sauver tous. En vain.

— D'après ce que nous en savons, a continué Aja, le système de traitement a été infecté.

Tous ont eu un hoquet de surprise. Quoi que puisse être ce système de traitement, c'était du sérieux.

— Comment est-ce possible ? a demandé un phadeur, bravant un autre coup de sirène. Ça n'est jamais arrivé auparavant.

Je me suis tourné vers Aja. Ce devait être dur pour elle. Elle savait très bien ce qui avait engendré cette situation. C'était parce qu'elle avait introduit un virus dans le système. Un bogue nommé Réalité détournée. Pire encore, Saint Dane avait mis ses sales pattes sur le virus pour accroître sa puissance.

149

– Mais *c'est* arrivé, a affirmé Aja. Les plongeurs sont menacés. Ce n'est qu'en suspendant le système que nous pourrons gagner du temps et résoudre le problème.

Tout le monde semblait d'accord. Aja avait marqué un point.

– Maintenant que le système est désactivé, les plongeurs ne risquent plus rien, a-t-elle repris. J'ai étudié la situation et je crois pouvoir découvrir l'origine du problème.

– On ne peut pas les laisser là-dedans comme ça, est intervenu un veddeur.

– Nous n'avons pas le choix, a rétorqué Aja. Si on reconnecte le système avant d'avoir résolu le problème, on sera de retour à la case départ et les plongeurs seront toujours en danger.

Plusieurs personnes ont acquiescé nerveusement.

– Qui est le veddeur en chef de service ? a demandé Aja.

Un type a fait un pas en avant ; il n'avait pas l'air très enthousiaste.

– Je venais de prendre mon tour quand les signaux d'alarme se sont déclenchés, a-t-il dit d'une voix douce.

Son ton laissait entendre qu'il aurait préféré avoir une panne d'oreiller.

– Combien de temps peut-on laisser les plongeurs dans leurs cocons d'immersion maintenant que le système a été suspendu ? a demandé Aja.

– En théorie, pour une durée infinie, a répondu le veddeur en chef. Mais comme on n'a jamais essayé en pratique, qui sait ?

– C'est bon, a affirmé Aja. Ça ne nous prendra pas si longtemps pour résoudre ce problème. Je vais me rendre au noyau Alpha pour analyser tout ça.

– Et que fait-on entre-temps ? a demandé le veddeur en chef.

– Rien, a répondu Aja. Mais ne vous éloignez pas de la pyramide. Quand j'aurai résolu le problème, tout le monde devra se préparer au redémarrage. (Elle s'est alors tournée vers les rangées d'écrans.) Et c'est valable pour tous ceux qui m'écoutent en ce moment, a-t-elle ajouté dans le micro. Laissez-moi nettoyer le système. Je vous tiendrai au courant de mes progrès.

C'était une excellente performance. Aja avait fait preuve d'autorité, et à voir l'expression des employés, tous étaient persuadés qu'elle allait les tirer d'affaire. Mais Aja elle-même en était-elle si sûre ? J'aurais bien voulu le croire, mais lorsqu'elle a abaissé la manette pour couper le micro, j'ai remarqué que sa main tremblait. Oh, misère. Elle luttait pour ne pas craquer.

Elle s'est alors tournée vers moi, et nos regards se sont croisés. Pas de doute, elle avait peur. J'espérais que personne d'autre ne l'avait remarqué. Puis elle s'est tournée vers le veddeur en chef et lui a demandé d'une voix radoucie :

– Tu t'occuperas d'Alex ?

Il a acquiescé tristement. Aja m'a jeté un bref coup d'œil.

– Allons-y.

Elle est sortie de la salle de contrôle sous le regard de tous les techniciens en quête d'un signe qui leur assurerait qu'elle allait tout arranger.

Je l'ai suivie jusqu'à l'autre bout du couloir où une porte portait l'inscription NOYAU ALPHA – RÉSERVÉ AU PERSONNEL AUTORISÉ. Elle a tiré la même carte verte suspendue autour de son cou et l'a insérée dans une fente près de la poignée. Le verrou s'est ouvert avec un déclic métallique.

Nous sommes entrés dans une salle de contrôle un peu différente des autres. Elle semblait plus importante. Peut-être parce que le mur était opaque et non transparent. Il n'y avait qu'un seul moniteur et un seul fauteuil droit devant. Sous l'écran, j'ai vu tout un embrouillamini de boutons, de manettes et de lumières, comme dans les autres salles. Un bras du fauteuil était plus long que l'autre et comportait un clavier argenté qui semblait beaucoup plus complexe que ceux des autres postes de contrôle. J'imagine que c'est depuis ce fauteuil qu'elle allait tenter de réparer les dégâts et sauver le territoire.

Aja s'est laissée tomber dans le fauteuil et s'est mise à pleurer.

Zut. Ce n'était pas un bon départ. Il lui avait fallu un énorme effort de volonté pour faire bonne figure devant les phadeurs et les veddeurs, mais maintenant que nous étions seuls, elle se laissait aller. J'avais pitié d'elle, mais plus encore de tous ces gens coincés dans ces cocons. Aja était leur seul espoir, et elle n'avait pas l'air en état de sauver qui que ce soit. Finalement, elle a retiré ses lunettes et s'est frotté les yeux.

— Je ne voulais pas de toi sur Veelox, Pendragon, a-t-elle dit. Et tu sais pourquoi ?

— Heu… non, ai-je répondu sincèrement.

— À cause de ce que tu es. De *qui* tu es.

— Qu'est-ce que tu veux dire ?

— Oh, arrête ! s'est-elle écriée alors que des larmes brillaient dans ses yeux. Tu es le Voyageur en chef. Tu sautes d'un territoire à l'autre et tu affrontes Saint Dane comme un héros intrépide. Denduron, Cloral, la Première Terre… Autant de victoires pour notre bord. Pour toi, ça semble facile.

Franchement, j'avais envie de rire. Moi, un héros intrépide ? N'importe quoi. Je ne savais pas ce qu'on avait bien pu lui raconter, mais on avait tout déformé.

— Je ne suis pas comme toi, a-t-elle continué. Je ne suis pas une aventurière. Mais je suis intelligente. Plus intelligente que toi. Ce n'est pas de la vantardise, c'est un fait. Toute ma vie, on m'a poussée à optimiser mon intellect. J'ai vécu entourée de professeurs et de savants. Évangeline est ma seule amie. C'est un mode de vie plutôt austère pour une enfant, et j'en avais horreur. Et puis un beau jour, ton oncle a surgi de nulle part pour m'expliquer que j'étais une Voyageuse. Soudain, tout s'est éclairé. Je savais ce que j'avais à faire. Toutes ces pénibles années d'études, d'entraînement et de solitude m'avaient préparée à sauver Veelox. C'était comme si j'étais née une seconde fois, parce que tout d'un coup, ma vie avait un sens. J'étais disposée à affronter Saint Dane avec l'arme que je maîtrisais le mieux : mon esprit.

Aja s'est tue. Je crois qu'elle cherchait à retenir ses larmes. Elle a avalé sa salive et dit :

— Si je tenais tant à ce que tu partes de Veelox, Pendragon, c'est parce que je ne voulais pas que tu me retires ma raison d'être.

Je commençais enfin à comprendre. Si Aja s'était montrée si désagréable, c'est parce qu'elle avait peur que je la prive de tout ce qui donnait un sens à sa vie.

— Mais au final, a-t-elle ajouté sans chercher à dissimuler son émotion, non seulement j'ai échoué à sauver Veelox, mais je n'ai fait qu'envenimer les choses. Je n'ai pas vaincu Saint Dane, je l'ai *aidé !*

152

– Nous ne savons pas encore...

– Vraiment ? s'est-elle écrié en faisant pivoter le fauteuil vers moi. J'ai créé le virus Réalité détournée. Par ma faute, des millions de gens sont en danger. Et Alex est... Je me croyais très maligne alors que je n'ai pas arrêté de m'enfoncer dans mon erreur !

– Aja, ai-je dit avec précaution, tu dois comprendre une chose : le rôle de Saint Dane dans ce fiasco est peut-être plus important que tu ne le crois.

– Non ! J'ai programmé ce virus et je l'ai installé. Tout est de ma faute !

– Je sais, mais comme je te l'ai dit, Saint Dane est plus retors que tu ne l'imagines. Je ne veux pas dire qu'il était à tes côtés lorsque tu as créé ce virus, mais il a dû t'en souffler l'idée. Il peut l'avoir fait il y a des années. Peut-être a-t-il pris l'identité d'un prof qui a implanté en toi la notion qu'Utopias est trop parfait. Ou d'un phadeur qui t'a suggéré qu'il était possible d'altérer le programme, ou d'un veddeur qui a affirmé qu'on ne pouvait se blesser au cours d'une immersion. C'est comme ça qu'il procède, Aja. Il sème des idées comme des graines. Il oriente ton esprit dans une direction que tu crois être la bonne, mais qui te mènera tôt ou tard à la catastrophe.

Aja n'a pas détourné les yeux. C'était bien la première fois qu'elle m'écoutait.

– Et il n'y avait probablement pas que toi, ai-je ajouté. J'imagine qu'il faisait la même chose avec d'autres phadeurs. Il les poussait à tripatouiller le système d'Utopias en prévision du jour où tu y insérerais ton virus, pour qu'il fasse encore plus de dégâts.

Aja a pris le temps de digérer ce que je lui disais. J'aurais bien voulu qu'elle commence par là, si possible dès notre première rencontre, mais bon, ce qui était fait était fait.

– Et ce n'est pas tout, ai-je ajouté. J'ignore qui t'a raconté tout ça sur moi, mais ce n'est pas ce qui s'est passé. C'est vrai que j'ai pu envoyer Saint Dane dans les cordes une ou deux fois, mais ce n'est pas parce que je suis un super héros intrépide prêt à en découdre. La plupart du temps, j'avais une telle frousse que je ne pouvais même plus aligner deux pensées cohérentes.

— Alors comment as-tu réussi à le vaincre ? a-t-elle demandé, décontenancée.

— La chance, surtout. À vrai dire, en Seconde Terre, j'ai failli tout faire foirer. Si j'avais été seul, j'aurais provoqué un désastre encore pire que ce qu'on a sous les yeux. Je ne sais toujours pas si je me le pardonnerai un jour.

— Mais tout a fini par s'arranger.

— Oui, parce que je n'étais pas seul. Gunny m'a sorti de là. Je doute qu'un Voyageur puisse faire cavalier seul. Face à Saint Dane, il n'aurait pas l'ombre d'une chance. Nous devons agir en équipe, Aja. Tous autant que nous sommes.

Pourvu qu'elle se laisse convaincre. L'avenir de Veelox en dépendait, sans oublier le reste de Halla.

— Mais la situation actuelle est différente, ai-je ajouté.

— Pourquoi ? a-t-elle demandé, complètement dépassée.

J'ai marché vers l'immense console et ai regardé cet océan de boutons et de manettes.

— Ce virus Réalité détournée était une excellente idée. Si Saint Dane n'y avait pas fourré son nez, ça aurait pu fonctionner. Désormais, nous ne pouvons plus changer ce qui s'est passé. Il faut aller de l'avant. Nous devons sauver Veelox. Mais d'abord, il faut éradiquer le virus. Je ne sais pas comment on peut faire. Toi, si. Je peux faire des suggestions, mais toi seule peut corriger ses effets. Donc, de fait, c'est *toi* qui est en position de sauver Veelox.

Durant notre conversation, Aja avait l'air de vouloir ramper dans un trou de souris pour ne plus jamais en sortir. Mais j'ai vu une étincelle s'allumer dans ses yeux. Elle s'est redressée et a remis ses lunettes. Puis elle s'est levée et m'a regardé avec la même assurance que lorsqu'elle s'était adressée aux techniciens.

— Pas de problème, a-t-elle dit. Je n'ai qu'à rentrer dans le réseau et purger le virus du système de traitement.

Je ne comprenais pas très bien en quoi ça consistait, mais soit.

— Mais ça ne résoudra pas le problème de départ, a-t-elle ajouté. Quand j'aurai fini, Utopias reprendra son fonctionnement normal et Veelox sera toujours vouée à la destruction.

— Chaque chose en son temps, ai-je dit.

Aja m'a pris par les épaules et m'a fait pivoter. Je me suis demandé à quoi elle jouait, puis j'ai réalisé qu'elle examinait les coupures à l'arrière de mon bras.

— Va voir un veddeur pour qu'il te soigne ça, a-t-elle dit.

On aurait presque pu croire qu'elle s'en souciait. Un peu.

— Tu es sûre que tu peux te passer de moi ? ai-je demandé.

C'est alors qu'un miracle s'est produit : elle m'a souri ! Moi qui l'en croyais incapable. J'aimerais me croire responsable de sa jovialité nouvelle, mais savoir qu'on avait bien failli provoquer la mort de millions de personnes devait changer à jamais votre perception des choses… même chez une maniaque de l'ego comme Aja. Je n'ai pu m'empêcher de lui rendre son sourire.

— Je prendrai moins de temps à neutraliser le virus que tu n'en mettras à te faire soigner.

Elle m'a tourné le dos pour s'asseoir dans le fauteuil. Elle a tiré le panneau de contrôle, prête à se mettre au travail. Elle a pianoté sur le clavier et les écrans se sont allumés. Je l'ai laissée immergée dans son univers informatique pour partir en quête d'un pansement.

Les couloirs transparents du noyau étaient déserts et silencieux. Les techniciens étaient partis et les écrans des postes de travail étaient tous du même vert uniforme, plutôt sinistre. J'ai couru jusqu'au bout du couloir. Je voulais sortir de là le plus vite possible.

Je suis entré dans la salle au long comptoir où on m'avait posé mon bracelet avant le saut. Elle aussi était déserte. Je suis allé regarder le portrait du jeune Dr Zetlin, l'inventeur d'Utopias. Il ressemblait à un gamin comme les autres, pas à un génie.

— Salut, doc, ai-je dit. C'est à ça que tu pensais quand tu as créé Utopias ?

— À qui parlez-vous ? a fait une voix derrière le comptoir.

Un instant, j'ai cru que c'était le portrait qui m'avait interpellé, et j'ai eu un mouvement de recul. Mais j'ai vu le veddeur goth, celui qui m'avait piqué le doigt le jour d'avant.

— Heu, à personne. Dites, vous pourriez vous occuper de mon bras ?

Le veddeur a levé les yeux au ciel.

— Puisqu'il le faut, a-t-il répondu en montrant clairement qu'il n'en avait pas la moindre envie.

Je ne comprenais pas pourquoi ça l'ennuyait autant, puisqu'il n'avait rien d'autre à faire. J'ai défait la fermeture de ma combinaison et en ai extrait mon bras.

— Où est passé tout le monde ? ai-je demandé alors qu'il examinait la plaie.

— À la pyramide. Dès qu'Aja aura réactivé Utopias, ils vont tous plonger en immersion.

Incroyable. Même face à une crise d'une telle ampleur, ces gens ne pensaient qu'à retourner dans cet univers factice.

— Et vous ? ai-je demandé. Vous ne voulez pas en faire autant ?

— Plus maintenant, non. Je commence à croire que la réalité est plus sûre que le rêve.

Joie et bonheur ! Il y avait peut-être encore de l'espoir.

— Ce n'est pas bien méchant, a-t-il dit. Votre combinaison a plus souffert que vous.

Le veddeur a appliqué un onguent sur la plaie, et la douleur s'est aussitôt calmée. Puis il a posé un pansement jaune, et ce fut tout.

— Merci, ai-je dit.

— Ne vous en faites pas, a-t-il répondu sincèrement. Aja est la meilleure. S'il y a quelqu'un en qui j'ai pleine confiance, c'est bien elle.

J'ai acquiescé. Pourvu qu'il dise vrai.

Comme je n'avais rien à faire en particulier, je suis retourné au noyau Alpha pour voir comment Aja s'en tirait. La porte n'était pas fermée. Je suis entré en silence pour ne pas la déranger.

Elle était totalement concentrée sur son travail. J'ai regardé le grand écran pour constater qu'il était rempli de codes informatiques, tous de couleurs différentes et chacun plus complexe que le précédent. Aja pianotait sur le clavier et chaque entrée provoquait un nouveau flux de données. Pas de doute, elle était douée. Mon moral a remonté d'un cran.

— Il y a un problème, a déclaré Aja.

Au temps pour mon sursaut d'optimisme.

— Je croyais qu'éradiquer le virus serait un jeu d'enfant ?

156

– Oui, si seulement je pouvais y accéder, a-t-elle dit sans cesser de pianoter. Ce n'est pas Réalité détournée qui pose problème, mais le code d'origine.

– Je ne te suis pas.

– Le système comporte des codes de sécurité qui en compliquent l'accès, a expliqué Aja tout en s'affairant. Ils visent à empêcher que des personnes non autorisées ne s'introduisent dans le réseau. En tant que phadeuse en chef, je connais la plupart des codes, mais… Mais…

Elle a abattu un poing rageur.

– Mais quoi ?

– Quand Réalité détournée a infecté le système, il s'est implanté si profondément dans le réseau que, pour le retrouver, il faut retourner au code originel, le premier de tous. Et je ne sais pas comment y arriver !

– Eh bien, il y a forcément quelqu'un qui est au courant, non ? ai-je demandé, plein d'espoir.

Aja a bondi du fauteuil et s'est mise à faire les cent pas.

– Une seule personne le connaît.

– Alors allons la trouver !

– Ce n'est pas si facile. Personne ne l'a vue depuis trois ans.

– Trois ans ? Qui est-ce ?

– Le Dr Zetlin.

– Ce gamin sur le tableau ? Comment se fait-il qu'il soit le seul à avoir le code ?

– Oh, je n'en sais rien ! a fait Aja du ton sarcastique qui lui était familier. Peut-être parce qu'il a *inventé* Utopias !

Bonne réponse.

– Et puis, a-t-elle ajouté, ce n'est plus un gamin. Maintenant, il doit être septuagénaire.

– Parfait. Alors on va le voir, on lui prépare du lait chaud, on lui expose le problème et il nous donne le code.

– Ce n'est pas si facile.

– Pourquoi ?

– Parce que le Dr Zetlin est dans Utopias.

Ah.

Alors là, oui, c'était un problème. Un bon gros problème bien grave.

Aja a levé les yeux de ses écrans et déclaré :

– Sans ce code, je ne peux pas désactiver le virus. Et si je ne peux pas m'en débarrasser, on ne peut pas réactiver Utopias.

– Et si on n'y arrive pas, ai-je conclu, la plupart des habitants de Veelox seront pris au piège.

Je commençais à avoir l'écœurante impression que Saint Dane avait raison. La bataille pour Veelox était déjà terminée, et il l'avait remportée.

– Je présume que tu n'as pas de plan B sous la main ? ai-je demandé.

Je m'attendais à ce qu'Aja se mette à crier quelque chose comme : « Non, Pendragon ! Il n'y a pas de plan B, crétin ! » Mais elle s'est contentée de baisser les yeux. Son cerveau cherchait déjà une alternative. Tant mieux. Son intelligence était sa meilleure arme.

– À quoi penses-tu ? ai-je demandé.

– Il reste une possibilité, a-t-elle répondu à contrecœur. Mais c'est trop demander.

– Oh, accouche ! ai-je crié.

Elle a soupiré et dit :

– Il reste une possibilité de plonger dans Utopias et de retrouver Zetlin.

– Je croyais que le système était en rade ?

– Suspendu, a-t-elle corrigé.

– Ouais, si tu veux.

– C'est vrai, mais il y a un autre moyen.

Elle s'est dirigée vers l'autre côté du noyau Alpha, là où s'ouvrait une autre porte. Elle a pris sa carte verte et l'a insérée dans une fente. Aussitôt, le panneau a coulissé. J'ai jeté un œil dans la salle qui se trouvait derrière et, à ma grande surprise, j'ai vu une pièce semblable aux cellules d'immersion dans la pyramide. Sauf que celle-là comprenait trois disques argentés contre le mur.

– Voilà l'unité originale, a expliqué Aja. Le réseau Alpha. Il n'est pas relié au réseau central. Je peux le remettre en marche indépendamment.

J'ai regardé la cellule tout en digérant ce qu'elle venait de me dire.

— Tu veux dire que…

— Oui. Le Dr Zetlin est là-dedans.

Ainsi, le père d'Utopias gisait à quelques mètres de moi. J'avais l'impression de regarder l'intérieur d'un tombeau. Mais ce n'était pas le moment de se laisser attendrir.

— Alors allume ce réseau Alpha et tire ce vieil homme de là ! ai-je dit.

— Je ne peux pas. Il ne veut pas en sortir.

— Et alors ?

— Toujours le même problème, a-t-elle répondu en tentant de garder son calme. Il a programmé son immersion afin que personne ne puisse y mettre fin. Il ne s'est même pas attribué de phadeur ou de veddeur. Sans le code d'origine, je ne peux pas interrompre son immersion. (Elle a jeté un coup d'œil et a ajouté :) Par contre, je peux y envoyer quelqu'un d'autre.

— Tu veux dire qu'on peut entrer dans son immersion, comme tu es entrée dans la mienne ?

— Eh bien… oui, en quelque sorte.

— Allons, Aja, dis-moi tout !

J'en avais marre de devoir lui tirer les vers du nez.

— Oui, c'est possible. Mais le plus dur sera encore de trouver Zetlin et de le convaincre de nous donner le code.

— Alors allons-y !

— On ne peut pas ! Je veux dire, *je* ne peux pas. Je ne peux pas aller avec toi.

— Pourquoi pas ?

— Parce qu'il faut que quelqu'un reste ici et contrôle l'immersion, ou tu pourrais bien ne plus pouvoir en sortir. Il faut que tu y ailles seul, Pendragon. C'est pour ça que je disais que c'était trop demander.

Argh ! Et moi qui croyais que, depuis sa console, Aja allait tout arranger d'un tour de passe-passe. Maintenant, voilà que je devais retourner dans cet univers de cinglés.

— Dis-moi, et si le saut de Zetlin est sur un circuit différent…

— Réseau.

159

– Oui, si tu veux, ne m'interromps pas. Comme ce machin est différent, est-ce que le virus l'a infecté ?

– Je ne peux pas en être sûre à cent pour cent, a-t-elle dit lentement. Mais à mon avis... oui. Le logiciel de base est le même, et c'est ce que mon virus était censé attaquer.

– Donc, récapitulons, ai-je dit. La seule façon de se débarrasser du virus Réalité détournée est de m'envoyer dans le rêve du Dr Zetlin pour lui arracher le code. Mais si le virus est actif, je peux me retrouver en plein film d'horreur.

– Oui, c'est à peu près ça.

Oh, misère, je ne voulais pas y aller. Après l'apparition des quigs dans mon propre rêve, l'idée de plonger dans celui d'un autre était terrifiant. Et qui plus est, je devrais y aller seul.

– Je ne veux pas que tu y ailles, Pendragon. C'est trop dangereux.

– Ouais, moi non plus. Mais je n'ai pas vraiment le choix.

Aja a secoué la tête.

– J'ai réfléchi. Tu avais raison en disant qu'ensemble, nous étions plus forts. C'est trop risqué de t'y envoyer seul. Je ne sais plus quoi faire.

La réalité s'imposait d'elle-même. J'étais bon pour un nouveau tour de manège.

C'est alors que j'ai eu une idée.

– Il y a peut-être un autre moyen. Et si quelqu'un d'autre y allait avec moi ?

– Mais qui ? a-t-elle répondu. Tu ne peux pas demander à l'un de ces techniciens. S'ils découvrent ce qui se passe réellement, ce sera l'émeute.

– Ce n'est pas à eux que je pense, mais à un autre Voyageur. Quelqu'un qui a une bonne idée de ce qui se passe et qui sait à quel point c'est important. Si quelqu'un doit plonger avec moi, c'est bien un autre Voyageur.

Aja y a réfléchi un instant, puis a dit :

– Oui, je pourrais vous y envoyer tous les deux. Tu as quelqu'un en tête ?

– Tout à fait, ai-je répondu. C'est la personne sur laquelle je compte le plus quand il s'agit de se sortir d'un mauvais pas... en un seul morceau de préférence.

Journal n° 14
(suite)

VEELOX

— Si je connaissais un meilleur moyen de résoudre la situation, je ne te demanderais pas de venir avec moi, ai-je dit.

Là, j'étais dans un mauvais pas. Je demandais à une amie et une autre Voyageuse de m'accompagner dans une mission dangereuse. D'une certaine façon, c'était même la plus dangereuse de toutes, parce que là, nous plongions dans l'inconnu. Dans ma propre immersion, Réalité détournée avait fouillé mon esprit pour en tirer ce qui me faisait le plus peur et avait conjuré les quigs. Ce n'était pas le pied, mais au moins, je savais qui étaient ces monstres et comment les affronter. Mais lorsque nous nous retrouverions dans le rêve du Dr Zetlin, les dangers qui nous assailleraient viendraient de *ses* souvenirs à lui, et nous n'aurions pas la moindre idée de la façon de combattre les scories de son cerveau génial.

— Je pourrais y aller seul, ai-je dit. Et s'il le faut, je le ferai, mais je pense qu'on a plus de chances de réussir ensemble.

J'aurais pu demander à n'importe quel Voyageur — à part Gunny, puisque je ne savais pas ce qui lui était arrivé sur Eelong. Mais je savais qui était la plus à même de faire face à ce que nous pourrions découvrir dans le rêve du Dr Zetlin.

C'était Loor.

— Tu m'as expliqué très clairement ce qu'était cet Utopias, a-t-elle dit. Et pourtant, j'ai du mal à croire qu'une chose pareille puisse exister.

— C'est bien toi qui m'a convaincu qu'après tout ce que nous avions vu, nous devions considérer que *rien* n'était impossible ?

161

Loor m'a regardé dans les yeux et m'a fait un mince sourire. Ce qui n'est pas si courant. Loor n'est pas très souriante. Mais quand ça lui arrivait, elle me faisait fondre le cœur. Et c'est seulement en la retrouvant chez elle, sur son territoire de Zadaa, que je comprenais à quel point elle m'avait manqué.

Aja m'avait ramené à la porte, où j'avais pris le flume pour Zadaa. À vrai dire, j'étais bien tenté de partir pour Eelong retrouver Gunny, mais c'est Loor qu'il me fallait. Je ne pouvais qu'espérer que Gunny n'ait pas de problèmes.

J'étais déjà allé une fois sur Zadaa, avec Spader, si bien que je savais comment me rendre chez Loor[1]. Je suis arrivé à la porte de Zadaa et me suis empressé d'enfiler la robe blanche qui m'attendait (en gardant mon caleçon, bien entendu). Puis j'ai traversé le labyrinthe de tunnels souterrains débouchant sur la grande rivière souterraine qui s'écoulait sous la cité de Xhaxhu. Derrière cette cascade, je savais que je trouverais un portail menant à la cité. Tout était comme dans mes souvenirs, excepté quelques détails assez dérangeants.

Derrière la cascade, j'ai vu l'immense échangeur contrôlant le flux de toutes les rivières de Zadaa. C'était un appareil assez complexe avec une douzaine de tubes du sol au plafond. Il y avait aussi un grand panneau de contrôle avec toutes sortes de manettes et de boutons servant à réguler le niveau de l'eau. Spader et moi avions déjà vu comment on faisait fonctionner ce machin. Cette fois-ci, il y avait bien quelqu'un devant les instruments, mais ce n'était pas le même.

– Arrêtez-vous ! a fait une voix rauque. Où allez-vous ?

C'était un grand garde baraqué muni d'une matraque peu engageante. En fait, ils étaient trois à surveiller l'arrivée d'eau. Ceux qui vivaient sous terre s'appelaient les Rokadors. Loor m'avait parlé de tensions entre ces Rokadors et les Batus, les gens de la surface. Quelles qu'elles puissent être, elles devaient s'être aggravées depuis mon dernier passage. Avant, les Rokadors n'avaient pas besoin de garder leur domaine.

---

1. Voir Pendragon n° 2 : *La Cité perdue de Faar*.

— Heu, je vais en ville pour, euh… chercher des fournitures, ai-je dit en cherchant à cacher le fait que j'improvisais.

Les Rokadors avaient la peau claire, comme moi. Ils devaient donc me prendre pour l'un des leurs. Ce qui m'arrangeait bien.

— Vous voulez une escorte ? a demandé le garde.

Pas si bête. Si je ne risquais rien du côté des Rokadors, ça signifiait que je serais peut-être en danger chez les Batus. Mais comment leur expliquer que j'allais voir Loor, une Batu ?

— Non, merci.

— Soyez prudent, a grogné le garde. Rentrez avant la nuit.

Là, je n'étais pas rassuré. Si la situation avait vraiment dégénéré à ce point, ce serait difficile de retrouver Loor sans me faire démolir le portrait par un Batu croyant tenir un Rokador. Le mieux à faire était encore de me rendre invisible. J'ai couru le long de la rampe qui débouchait à la surface et, pour la seconde fois, j'ai pu contempler la cité de Xhaxhu.

Si vous vous en souvenez, j'avais dit qu'elle évoquait l'Égypte ancienne, avec de grands bâtiments de pierre couleur sable et des rues dallées bordées de palmiers. Partout, on voyait des statues de toutes les tailles possibles et imaginables, certaines aussi grandes que les immeubles. C'était une merveilleuse oasis au milieu d'un immense désert desséché. Elle était bâtie au-dessus de la rivière souterraine. Sans l'eau qu'elle lui fournissait, Xhaxhu se flétrirait avant de se dissiper comme un château de sable oublié. Cette idée m'a rendu quelque peu nerveux.

La cité était sillonnée de ruisseaux longeant les rues. À la plupart des croisements se trouvait une fontaine projetant des jets d'eau selon des angles complexes. Du moins c'était ainsi la dernière fois que j'y étais venu. Aujourd'hui, les cours d'eau étaient presque à sec. Il n'y coulait qu'un mince filet, et les fontaines semblaient asséchées. C'était plus grave qu'il n'y semblait. Si la ville n'était plus approvisionnée en eau, elle était mal barrée.

Mais je m'en soucierais plus tard. Pour l'instant, il me fallait trouver Loor. Et ça n'a pas été pas une partie de plaisir. Les rues étaient bourrées de monde, surtout des Batus. Comme je l'ai déjà expliqué, ceux-ci forment un peuple des guerriers à la peau noire. Ils portent des vêtements légers en cuir dévoilant leurs corps musculeux. Avec ma peau pâle et ma robe blanche, je faisais plutôt tache. Et ces types me le faisaient bien sentir. À peine avaient-ils posé les yeux sur moi que je sentais leurs regards s'embraser de haine. Et pas uniquement ces durs à cuire : les femmes aussi me fusillaient du regard. Même les enfants ! Bon sang, si un chien batu était passé par là, il m'aurait sans doute arrosé les pieds. J'ai baissé la tête et continué mon chemin en espérant arriver chez Loor en un seul morceau.

Celle-ci habitait un grand bâtiment d'un étage réservé aux militaires. C'était une apprentie guerrière, et on lui avait alloué un petit appartement. J'ai retrouvé sans mal l'endroit et n'étais plus qu'à quelques mètres de sa porte quand ma chance a tourné.

Sans crier gare, quelqu'un m'a pris par le col de ma robe et m'a soulevé de terre. Il m'a fait virevolter, et je me suis retrouvé face à un géant batu. Correction : *quatre* géants batus. Et ils n'avaient pas l'air contents de me voir.

— Tu t'es perdu, petit mouton rokador, a feulé le premier. Est-ce que tu veux nous voler encore plus de notre eau ?

— Heu, non, ai-je répondu d'un ton qui se voulait amical. En fait, je cherche…

— De l'eau ! a-t-il crié. C'est tout ce que tu connais et c'est tout ce que tu auras.

Les autres guerriers l'ont encouragé.

— Mais mon amie habite ici…

— Voilà ta précieuse eau !

Le guerrier m'a entraîné vers un mur à l'avant du bâtiment. J'ai cherché à lui échapper, mais il était trop fort et, de toute façon, les autres brutes étaient là pour me rattraper. Derrière le mur se trouvait la salle de bains commune. D'un côté, il y avait un jet d'eau fraîche pour boire et se laver. Dans l'autre, des trous dans le sol avec un courant souterrain servaient de toilettes. Malheureusement, nous ne nous sommes pas arrêtés devant le courant d'eau fraîche.

Le guerrier s'est arrêté devant l'un des trous d'égout et m'a tellement rapproché de son visage grimaçant que nos nez se touchaient presque.

— Puisque tu aimes tant l'eau, siffla-t-il, en voilà !

Il m'a soulevé de terre et m'a retourné comme une crêpe. Les autres guerriers ont éclaté de rire et l'ont acclamé.

– Hé, arrêtez ! ai-je crié. Vous faites erreur sur la personne !

Pas très inspiré, je sais, mais je ne savais pas quoi dire. Il m'a amené au-dessus des latrines. Il allait me balancer la tête la première dans cet égout ! J'étais si paniqué que je n'ai même pas songé à utiliser mes pouvoirs de persuasion de Voyageur. Je ne pensais qu'à ce trou puant qui m'attendait. Alors que ma tête s'en rapprochait, j'ai calculé qu'il était assez grand pour me laisser passer. Ça ne serait pas beau à voir. Je n'étais qu'à quelques centimètres du cloaque lorsque quelqu'un a crié :

– Repose-le !

Pourvu que ce soit de moi qu'il parle ! En tout cas, le guerrier m'a reposé sur mes pieds. Je me suis retourné pour voir...

Loor.

Je l'aurais volontiers embrassée, mais ce n'aurait pas été une bonne idée.

– Je le connais, a-t-elle dit, il me donne des informations sur les Rokadors. Ne lui faites pas de mal.

Les guerriers ont grogné de déception avant de s'en aller. Loor les avait privés d'un bon spectacle. Tant pis pour eux. J'ai horreur de ce genre de brutes.

– Suis-moi, Rokador ! a-t-elle aboyé.

Elle s'en est allée d'un pas vif, et je lui ai obéi avec joie. Un peu plus tard, on se retrouvait dans ses appartements.

– Ils sont sympas, tes amis, ai-je dit.

– Ils n'aiment pas les Rokadors, a-t-elle répondu d'une voix dépourvue de toute émotion.

– Oui, j'avais compris. Merci de m'avoir tiré de là.

– Inutile de me remercier. Si je ne l'avais pas fait, tu aurais empuanti toute ma maison.

On s'est regardés, puis on a éclaté de rire. Loor s'est détendue.

– Bon sang, comme je suis heureux de te voir ! ai-je dit, et je suis allé la serrer dans mes bras.

Elle ne m'a pas rendu mon étreinte. Pas par manque d'affection, mais parce qu'elle n'était pas expansive. Elle s'est contentée de me tapoter gentiment le dos. Que voulez-vous que je vous dise ? C'est Loor.

Elle a allumé un feu et nous nous sommes installés dans ses fauteuils de rotin. D'abord, je lui ai raconté tout ce qui s'était passé en Première Terre et la catastrophe du *Hindenburg*. Par contre, j'ai tu la façon dont je m'étais dégonflé au dernier moment. Je ne voulais pas que Loor sache ça.

Ensuite, elle m'a informé que les tensions entre les Batus et les Rokadors étaient pires que jamais, au point qu'elle craignait qu'une guerre n'éclate. Les Batus avaient la force brute de leur côté, mais les Rokadors contrôlaient l'eau. Elle était sûre que, s'ils en arrivaient là, ce serait le moment de vérité de Zadaa, mais elle ne savait pas comment l'empêcher.

Je lui ai parlé de Veelox, d'Utopias et du virus Réalité détournée. Loor était une guerrière issue d'un territoire dépourvu de toute technologie. Elle avait du mal à concevoir une montre-bracelet, alors quelque chose d'aussi complexe qu'Utopias lui passait par-dessus la tête. Et pourtant, elle m'a écouté en faisant de son mieux pour comprendre.

Assis dans cette pièce, sur un sol de terre battue, tandis que le feu craquait dans le foyer, je ne pouvais la quitter des yeux un seul instant. Les flammes donnaient un rayonnement particulier à sa peau, comme si elle venait de sortir d'un tableau – un tableau magnifique. Et c'était une athlète. Sa tenue de cuir dévoilait la musculature longue et puissante de ses bras et de ses épaules. Je l'avais vue affronter des types deux fois plus grands qu'elle et leur faire mordre la poussière. Mais en dehors de ses capacités physiques, elle avait un don pour voir les choses en face. Contrairement à moi, elle ne négligeait rien. Pour Loor, il n'y a jamais que deux façons de faire : la bonne et la mauvaise. Elle n'y réfléchirait pas à deux fois avant d'abattre un adversaire ou de risquer sa vie pour celle d'un ami.

C'est pour ça que j'étais venu. J'avais besoin de Loor pour abattre des adversaires et sauver un ami. En l'occurrence moi.

— Je ne demande qu'à t'aider, Pendragon, a-t-elle dit. Mais je m'inquiète pour ce qui va se passer ici, sur Zadaa. Si la situation devient explosive, je tiens à être là, pas ailleurs.

— Je comprends, ai-je répondu. Et le moment venu, je veux être là pour t'aider, moi aussi. Mais les flumes nous ramènent toujours là où il faut, *quand* il faut. Je ne sais pas comment c'est possible, mais c'est vrai. Quand on aura besoin de toi sur Zadaa, je serai là aussi.

— Et si Utopias est aussi dangereux que tu le dis et que nous ne nous en tirons pas vivants ?

Oh. Bonne question.

— Je ne sais pas. Mais en ce moment même, des millions de gens sont en danger. S'ils meurent, Veelox tombera avec eux et Saint Dane remportera sa première victoire. Et ça ne doit pas arriver.

Loor s'est occupée des braises du feu. Dans cette lumière, elle ressemblait à sa mère Osa, morte pour me sauver. Loor était à présent un peu plus âgée que lorsque nous avions vécu notre aventure sur Denduron. Moi aussi, d'ailleurs. C'était dur à croire, mais elle était encore plus belle. Soudain, j'ai compris que je ne voulais pas qu'il lui arrive quelque chose. Pas sur son monde, ni sur Veelox, et certainement pas dans le rêve d'un vieux scientifique complètement cinglé.

J'allais me lever pour partir lorsqu'elle s'est retournée et m'a regardé.

— Je veux juste être de retour le plus tôt possible.

— Non, me suis-je empressé de répondre. C'était un mauvais plan. Tu n'as pas à veiller sur moi. Ta place est ici. Je suis désolé, j'ai eu tort de venir te voir. Je vais repartir et…

— Pendragon, a-t-elle dit fermement, je suis une Voyageuse. C'est donc mon affaire.

Elle s'est levée et s'est emparée d'un glaive assez effrayant qui était posé contre le manteau de la cheminée. Elle l'a fait tournoyer avec adresse et la lumière du foyer s'est reflétée sur la lame.

— De quelles armes se sert-on sur Veelox ?

— On ne le saura qu'une fois dans Utopias.

Loor a fait tournoyer son glaive une dernière fois, puis l'a reposé. Je savais qu'elle aurait bien voulu l'emmener, mais c'était contraire aux règles.

– Quelle est l'expression préférée de Spader ? a-t-elle demandé.

– Hobie-ho, ai-je répondu en souriant.

– Oui. Hobie-ho, Pendragon. On nous attend sur Veelox.

On formait à nouveau une équipe.

On a traversé les rues de Xhaxhu sans rencontrer de problèmes. Maintenant que j'étais accompagnée par une guerrière batu, personne ne risquait de me chercher des poux dans la tête. Mais ensuite, il nous faudrait nous aventurer sous terre. En territoire rokador.

– Il va falloir passer sous le nez des gardes, ai-je dit. Ils surveillent la machine qui contrôle l'approvisionnement en eau.

– Reste derrière moi, a répondu Loor sans s'inquiéter le moins du monde.

On a couru le long de la rampe menant aux tréfonds du réseau souterrain. Je me suis dit que si nous étions assez rapides, personne ne nous remarquerait.

Grave erreur.

Avant que je n'aie pu l'arrêter, Loor est entrée d'un pas conquérant dans la salle des gardes. Bien vu : elle les a pris par surprise. Ils ne s'attendaient pas à voir une guerrière batu aussi impressionnante débarquer dans leur salle secrète.

Avant qu'ils aient pu reprendre leurs esprits, Loor est passée à l'action. Elle s'est débarrassée du premier d'un bon coup de pied en pleine poitrine, puis a abattu le second d'un coup chassé suivi d'un direct sur la tempe. Le dernier a été le plus mal loti. Il s'est précipité sur Loor par derrière, la serrant entre ses bras puissants. En battant des jambes, Loor l'a propulsé en arrière, à travers la salle puis au-delà du portail. Puis elle s'en est débarrassée en le passant par-dessus son épaule à la façon d'un judoka pour le balancer en plein milieu du courant.

J'ai levé les yeux vers le Rokador chargé des instruments. Il n'a pas cessé de travailler, mais m'a jeté un regard nerveux.

– Et ce n'est rien, vous devriez la voir quand elle est en colère ! lui ai-je lancé.

J'ai bien cru que ce pauvre bougre allait tomber dans les pommes. J'ai couru pour rejoindre Loor derrière la cascade, sautant par-dessus les gardes à terre.

— Tu t'es bien amusée ? ai-je demandé.

Elle m'a fait un clin d'œil, puis nous sommes partis. Un peu plus tard, nous arrivions à la porte et prenions le flume.

En arrivant sur Veelox, j'ai eu la joie de constater que deux combinaisons vertes nous y attendaient. Évangeline était passée par là. Il faudrait que je lui demande comment faisaient les Acolytes pour savoir quand déposer leurs articles. On s'est vite changés avant de se frayer un chemin sur les rails, puis monter l'échelle qui nous a menés dans les rues silencieuses de Rubic.

À mon grand bonheur, Aja nous y attendait. Cette fois-ci, elle était au volant d'un nouveau véhicule, toujours à pédales, mais avec quatre sièges au lieu de deux.

— Je ne pensais pas que ça prendrait si longtemps, a-t-elle dit sans préambule.

— C'est bon de te revoir, Aja, ai-je rétorqué. Loor, je te présente Aja. Aja, Loor.

Aja a toisé Loor comme si elle prenait ses mensurations. Puis :

— Loor, c'est un nom d'homme ou de femme ?

Zut. Très mauvais début. Loor a répondu :

— C'est le nom d'un héros légendaire sur Zadaa. Une femme.

— Vraiment ? Qu'a-t-elle fait de si héroïque ?

— Elle a tué ses ennemis avant de les manger.

Aja a ouvert de grands yeux. Elle s'est retournée et ses doigts se sont crispés sur son volant. Loor m'a regardé et a cligné de l'œil. Elle voulait juste se moquer d'Aja. C'est ce qu'on appelle partir du bon pied.

— Allons à la pyramide, ai-je dit en sautant sur le siège à côté d'Aja.

Loor est montée à l'arrière et on s'est mis à pédaler, direction la pyramide. En cours de route, j'ai fini d'expliquer à Loor ce qu'était Utopias. Je voulais qu'elle soit bien préparée, parce qu'on risquait d'avoir des surprises. Je m'attendais à ce qu'Aja me reprenne sans arrêt, mais je crois qu'elle avait trop peur pour ça. Ce qui n'était pas plus mal.

Après quelques minutes, Loor a levé la main pour m'interrompre.

— Je vais trop vite ? ai-je demandé.

– Pendragon, tu dois comprendre que ce que tu décris dépasse de loin les limites de mon imagination. Tu parles d'ordinateurs et de codes comme s'ils étaient aussi naturels que l'eau et le vent.

Aja a fait la grimace et levé les yeux au ciel. J'aurais pu la gifler.

– Si Aja est aussi intelligente que tu le dis, a-t-elle repris, alors je suis sûre qu'elle prendra soin de nous et nous enverra au bon endroit. Je peux me passer des détails. Je fais confiance à Aja.

J'ai regardé cette dernière pour voir sa réaction. Elle a eu l'air surpris et a même fait un petit sourire.

– Merci, Loor, a-t-elle dit, et je crois qu'elle était sincère.

– De quoi ?

– De ta confiance… et d'être venue. On a vraiment besoin de toi.

L'entente s'était scellée. Et nous étions en chemin.

C'est là que vais conclure ce journal, les gars. Aja a réglé Utopias pour notre double immersion dans le rêve de Zetlin, ce qui m'a donné le temps de finir mon récit. Je vous envoie ce journal en vous rappelant qu'il est possible qu'une nommée Évangeline cherche à vous contacter. Si vous voulez vraiment devenir des Acolytes, ce sera l'occasion ou jamais.

Je ne sais pas ce qui nous attend une fois que nous serons plongés dans Utopias, Loor et moi. Trouver le Dr Zetlin sera probablement facile. Ce qui m'inquiète plus, c'est de devoir me confronter à ses peurs les plus profondes. Mais l'idée d'avoir Loor à mes côtés me redonne confiance. C'est bien de faire de nouveau équipe avec elle.

Prenez bien soin de vous et pensez à moi de temps en temps. Rendez-vous de l'autre côté du miroir.

Fin du journal n° 14

SECONDE TERRE

L'image de Bobby disparut.

Courtney et Mark restèrent là, à fixer le vide où s'était tenu l'hologramme, sans savoir que dire ou que faire.

Puis Dorney se mit à rire. D'abord un gloussement qui s'enfla, s'enfla jusqu'à devenir un gros rire pour se briser en une quinte de toux. Courtney se leva d'un bond et alla lui servir un verre d'eau. Dorney le prit avec gratitude et l'avala d'un trait.

– Ça ira ? demanda Courtney tout en se rasseyant aux côtés de Mark.

Dorney s'éclaircit la gorge et inspira profondément. La crise était passée.

– Qu'y a-t-il de si drôle ? demanda Mark.

– Celui-là, c'est tout le portrait de son oncle, fit Dorney en souriant. Toujours à tomber de Charybde en Scylla. Et inversement.

Mark regarda les boîtes de métal contenant les journaux de Press.

– On peut y jeter un œil ? demanda-t-il.

Le sourire de Dortney s'effaça aussitôt. Il fixa les journaux, puis Mark.

– Ça dépend.

– De quoi ? demanda Courtney.

– De ce que vous allez me dire, si ça me convient ou pas.

– Nous sommes venus pour Bobby ! s'exclama Mark. Vous avez entendu ce qu'il a dit à Évangeline !

– Évangeline ? railla-t-il. Si le diable en personne lui disait qu'il n'était qu'un pauvre incompris, elle l'inviterait à prendre le thé.

– Vous la connaissez ? demanda Courtney, choquée.

– Pourquoi croyez-vous qu'elle vous a envoyée à cette adresse ?

– Mais elle est de…

– Veelox, oui, je sais. Et alors ?

– Mais vous avez dit que vous n'étiez pas un Voyageur, reprit Mark.

– Et c'est vrai ! Tu es bête ou quoi ?

Courtney et Mark en restèrent sans voix.

– Désolé, dit Mark, mais je croyais que seuls les Voyageurs pouvaient passer par les flumes. Si vous n'en êtes pas un, comment pouvez-vous connaître quelqu'un d'un autre territoire ?

Dorney les regarda comme s'il se demandait s'il devait leur répondre. Finalement, il leva la main – celle ou figurait son anneau de Voyageur.

– Tout passe par les anneaux, affirma-t-il. Ils sont la clé de tout.

Mark et Courtney attendirent patiemment que Dorney s'explique, en vain. Au contraire, il se leva en poussant un grognement et se mit à ranger les boîtes de métal contenant les journaux de Press dans le placard.

– Je suis quelqu'un de pragmatique, fit Dorney, très sérieux. J'ai toujours cru qu'il y avait une place pour chaque chose. Que B venait toujours après A. Que deux et deux faisaient toujours quatre. Puis Press Tilton est entré dans ma vie. D'une certaine façon, il m'a ouvert les yeux, et j'ai compris qu'il existait autre chose de bien plus important que ma petite personne et ma vie bien rangée. Pour être franc, ça m'a fait peur. Toutes ces histoires de flumes et de territoires qui suivent des lignes temporelles différentes… il y a de quoi vous donner envie de boucler votre porte à double tour et de ne plus jamais sortir de chez vous.

Mark et Courtney acquiescèrent. Ils ne le comprenaient que trop.

– Mais ce qui me fait encore plus peur, a continué Dorney, c'est l'idée que quelqu'un puisse fomenter des troubles d'un monde à l'autre. Ça fait dix ans que Saint Dane m'empêche de dormir. Tout ce qui me permet de tenir, c'est de savoir que les Voyageurs tentent de l'arrêter. C'est pour ça que je suis devenu un Acolyte. Je fais de mon mieux pour assister les nôtres.

Il rangea la dernière boîte de métal dans le placard, puis le referma et tourna la clé.

– L'ennui, c'est que je deviens trop vieux pour continuer. Et maintenant que Press est mort, je ne suis pas sûr d'en avoir la volonté. Ce qui nous amène à vous deux. Apparemment, Pendragon a confiance en vous. Mais pourquoi en ferais-je autant ?

– Nous vous l'avons dit, répondit Courtney, sur la défensive. Bobby est notre ami, et…

Mark posa une main sur son bras pour la calmer.

– Vous avez raison, dit-il, vous ne savez rien de nous. Tout ce que je peux dire, c'est que Saint Dane nous effraie autant que vous. En plus, vous pensez bien que Bobby ne vous enverrait pas n'importe qui.

Dorney les regarda tour à tour, puis haussa les épaules.

– De toute façon, peu importe. Ce n'est pas moi qui choisis.

– Comment ça ? reprit Courtney. *Qui* est-ce qui choisit ?

D'un pas traînant, Dorney se dirigea vers la porte.

– Rentrez chez vous.

Mark et Courtney en sursautèrent de surprise.

– Monsieur D-D-Dorney, dit Mark, on est venus ici pour apprendre ce qu'était un Acolyte. Vous ne pouvez pas nous jeter dehors comme ça.

Le vieil homme ouvrit la porte et s'effaça pour les laisser passer.

– Oh, si, je peux. La vérité, c'est que vous n'êtes pas prêts.

– Mais si ! protesta Mark.

– Pas d'après ce que j'ai entendu, contra Dorney. Quand le moment sera venu, revenez me voir. Alors je vous aiderai, pas avant.

Mark et Courtney se regardèrent. Manifestement, il était inutile de discuter. Mark saisit le projecteur holographique posé sur la table et le fourra dans son sac.

– Comment saurons-nous que le moment est venu ? demanda Courtney.

– Croyez-moi, vous ne pourrez pas le manquer, répondit Dorney avec un petit rire.

Et il ouvrit la porte en grand.

– Nous reviendrons, dit Mark en passant le seuil. Vous pouvez compter là-dessus.

– Je l'espère bien, répondit Dorney avec le plus grand sérieux. Croyez-moi, je l'espère bien.

Et il referma la porte, laissant Mark et Courtney dans ce couloir désert.

– Trop nul ! s'exclama Courtney. On vient jusqu'ici pour s'entendre dire qu'on n'est pas prêts ? C'est n'importe quoi !

Mark partit vers l'ascenseur. Courtney courut pour le rattraper.

– On ne va tout de même pas laisser tomber si facilement, non ? demanda-t-elle.

– Pas question d'abandonner la partie, répondit Mark. Je pense que Dorney sait que nous pouvons devenir des Acolytes, mais que ce n'est pas le bon moment.

– Moi, je crois que c'est un vieux gâteux qui s'amuse à nous faire mariner.

– Oui, aussi. Mais je te parie tout ce que tu veux que ce n'est pas fini. Nous reviendrons.

Tous deux prirent l'ascenseur pour sortir du bâtiment. Durant le chemin du retour, ils tentèrent d'analyser ce que Bobby leur avait raconté d'Utopias et du virus Réalité détournée. L'idée d'un ordinateur capable de lire les pensées de quelqu'un pour les réaliser fascinait Mark. Courtney aussi, mais elle avait plutôt envie de parler de Loor. Pour elle, Bobby avait mal choisi. Il aurait dû aller chercher Spader. Mark fit remarquer que Bobby n'était pas tout à fait sûr de pouvoir se fier à lui. Mais Courtney ne voulut pas en démordre : Spader aurait mieux convenu.

Mark avait une bonne idée de ce qui la travaillait vraiment. Courtney était jalouse. D'après ce que Bobby disait dans son dernier journal, Loor lui était très chère. Mais Mark préféra ne rien dire. Il ne voulait pas se prendre un mauvais coup.

Lorsque le train les déposa chez eux, ils restèrent là, sur le quai désert tout au bout de Stony Brook Avenue.

– Et maintenant ? demanda Courtney.

– Je ne sais pas, répondit Mark, avant d'ajouter : dois-je en conclure que tu veux devenir Acolyte, toi aussi ?

Courtney y réfléchit un instant.

– Conclus-en que j'ai toujours envie de savoir ce que ça signifie. Il faudra t'en contenter pour le moment.

– Ça me va. J'espère que le prochain journal de Bobby nous en dira davantage.

Courtney acquiesça.

– Tu me préviendras quand...

– Dès que je le recevrai, affirma Mark.

Courtney lui fit un petit sourire, puis tourna les talons pour rentrer chez elle. Mark resta là, à jouer avec son anneau. Lorsque Bobby était au beau milieu d'une aventure, les journaux se succédaient à un rythme effréné. La prochaine livraison pouvait arriver d'un instant à l'autre.

Il se trompait.

Mark dut oublier quelque peu Bobby pour s'occuper de sa propre vie. Il travailla dur au lycée et se rendit à la première rencontre de Sci-Clops. Celle-ci se passa encore mieux qu'il ne l'aurait cru. M. Pike, ou David, puisqu'il tenait à ce qu'il l'appelle ainsi, le présenta aux autres membres, tous plus âgés que lui. Ils travaillaient sur divers projets, comme mélanger des métaux pour créer un nouvel alliage ultraléger ou concevoir un logiciel d'ordinateur répondant aux mouvements oculaires. Ils voyaient vraiment grand, et Mark craignait de ne pas être à leur niveau. Mais il put vite constater qu'ils parlaient le même langage. Il était chez lui.

Courtney se concentra sur ses cours et son entraînement au foot. Elle s'en tirait bien dans sa nouvelle équipe, mais visait toujours le niveau supérieur, qui s'entraînait de l'autre côté du terrain. Plus que tout, elle désirait faire ses preuves et montrer qu'elle était digne d'y retourner.

Plusieurs jours s'écoulèrent, et toujours pas de nouvelles de Bobby. Mark commençait à redouter qu'il lui soit arrivé quelque chose pendant que Loor et lui étaient immergés dans Utopias. Mais il se força à l'optimisme. Il ne devait pas oublier que le temps n'était pas le même d'un territoire à l'autre. Et pourtant, au fil des jours, Mark se surprit à penser de plus en plus à ce qui pouvait bien arriver sur Veelox.

Puis, alors que la semaine touchait à sa fin, il se passa enfin quelque chose.

Cet après-midi-là, il n'y avait pas de réunion de Sci-Clops, si bien que Mark quitta le lycée plus tôt que d'habitude. Le bus s'arrêtait à quelques centaines de mètres de sa maison. En général, il rentrait directement chez lui, mais ce jour-là, il changea ses habitudes. Il n'aurait su dire pourquoi ; il avait juste envie de marcher. Il prit donc le chemin des écoliers.

Mark connaissait bien les autres maisons du quartier. Quelques-unes étaient modernes, mais la plupart étaient assez anciennes, certaines même centenaires. Toutes avaient de grands jardins avec de grands arbres feuillus jetant leur ombre sur le gazon. L'automne gagnait du terrain et la plupart des feuillages arboraient de belles couleurs jaunes et orange. C'était la saison préférée de Mark. Fraîche, mais pas encore trop froide. Le vent était sec, le ciel bleu, et il aimait même l'odeur des feuilles brûlées. C'était un après-midi parfait pour faire une petite promenade et oublier un temps les Voyageurs et les territoires.

Ses vacances ne devaient pas durer.

Alors qu'il cheminait sur le trottoir fendillé en donnant des coups de pied aux feuilles, son anneau se mit à vibrer. Il s'arrêta net. Bien sûr, sa première idée fut qu'il allait recevoir le nouveau journal de Bobby. Mais lorsqu'il regarda son anneau, il vit que la grande pierre grise n'avait pas changé de couleur. C'était cet étrange symbole qui brillait – ce même symbole qui avait annoncé l'arrivée du message de Dorney.

Peut-être celui-ci lui en envoyait-il un autre pour lui dire qu'il était temps d'apprendre à devenir un Acolyte ?

Mark plongea dans les buissons près d'un grand mur de béton. Personne ne devait voir ce qui allait se passer. Il posa son sac à terre, puis retira l'anneau et le posa à côté de son sac en s'attendant à le voir grandir.

Mais non. Le symbole continua de luire, mais l'anneau restait le même. Qu'est-ce qui se passait ? Mark ramassa l'anneau et le passa à son doigt. Le symbole continua de briller. C'était tout. Pas de changement, pas de son et lumière, rien. Bizarre. Mark haussa les épaules et reprit son chemin. Au bout de quelques dizaines de mètres, il vit que le symbole était redevenu opaque.

Fausse alerte, se dit-il sans cesser de marcher.

Une fois au milieu de la rue, il réalisa qu'il avait laissé son sac dans les buissons. *C'est malin !* Il fit demi-tour et courut le récupérer. Mais à peine était-il à leur hauteur que son anneau se remit à vibrer et le symbole à briller. Mark attendit quelques minutes pour voir s'il allait se passer quelque chose, en vain. Il ramassa son sac, l'enfila et s'empressa de rentrer chez lui. Une fois dans la rue, le symbole cessa de briller. Mark était sûr qu'il se passait quelque chose, mais du diable s'il savait quoi.

Puis une ampoule s'alluma dans son esprit. Il se retourna et marcha lentement vers le mur. Et dès qu'il s'en approcha, le symbole se remit à briller. Là, ce n'était pas une fausse alerte. Quoi qui se passe, cela avait un rapport avec cet endroit. Mark regarda le mur pour déterminer où il se trouvait... et ouvrit la bouche de surprise.

– Allons bon, marmonna-t-il.

Il se tenait devant Sherwood House. Tout le monde la connaissait : c'était la plus grande propriété du quartier. La maison avait été bâtie au début du siècle par un richard quelconque qui avait fait fortune – incroyable mais vrai – dans l'élevage de poulets et le commerce des œufs. Jadis, il y avait eu des poulaillers dans la propriété même, mais ils étaient désaffectés depuis longtemps. La maison, par contre, était toujours debout, entourée par le grand mur de béton devant lequel se tenait Mark. En fait, c'était plus un manoir qu'une maison. Le bâtiment était énorme.

Mais cela faisait des années qu'il était abandonné. Un jour, la mère de Mark lui avait raconté qu'à la mort du vieux Sherwood, pas un de ses enfants n'avait voulu s'occuper des poulaillers. Mais ils ne purent se mettre d'accord sur ce qu'ils voulaient faire de la propriété. Celle-ci resta donc à l'abandon, un grand terrain ou trônait un vieux manoir négligé, tombant peu à peu en ruine.

Bien sûr, tous les gamins du voisinage prétendaient avoir vu des ombres passer devant les fenêtres et entendu des bruits étranges à Halloween. Un jour, Bobby avait inventé une fable comme quoi l'endroit était hanté par les fantômes des poulets assoiffés de vengeance. C'était la préférée de Mark. Mais il ne croyait pas aux fantômes et ne s'imaginait pas un seul instant que le manoir puisse être hanté. Et pourtant, il préférait ne pas s'en approcher.

Du moins jusqu'à ce jour.

Le symbole luisant cherchait à lui dire quelque chose, et il avait l'impression que, quoi que ce puisse être, cela se trouvait dans ce manoir. Zut. Mark pensa brièvement attendre le moment où il pourrait y aller avec Courtney, mais la curiosité l'emporta sur la peur.

Un peu plus loin, il y avait de grandes grilles antiques de métal noir, mais elles étaient fermées par une chaîne épaisse et un monumental cadenas. Non, il faudrait trouver un autre chemin. Autant dire le seul possible : escalader le mur. Il arpenta celui-ci jusqu'à ce qu'il trouve un arbre assez proche pour lui permettre de grimper sur ses branches et passer de l'autre côté. Ce n'étaient pas les fantômes, les goules ou les poulets-vampires aux têtes coupées qui l'inquiétaient : c'étaient des histoires de gamins. Non, il craignait davantage de se faire arrêter pour violation de propriété privée. Il n'avait aucune envie d'appeler ses parents depuis le commissariat. Et pourtant, la lumière persistante qui s'échappait de son anneau ne lui laissait guère le choix. Il fallait qu'il y aille.

Il repoussa ses cheveux qui lui tombaient sur les yeux et planta ses baskets dans le tronc. Un moment plus tard, il passait par-dessus le mur et atterrissait dans des herbes hautes. Jusque-là, tout allait bien. Il regarda son anneau : la lumière était plus intense. Pas de doute, il était sur la bonne voie.

Il se tourna vers le manoir et comprit aussitôt pourquoi les gamins croyaient qu'il était hanté. Le bâtiment semblait très ancien. Les grands arbres ondulaient au vent, fouettant les murs. Et le parc n'était pas beau à voir. Tous les mois, un gardien venait s'en occuper, ramasser les branches brisées et effectuer de menues réparations, mais c'était insuffisant pour le garder en bon état. Non, ce n'était qu'un grand manoir désert, solitaire, délabré, l'image même d'une maison hantée.

Et Mark allait y jeter un œil.

Le rez-de-chaussée était entouré d'une grande véranda. Il la voyait bien peuplée de gens allongés sur des chaises longues les soirs d'été, à boire du thé glacé en se racontant des histoires de poulets. Mais ils étaient partis depuis longtemps. Il n'y avait plus que des feuilles mortes. Mark monta les cinq marches de pierre qui menaient à la véranda.

Il crut voir bouger quelque chose dans la maison, derrière la fenêtre. Ce fut très rapide et il n'était pas sûr de l'avoir vraiment vu, mais les poils de ses bras se hérissèrent. Il s'arrêta en haut de l'escalier et scruta les fenêtres sombres, à l'affût d'un mouvement. En vain.

Il se dirigea vers la porte de devant… et vit à nouveau quelque chose. Une ombre qui se déplaçait rapidement devant la fenêtre. Un instant, il crut avoir vu un fantôme. Sauf qu'ils n'existaient pas. Quoique, il n'aurait jamais cru qu'il puisse exister quelque chose comme les Voyageurs. Il regarda autour de lui et décida que son spectre n'était guère plus que le reflet d'une branche agitée par le vent. Enfin, il tenta de s'en persuader.

Mark se dirigea précautionneusement vers la grande porte et essaya d'en tourner le bouton. Elle était verrouillée.

– Super, dit-il tout haut. Et maintenant, je fais quoi ?

C'est alors qu'il entendit un bruit provenant de l'intérieur de la maison. Comme si quelqu'un venait de passer juste derrière la porte.

– Petit, petit, petit, croassa nerveusement Mark, même s'il était absurde de croire qu'il puisse encore y avoir des poulets dans le manoir.

Il regarda son anneau. Le symbole était d'un rouge incandescent. Il fallait qu'il sache pourquoi.

Il alla se poster devant la grande fenêtre flanquant la porte et posa son nez contre le verre pour essayer de tamiser la lumière extérieure. Du coup, il put mieux voir l'intérieur de Sherwood House.

La pièce était vide. La seule lueur provenait d'une autre fenêtre située à l'arrière, et elle avait du mal à dissiper la pénombre lugubre. Il n'y avait ni meubles, ni photos, ni traces de vie...

GRRRRRRRRR !

Un faciès noir et bestial jaillit des ténèbres pour regarder Mark droit dans les yeux. Ses crocs luisants dégoulinaient de bave. Tout en feulant, il claqua des mâchoires comme s'il cherchait à le mordre à travers le verre.

Mark poussa un cri de surprise, eut un mouvement de recul et tomba sur les fesses. Il fixa la fenêtre : deux autres bêtes venaient de rejoindre la première. C'étaient des créatures noires et hideuses évoquant des chiens, encore que Mark n'ait jamais vu de chien à l'air aussi féroce. Toutes trois le regardaient, et seule une mince vitre le séparait de leurs crocs.

Mark se releva pour partir à reculons. Les bêtes feulèrent et aboyèrent. L'esprit en déroute, Mark se demanda ce qu'ils pouvaient bien faire ici. Étaient-ce des chiens de garde ? Ce n'étaient certainement pas des animaux ordinaires, plutôt des démons furieux, incontrôlables et assoiffés de sang. C'étaient...

Mark comprit alors. Il se rappela le tout premier journal de Bobby. Leurs horribles yeux jaunes les trahissaient. Oui, pas de doute possible.

– Des quigs, murmura Mark.

SECONDE TERRE

Les bêtes se jetèrent avidement sur Mark... pour se cogner contre la fenêtre avec un bruit mou.

Mark savait que la vitre ne tiendrait pas longtemps. Il devait filer d'ici, et vite. Il se leva d'un bond et partit en courant. Soudain, il réalisa qu'il avait laissé son sac sous le porche, mais en entendant les chocs contre les vitres, il décida qu'il était très bien là où il était. Pas question d'aller le chercher. Mark piqua un sprint sur les mauvaises herbes, filant vers le mur.

C'est alors qu'il comprit qu'il était vraiment mal barré. À son arrivée, il avait si peur de se faire surprendre qu'il n'avait pas réfléchi à un moyen de remonter le mur. Et maintenant, il avait une autre raison de s'inquiéter : la perspective de se faire dévorer tout cru.

Crac ! La fenêtre se brisa. Les quigs arrivaient. Mark pouvait entendre leurs feulements et leurs aboiements alors qu'ils se bousculaient pour passer par la fenêtre fracassée.

Il était à une vingtaine de mètres du mur. Il regarda désespérément à droite et à gauche, cherchant un moyen de le franchir. Mark ne pensait pas pouvoir y arriver sans aide. Il n'osa pas regarder en arrière : il savait très bien ce qu'il verrait. Chaque seconde comptait. Si les quigs le rattrapaient, il ne resterait pas assez de lui pour l'identifier.

Et il ne voyait rien qui puisse l'aider à passer par-dessus ce mur.

Les quigs se rapprochaient. Dans quelques secondes, ils seraient sur lui. Il n'avait pas l'ombre d'une idée, mais avait tout intérêt à réfléchir vite. Il était presque arrivé au mur, mais

181

ne ralentit pas sa course. « Je vais l'escalader en courant ! », se dit-il.

Il heurta le mur et enfonça la pointe de sa basket dans le ciment friable. Grâce à cette prise, il put bondir et s'agripper au sommet de la paroi. En temps normal, Mark arrivait à peine à sauter le cheval d'arçons de la salle de gym. Mais en temps normal, il n'était pas dopé à l'adrénaline. Il se hissa, jeta ses deux jambes par-dessus et se laissa tomber de l'autre côté.

Au même instant, les quigs atteignirent le pied du mur et feulèrent de rage en voyant leur proie leur échapper. Mark se reçut sur ses jambes et fit un roulé-boulé. Il se releva et s'inspecta de la tête aux pieds pour voir s'il ne s'était rien cassé. Heureusement, il était indemne. Il resta là le temps de reprendre son souffle. Les beuglements des quigs lui parvenaient de l'autre côté de la cloison.

Mark sourit. Il avait réussi. Ç'avait été le moment le plus excitant de toute son existence. Il osa même se dire que cette aventure valait bien certaines histoires de Bobby. Il avait échappé à une meute de quigs affamés.

Mais ce moment de jubilation ne dura guère. Son anneau se chargea de doucher son enthousiasme. Parce que son aventure était loin d'être terminée. Quoi qu'il y ait dans cette maison, quoi qui puisse faire luire son anneau, il faudrait revenir sur les lieux et le trouver. Il était sauvé, mais temporairement. Il faudrait inventer un moyen de duper les quigs.

Mais la prochaine fois, Courtney l'accompagnerait.

Courtney allait enfin avoir sa chance.

Il devait y avoir un match entre les équipes minimes et l'interscolaire. Depuis qu'elle était chez les juniors, elle avait travaillé d'arrache-pied pour s'améliorer encore en attendant une occasion de démontrer qu'elle était libre de retourner à l'interscolaire. Et là, elle allait se retrouver confrontée à l'équipe même qui avait terni la réputation de l'invincible Courtney. Lorsqu'elle entra sur le terrain, un seul mot suffit à définir son état d'esprit : vengeance. Elle avait vidé son visage de toute expression ; elle contrôlait parfaitement ses émotions ; elle était prête.

Tout comme ses adversaires. On aurait dit qu'elles n'avaient qu'une seule stratégie : contrer Courtney. Elles ne cessèrent de l'éloigner de la balle, si bien qu'elle avait l'impression de faire tapisserie. Pire encore, à quelques minutes de la fin du match, les minimes étaient menées 3 à 5. Mais à vrai dire, Courtney se moquait de savoir qui allait l'emporter. Elle voulait juste prouver sa valeur. Encore fallait-il qu'on lui en laisse l'occasion.

Finalement, à quelques secondes du coup de sifflet final, elle vit enfin une ouverture. Elle jouait à l'avant et on lui fit enfin une passe. Deux adversaires l'entouraient, mais l'une d'elles trébucha et tomba. Courtney se servit de son corps comme d'un obstacle pour dépasser le second défenseur. Maintenant, tout se jouait entre Courtney et le goal. C'était son moment de vérité… sa chance de conclure la partie par un point d'exclamation. Elle voulait absolument marquer ce but. Elle avait *besoin* de ce but. Elle dribbla rapidement, fit une parade qui envoya la goal sur la droite, en défensive, puis se prépara à shooter dans le coin opposé des buts. Parfait.

Presque.

Au moment où elle allait tirer son boulet de canon, le défenseur jaillit derrière elle et se laissa glisser sur le sol pour la faucher. C'était contraire à tous les règlements, mais drôlement efficace. Au lieu de shooter, Courtney tomba sur le dos. Sans douceur. Il y eut un coup de sifflet, un appel au penalty, mais Courtney s'en moquait. Son moment était passé.

Elle sauta sur ses pieds en criant :

– Non mais, ça va pas la tête ? !

Avant que son adversaire ait pu réagir, Courtney la bouscula sauvagement, l'envoyant s'étaler sur le gazon. Elle posa son genou sur le dos de son adversaire pour l'empêcher de se relever et donna libre cours à sa frustration :

– J'ai gagné et tu le sais bien ! cria-t-elle.

Aussitôt, les autres joueuses vinrent les séparer. Courtney était si enragée qu'elles durent s'y mettre à plusieurs pour la relever. La joueuse adverse se releva et toisa Courtney.

– Allez, viens, qu'on s'explique ! cria-t-elle.

Courtney tenta de lui sauter dessus, mais les autres la retinrent. Finalement, ce fut Mme Horkey, l'entraîneuse, qui intervint pour rétablir l'ordre.

– Ça suffit ! cria-t-elle. Laura, fit-elle à la défenseuse, au vestiaire. Et ça vaut pour vous toutes.

Fin de la bagarre et fin du match. Les filles s'éloignèrent en grommelant.

– Toi, Courtney, dit fermement Horkey, tu restes.

Tout en s'éloignant, Laura, la défenseuse, lui jeta par-dessus son épaule :

– Pétasse.

– Ça suffit, j'ai dit ! hurla l'entraîneuse.

Laura baissa la tête et continua son chemin. Courtney ne réagit pas. Elle était hors d'haleine et survoltée par cet affrontement.

– Elle l'a bien cherché, remarqua Courtney. C'était un coup en vache.

– Non, reprit Horkey. Elle a choisi un jeu agressif, c'est tout.

– Mais vous avez bien vu ce qui s'est passé ! Elles voulaient m'empêcher de jouer ! Et c'est comme ça depuis le premier jour !

– Je vais te dire comment je vois les choses, répondit Horkey. Pour une fois dans ta vie, tu dois te battre pour l'emporter. Tu es face à un challenge. Et tu es en train de le perdre. Courtney, tu es une athlète de premier ordre. Mais il faut plus que ça pour devenir une championne. Tu sais ce qu'est la réussite, mais pas l'échec. Il faut que tu sois capable de supporter l'un comme l'autre. Sinon, tu ne feras rien de bon pour cette équipe, ni pour aucune autre.

Courtney ne dit rien. Cela lui coûtait de devoir l'admettre, mais Horkey avait touché juste.

– Tu es suspendue pour deux semaines, conclut-elle.

– *Quoi ?*

– Dans mon équipe, on ne se bat pas comme des chiffonniers. Surtout entre joueuses. Réfléchis-y et reviens me voir dans deux semaines.

184

Horkey tourna les talons et partit en courant.

Courtney en resta comme sonnée. Non seulement on l'avait rétrogradée, mais maintenant, elle se voyait éjectée des juniors ! Elle resta plantée là, au milieu du terrain, couverte de poussière, incapable d'accepter ce retournement de situation inattendu. Comment était-ce possible ? Au plus profond d'elle-même, elle savait qu'elle était toujours aussi compétitive, mais la réalité ne cessait de la contredire.

Courtney quitta le terrain, mais sans passer par les vestiaires. Elle ne voulait pas se retrouver avec les autres filles. L'ancienne Courtney y serait entrée d'un pas conquérant et aurait affronté quiconque l'aurait interpellée. Quoique, jusque-là, personne n'avait eu de raisons de lui en vouloir. Elle commençait à se demander si l'ancienne Courtney avait jamais seulement existé. Peut-être avait-elle toujours été ainsi... une nulle doublée d'une froussarde.

Elle décida de rentrer chez elle à pied. Ce serait long, mais elle n'avait aucune envie de prendre le bus. Tout ce qu'elle désirait, c'était se vautrer dans son lit et ne plus en sortir. Comme on était vendredi, elle aurait au moins deux jours de tranquillité, sans voir personne.

– Courtney ! cria une voix familière.

Elle avait fait le tour de l'école et s'engageait sur le trottoir lorsque Mark apparut sur son vélo. Il était surexcité et hors d'haleine.

– Tu ne voudras jamais me croire ! s'exclama-t-il. J'étais...

C'est alors qu'il enregistra le fait que Courtney était encore en maillot de foot, couverte de crasse et qu'elle s'éloignait de l'école.

– Qu'est-ce qui se passe ?

– Laisse tomber.

Mark descendit de vélo et marcha à ses côtés.

– Tu veux rentrer à pied ? demanda-t-il, interdit.

– On ne peut pas en reparler une autre fois ? Là, j'ai pas la tête à ça.

– Euh, oui.

Ils continuèrent leur chemin en silence. Mark mourait d'envie de lui raconter son aventure de Sherwood House, mais ne savait pas si elle était d'humeur à l'écouter. Et pourtant, il devait savoir.

– On peut parler d'autre chose ? tenta-t-il.

– Si tu veux.

– Aujourd'hui, il m'est arrivé quelque chose. Je… Je ne sais trop ce que ça signifie, mais ça doit avoir un rapport avec cette histoire d'Acolytes.

Courtney s'arrêta net. L'instant d'avant, elle marchait comme un zombie, et maintenant, ses yeux brillaient à nouveau. Mark se dit que quoi qui ait pu se passer sur le terrain, elle en avait vraiment bavé. Mais sa flamme ne s'était pas éteinte. Il la connaissait trop bien pour penser autrement.

– Un nouveau journal ? demanda-t-elle.

– Non. Allons faire un tour.

Mark tenta de la faire asseoir sur le guidon de son vélo, mais ce ne fut pas une réussite. Courtney était trop grande et Mark trop… Mark. Ils changèrent donc de place et Courtney se chargea de pédaler. En cours de route, il lui raconta les événements de Sherwood House. Courtney ne posa pas de questions ; elle se contenta d'écouter. Lorsque Mark eut terminé, ils se retrouvèrent là où le mystère avait commencé. Devant les grilles verrouillées du vieux manoir.

Mark tendit son anneau. Le symbole brillait à nouveau.

– Qu'en penses-tu ? demanda-t-il.

– J'en pense que nous devons découvrir ce qu'il y a dans cette maison.

– Plus facile à dire qu'à faire, répondit Mark. Tu n'as pas vu ces chiens !

Courtney regarda le ciel.

– Il fera bientôt nuit. Je propose qu'on revienne demain avec de l'aide.

Facile de déterminer qui leur fournirait cette aide. Ils attendirent le lendemain matin, puis Mark alla chez Courtney, d'où ils appelèrent leur ami le capitaine Hirsch, de la police de Stony Brook.

Ils l'avaient rencontré pour la première fois lorsque Bobby avait disparu[1]. Depuis, Hirsch n'avait jamais cessé de s'intéresser à cette affaire. Bien sûr, Mark et Courtney savaient ce qui était réellement arrivé à Bobby, mais ils préférèrent ne rien dire de peur d'interférer dans sa mission de Voyageur. Et pourtant, ils restèrent en contact avec Hirsch. C'était quelqu'un de bien. Maintenant, ils espéraient qu'il les aiderait à résoudre une partie du mystère des Acolytes.

Mark lui parla des drôles de chiens qui rôdaient dans la propriété des Sherwood. Il en rajouta en prétendant qu'ils étaient féroces et agressifs. Probablement sauvages, car ils n'avaient rien d'animaux de compagnie. Mark évita de préciser qu'il s'était introduit dans la propriété. Il ne précisa pas non plus qu'ils avaient affaire à des quigs, des bêtes maléfiques gardant un secret quelconque dans la maison. Ce n'aurait pas été cool.

Une demi-heure plus tard, Mark et Courtney retrouvaient deux agents en uniforme devant les grilles de Sherwood House.

– Salut, dit l'un d'eux. Vous vous souvenez de moi ? Agent Wilson.

– Bien sûr ! répondit Courtney.

Un jour, l'agent Wilson les avait amenés en voiture au commissariat. C'était un chic type, lui aussi.

– Je vous présente l'agent Matt.

Tous se serrèrent la main.

– Alors, reprit l'agent, dites-nous ce que vous avez vu.

Mark expliqua une fois de plus qu'il y avait trois chiens à l'intérieur. De gros chiens sauvages assoiffés de sang aux crocs acérés. Mark n'avait pas besoin de forcer le trait. Il voulait juste que les policiers sachent à quoi ils avaient affaire.

L'agent Wilson avait la clé de la grille. Il leur expliqua que la famille Sherwood l'avait confiée à la police locale en cas d'urgence. Et c'en était une. Pendant que Wilson déver-

---

1. Voir Pendragon n° 1 : *Le Marchand de peur*.

rouillait le cadenas, l'agent Matt ouvrit le coffre de leur voiture de police et en tira deux appareils. L'un était une grande barre métallique avec un câble replié à son extrémité. C'était ce dont se servaient les hommes de la fourrière pour attraper les chiens errants. Le second était un fusil à tranquillisants. Si un de ces monstres réussissait à attraper l'un d'eux, il le mettrait en pièces. Mark ne savait pas si un fusil à tranquillisant suffirait à les arrêter. Mais c'était mieux que rien.

– Cette espèce d'étrangleur, là, ne vous servira pas à grand-chose, dit Mark. Inutile d'espérer attraper un de ces monstres.

L'agent Matt eut un petit rire, mais garda l'appareil.

– On voudrait venir avec vous, affirma Courtney.

Les deux policiers se regardèrent. Ils n'aimaient pas mettre ces enfants en danger.

– Allez ! fit Courtney d'un ton enjôleur. On restera derrière vous. Et avec tous ces pièges et ces fusils, il ne peut rien nous arriver, non ?

Wilson haussa les épaules.

– Bon, d'accord, mais ne vous éloignez pas.

Ils suivirent donc les deux policiers. Wilson avait pris l'étrangleur et Matt tenait le fusil à fléchettes pointé vers le sol, mais prêt à tirer.

Mark prit soin de refermer les grilles derrière eux. Il retira aussi son anneau pour le fourrer dans sa poche. Il ne voulait pas que les policiers le voient.

L'agent Wilson siffla, cria « Ici, au pied ! » et siffla à nouveau.

En vain.

Le quatuor atteignit la véranda. Mark ne cessait de regarder derrière lui pour s'assurer qu'un des chiens noirs n'allait pas les prendre à revers.

– Ah-ha ! fit l'agent Matt. Qu'est-ce que c'est ?

Il se pencha pour ramasser les restes déchiquetés du sac à dos de Mark. Oups. Il l'avait complètement oublié.

– C'est à moi, dit-il, je l'avais posé à l'extérieur. Ils ont dû l'attraper à travers la grille.

Pieux mensonge, mais Mark n'allait pas leur dire qu'il s'était introduit dans la propriété.

– Regardez, dit-il pour changer de sujet, c'est là qu'ils ont fracassé la fenêtre.

Wilson montra les éclats de verre constellant le sol de la véranda.

– On l'a brisée de l'intérieur, en conclut Mark. Ils ont dû sacrément se couper.

– Comment savez-vous qu'ils sont passés par là ? demanda l'agent Matt. On ne peut pas voir la fenêtre depuis la grille.

Aïe. Réfléchis, mon vieux Mark, et vite.

– J'ai entendu un bruit de verre qui se brise, puis les ai vus cavaler.

Allaient-ils le croire ? Oui, bien sûr. Mark n'était pas du genre à commettre une violation de domicile… du moins le pensaient-ils. Mark prit ce qui restait de son sac à dos. Les quigs s'étaient bien défoulés. Il y avait laissé deux cahiers, un livre de la bibliothèque, une barre de chocolat et toutes ses carottes. Mark savait que le chocolat n'était pas bon pour les chiens. Qu'ils s'étouffent avec !

– Allons voir à l'intérieur, suggéra l'agent Wilson.

Il avait aussi la clé de la maison. Une fois à l'intérieur, Mark et Courtney eurent la même pensée. *Voilà à quoi ressemble une maison hantée.* C'était une immense baraque aux plafonds très hauts, avec un escalier incurvé menant au premier étage.

Wilson siffla à nouveau en criant :

– Hé, les toutous ! Ici ! Au pied !

À nouveau, pas de réponse. Mark regarda Courtney et haussa les épaules. Il aurait bien voulu jeter un coup d'œil à son anneau, mais n'osait pas le sortir de sa poche. Les policiers firent le tour de la maison en examinant consciencieusement chaque pièce. Ils commencèrent par le rez-de-chaussée, d'abord le grand hall, puis le salon, l'immense salle à manger et les cuisines. À part la fenêtre brisée, les chiens n'avaient pas laissé la moindre trace.

Ils descendirent au sous-sol, un immense espace au sol de béton. Il y avait aussi quelques portes de bois, toutes fermées. Les agents les ouvrirent l'une après l'autre. Dans la première, ils trouvèrent des casiers vides – sans doute la cave à vin. Dans la seconde, une longue table tachée et égratignée : ce devait être un atelier. La troisième n'était qu'une grande pièce vide avec des filaments ressemblant à des algues séchées pendant au plafond. La grand-mère de Mark appelait ça un cellier. C'était un endroit où l'on pouvait garder au frais des oignons, des patates et tout ça. Celui-ci semblait creusé à même la terre, et l'un des murs n'était qu'un grand morceau de la pierre au-dessus de laquelle on avait bâti le manoir.

Tout cela était très intéressant, mais pas de chiens en vue.

Ils passèrent alors au premier étage. Il y avait un long couloir avec des portes de chaque côté. Ces chambres étaient toutes reliées par des portes intérieures, si bien qu'on pouvait traverser la maison sans même passer par le couloir. Mais une fois de plus, pas l'ombre d'un chien.

Prochain arrêt : le second étage. Celui-ci était plus petit que les autres. Il comprenait deux chambres, un vaste grenier avec un plafond haut et en pointe aux poutres apparentes. Mais l'étage était totalement vide. Ni chiens, ni la moindre trace de leur passage. En entrant dans le grenier, la dernière pièce de la maison, les agents se détendirent.

– Quoi que tu aies vu, Mark, dit Wilson, c'est parti.

– Vous êtes sûrs ? On ne devrait pas fouiller le parc ?

Wilson haussa les épaules.

– Oui, pourquoi pas ?

Ils redescendirent et arpentèrent la propriété avec prudence. Mark n'aurait jamais cru qu'elle puisse être si vaste. Ils remarquèrent de vieux bâtiments, sans doute des poulaillers ou quelque chose comme ça. Il y avait des arbres à foison, une piscine vide et même un minigolf. Un jour, cet endroit avait dû être très animé. Maintenant, ce n'était plus qu'une vision triste et désolée. Les policiers examinèrent le mur centimètre par centimètre pour voir si un animal pouvait avoir creusé un tunnel pour entrer ou sortir. Mais ils ne trouvèrent rien de tel.

– Tu as une idée ? demanda Wilson.

Les policiers avaient le plus grand respect pour Mark. Si un autre ado leur avait raconté une telle histoire, ils n'auraient jamais voulu le croire.

– Non, répondit Mark. Désolé.

Courtney lui jeta un regard interrogateur, comme si elle-même doutait de ce qu'il avait réellement vu. Mark se contenta de hausser les épaules.

– Ne t'en fais pas, dit Wilson. Tu as bien fait. Ces bestioles sont parties, c'est tout.

Ils passèrent la grande grille et l'agent Matt referma le cadenas. Wilson remit le fusil à tranquillisants et l'étrangleur dans le coffre de sa voiture.

– Si tu vois autre chose, préviens-nous, d'accord ? dit Wilson.

– D'accord, répondit Mark.

Les deux policiers montèrent dans leur voiture et s'en allèrent, laissant Mark et Courtney seuls devant les grilles.

– J'ai dit la vérité, Courtney, déclara Mark.

– Je n'en ai jamais douté.

– Alors où sont passés les quigs ? fit-il en tirant son anneau de sa poche.

L'étrange symbole luisait toujours.

– Je n'en sais rien, répondit Courtney, mais on a exploré cette propriété de fond en comble sans voir quoi que ce soit qui puisse faire luire cet anneau.

– Alors c'est qu'on l'a raté, décréta Mark.

Ils se regardèrent. Chacun savait ce que pensait l'autre.

– Il faut qu'on y retourne, fit Mark d'un ton résolu.

– Ouais, je sais, répondit Courtney. Où est cet arbre qu'il va falloir escalader ?

SECONDE TERRE

Mark mena Courtney vers l'autre côté de la propriété, là où se trouvait l'arbre qui leur permettrait d'entrer. Courtney fit la courte échelle à Mark, puis, une fois au sommet, Mark lui tendit la main. Un peu plus tard, tous deux se retrouvaient dans Sherwood House.

– Un instant, dit Mark.

Il se tourna vers le mur et l'inspecta.

– Qu'est-ce que tu cherches ? demanda Courtney.

– Ça ! s'écria Mark en désignant une vieille cabane à outils. S'il faut faire une sortie en catastrophe, on n'a qu'à foncer vers cette cabane et grimper sur le toit.

Il ne ferait pas deux fois la même erreur. Cette fois, il voulait être prêt. Courtney hocha la tête et se dirigea vers la maison. Maintenant qu'ils savaient que les quigs ne rôdaient pas dans le coin, ils se sentaient plus légers.

– À mon avis, dit Courtney, on devrait commencer par la maison. On peut avoir loupé des pièces.

Ils atteignirent la véranda et s'arrêtèrent devant la fenêtre brisée.

– Voilà notre porte d'entrée, annonça Mark.

Il allait escalader le chambranle, mais Courtney l'arrêta.

– Mark, je suis partante, dit-elle.

– Comment ça ?

– Je veux devenir Acolyte.

Mark ne put s'empêcher de sourire.

– Tu en es sûre ?

– Oui, il me fallait juste le temps de me faire à l'idée, dit-elle sincèrement. Je crois que c'est important. Et je ne veux pas te laisser tomber, et Bobby non plus.

– Je n'en ai jamais douté, répondit Mark en souriant.

Sur ce, il passa une jambe au-dessus de la fenêtre brisée.

La confiance de Mark remonta le moral de Courtney. Il y avait longtemps qu'elle ne s'était pas sentie si bien. Mark avait peut-être raison. Peut-être avait-elle un rôle à jouer dans l'existence, un rôle bien plus important que celui d'une vedette du stade. En tout cas, une chose était sûre : elle voulait avoir l'occasion de le découvrir. Mais ce n'était pas le moment de masser son ego meurtri, parce qu'ils avaient du pain sur la planche. Courtney suivit donc Mark à l'intérieur du manoir.

Ils se tinrent dans le grand hall et, une fois de plus, examinèrent ce qui les entourait.

– Par où on attaque ? demanda Courtney.

Mark leva la main. L'anneau brillait toujours aussi fort.

– Commençons par le grenier et descendons étage par...

Mark se tut. Il avait entendu un bruit. Et Courtney aussi.

– C'était quoi, ça ? demanda Courtney.

– On aurait dit quelque chose qu'on racle contre du bois.

– Je l'entends encore ! s'exclama Courtney. Ça vient de dehors, du porche.

Tous deux se tournèrent vers la fenêtre brisée qu'ils venaient d'enjamber.

– Ce sont peut-être des écureuils, remarqua Mark plein d'espoir.

D'autres bruits. Quoi que ce soit, cela se déplaçait rapidement d'un bout à l'autre du porche.

– Ou des oiseaux, proposa Courtney.

– Ou... des quigs.

Courtney eut un rire nerveux.

– Ne prononce plus ce...

Crac ! Crac ! Crac !

Trois vitres se brisèrent. Trois quigs jaillirent dans une cascade de verre brisé.

– On file !

Courtney prit la main de Mark, et ils escaladèrent les marches quatre à quatre. Les quigs restèrent un instant étourdis – même pour un tel monstre, traverser une vitre de cette épaisseur n'était pas rien –, ce qui donna à Mark et Courtney le temps d'atteindre le palier du premier. Mais les bêtes reprirent vite leurs esprits. Elles reniflèrent l'air et se lancèrent à leur poursuite telle une meute de cauchemar.

Mark et Courtney traversèrent le couloir sans trop savoir où aller.

– La fenêtre ! cria Mark.

– On n'y arrivera jamais ! répondit Courtney.

Elle attira Mark dans une des chambres vides, puis referma la porte. Il y avait deux autres accès donnant sur les pièces adjacentes. Deux portes. Grandes ouvertes.

– Faut les fermer ! ordonna Courtney.

Chacun se précipita vers l'une des portes et la referma.

– On est morts, dit Mark.

Courtney courut vers la fenêtre à guillotine. Elle voulut la soulever, mais après des années d'abandon, elle était bloquée et refusa de bouger. C'est alors que Mark remarqua quelque chose.

– Regarde, dit-il en levant la main.

L'anneau avait cessé de luire.

– Pas maintenant, répondit-elle. Attends-moi là.

Et elle courut vers l'autre porte donnant sur une chambre adjacente.

– Où tu vas ?

Blam !

Les quigs les avaient retrouvés et tentaient d'enfoncer la porte que Mark venait de refermer. Il s'adossa au battant pour les retenir. Il entendit leurs grondements furieux.

– Tiens-toi prêt à ouvrir cette porte, dit Courtney avant de sortir de la chambre.

– Quoi ? hurla Mark, stupéfait.

Pour rien au monde il ne ferait ça. Pas fou.

Rapide et silencieuse comme une ombre, Courtney passa dans la chambre d'à côté et risqua un œil dans le grand vestibule. Désert. Elle entendit le bruit des quigs qui se jetaient sur la porte que retenait Mark.

194

– Hé, les caniches ! cria-t-elle. Ici, au pied ! Le dîner est servi !

Les coups cessèrent. Soudain, les trois quigs chargèrent dans le couloir, répondant à son appel.

– À la niche ! cria-t-elle encore.

Courtney retourna dans la chambre, la traversa et rejoignit Mark – sans refermer la porte derrière elle.

– Ferme cette porte ! cria Mark.

– Non ! répondit Courtney tout en courant comme si elle avait le diable aux trousses, ce qui était le cas. Ouvre la tienne !

Mark hésita. Il ne savait pas que les quigs, attirés par les appels de Courtney, avaient quitté la pièce d'à côté. Mais il était évident que Courtney n'allait pas s'arrêter : soit il lui ouvrait la porte, soit elle s'écrasait contre le panneau. Il avala sa salive et tira sur la poignée. Juste à temps : Courtney se précipita à toute allure dans la pièce suivante.

– Referme-là derrière toi ! eut-elle le temps de crier.

Mark ne comprenait rien à sa conduite. C'est alors qu'il regarda en arrière et vit les trois quigs qui la poursuivaient, passant la porte qu'elle avait laissée ouverte. Mark bondit et referma le battant quand… *Blam ! Blam ! Blam !* Les trois créatures heurtèrent le panneau. Maintenant, Mark et les bêtes se retrouvaient dans la même position qu'il y avait quelques minutes plus tôt, mais inversée. Or il ne savait toujours pas ce que Courtney avait en tête.

Celle-ci continua sa course folle, jaillissant dans le couloir pour refaire en sens inverse le chemin qu'avaient parcouru les quigs. Soit son plan fonctionnait, soit elle finissait dans leur estomac. Elle entra dans la troisième chambre et fonça vers la porte qui la ramènerait à la deuxième. Ainsi, les quigs se retrouveraient pris au piège dans la troisième chambre. Du moins l'espérait-elle.

Cependant ils avaient deviné ce qu'elle préparait. Ils cessèrent de s'acharner contre la porte et se tournèrent vers celle qu'elle venait de franchir. Mais Courtney fut plus rapide qu'eux. Elle agrippa la poignée, s'écria « Salut les affreux ! » et referma la porte, emprisonnant les quigs dans la chambre. Enragés, les monstres se jetèrent sur le panneau, sans résultat.

Mark passa la tête dans la chambre.

– On peut y aller maintenant ? demanda-t-il.

Tous deux parcoururent le couloir et dévalèrent les escaliers. Ils allaient sortir en passant par la fenêtre brisée lorsque Mark s'arrêta net.

– Regarde ! dit-il en montrant son anneau, qui s'était remis à luire. Ce qui l'attire doit être là. Ou plutôt *là*, ajouta-t-il en désignant l'accès à la cave.

– Laisse tomber ! Ces fauves vont...

Mais Mark ne l'écoutait plus. Il courut vers la porte du sous-sol et l'ouvrit en grand. Et le symbole sur son anneau brilla d'une lumière éblouissante.

– C'est en bas !

– Si les quigs réussissent à se libérer, on ne pourra jamais sortir de là, remarqua Courtney.

Trop tard. Mark descendait déjà les marches quatre à quatre. Courtney décida de le suivre, mais prit la précaution de refermer la porte derrière eux, au cas où.

L'immense sous-sol paraissait le même qu'un peu plus tôt, mais l'anneau de Mark était devenu incandescent.

– C'est là ! s'exclama Mark.

– Mais il n'y a rien là-dedans ! rétorqua Courtney. On a regardé partout !

Un bruit terrifiant leur parvint alors. Celui des quigs dévalant l'escalier. Ils avaient dû abattre la porte. Mark et Courtney levèrent des yeux terrifiés. Mark allait dire quelque chose, mais Courtney posa sa main sur sa bouche tout en levant un doigt devant ses propres lèvres pour le faire taire.

Ils ne bougèrent pas d'un poil. Ils restèrent silencieux. Avec un peu de chance, les quigs ne sentiraient pas leur trace...

Blam !

C'était râpé. Ces créatures infernales s'apprêtaient à démolir la porte du sous-sol.

– Il faut qu'on trouve une sortie, dit Courtney d'une voix tremblante.

– Non, rétorqua Mark. On doit découvrir ce qu'il y a de si important ici.

Il regarda tout autour de lui, puis alla ouvrir la porte de la cave à vin.

Blam ! Blam !

Les quigs se jetaient sur le panneau avec une rage terrifiante. Ils semblaient encore plus furieux que précédemment.

– Ils savent qu'on est tout près, remarqua Mark. Ils ne veulent pas qu'on le découvre.

Courtney vit alors quelque chose qu'elle n'avait pas remarqué auparavant. Un rideau en loques était accroché au mur, qu'il recouvrait du sol au plafond. En l'écartant, elle tomba sur une nouvelle porte. Elle s'empressa de l'ouvrir et poussa un cri de joie. La lumière du jour inonda le sous-sol.

– Voilà ! J'ai trouvé la sortie ! Viens, Mark !

Celui-ci l'ignora. Il ouvrit en grand la porte donnant sur l'atelier, mais ne vit rien de particulier.

– Mark ! hurla Courtney. Amène-toi !

Crac !

La porte du sous-sol commençait à céder. Encore quelques efforts et elle s'abattrait... laissant le passage aux quigs.

– Mark !

Il l'ignora. Il était trop près de découvrir la vérité pour s'enfuir. Pas maintenant. Il allait ouvrir la porte du cellier lorsqu'une pointe de douleur poignarda sa main. Il baissa les yeux et eut une grimace douloureuse.

– Ahhhhh !

– Qu'est-ce qu'il y a ? demanda Courtney.

CRAC !

La porte céda dans une pluie d'échardes. Les quigs ne tarderaient pas.

– C'est brûlant ! s'écria Mark en retirant son anneau.

Courtney se retourna pour voir que les quigs étaient presque sur eux.

– Ça va saigner, marmonna-t-elle.

Mark jeta l'anneau incandescent sur le sol. Aussitôt, celui-ci émit un son aigu, qui n'avait rien de pénible ; c'était comme un amas de notes musicales jouées en vrac, sans souci de mélodie.

Courtney se cramponna à Mark, qui en fit autant. Ils se tournèrent pour faire face aux monstres qui allaient les mettre en pièces…

Sauf que les trois quigs s'étaient arrêtés. Leurs yeux jaunes semblaient les étudier avec attention. Ils secouèrent la tête comme si ces sons les gênaient. Un peu plus tard, les chiens infernaux tournaient les talons et remontaient les marches en gémissant, la queue entre les jambes.

Mark et Courtney baissèrent les yeux sur l'anneau. Celui-ci s'était mis à tourner sur lui-même. Il ne grandissait pas, mais filait comme une hélice. Il prit de la vitesse jusqu'à n'être plus qu'une silhouette brouillée. Les notes devinrent de plus en plus sonores.

– Regarde ! s'écria Mark en désignant la porte du cellier.

Celle-ci tremblait sur ses gonds.

– Il y a quelque chose là-dedans, remarqua Courtney.

– Ou p-p-peut-être quelqu'un qui vient.

La porte continua de trembler, puis une lumière éblouissante jaillit de tous ses interstices. Même si le panneau les protégeait, Mark et Courtney durent baisser les yeux. L'étrange son émis par l'anneau gagna en volume jusqu'à devenir douloureux, les forçant à se boucher les oreilles. La lumière se fit plus intense encore et la porte tressauta violemment. Mark s'attendait à la voir exploser.

C'est alors qu'il se produisit quelque chose d'encore plus extraordinaire. Alors que l'anneau tournoyait, il en jaillit un rayon laser qui se dirigea vers la porte de bois. Sous les yeux émerveillés de Mark et Courtney, il la frappa à hauteur d'homme. De la fumée s'échappa du point d'impact. La porte prenait feu !

Puis tout – la lumière derrière la porte, le laser incandescent, l'étrange bruit – s'arrêta d'un coup, comme on débranche une lampe. L'anneau ralentit, puis s'immobilisa avec un léger *ping* métallique. C'était fini. Tout était redevenu comme avant.

À l'exception d'un léger détail.

– Oh, bon sang ! fit Courtney, admirative.

Elle regardait la porte du cellier. D'abord, Mark ne comprit pas ce qu'il y avait de si extraordinaire, puis il le remarqua à son tour. C'était là, sur la porte, à l'endroit même où le faisceau l'avait heurtée. Pas d'erreur. Ils l'avaient vu une fois et en avaient souvent entendu parler.

Une étoile. Le symbole annonçant un flume.

Mark ramassa son anneau. Il avait cessé de briller et refroidissait déjà. Il avait rempli son office. Courtney alla caresser le symbole carbonisé.

– C'est encore chaud, dit-elle en se tournant vers Mark. Est-ce possible ?

– Ouvre la p-p-porte, dit-il. J'ai les mains qui tremblent.

Courtney saisit la poignée.

– Moi aussi.

Mark posa sa main sur celle de Courtney. À eux deux, ils réussirent à ouvrir la porte.

Le cellier ne semblait pas différent. Un grand espace vide au sol de terre battue et des racines desséchées pendant du plafond. Il y faisait frais, ce qui était normal pour un cellier souterrain. La seule chose qui n'avait décidément rien de normal était l'absence d'un des murs de pierre.

Mark et Courtney restèrent plantés là, immobiles, sans même oser respirer. Le mur était remplacé par une ouverture mal dégrossie. Pas de doute : c'était bien un flume.

Ils restèrent là, à fixer le tunnel béant. Mark finit par rompre le silence :

– D-d-d'après toi, ça veut d-d-dire qu'on est p-p-prêts à devenir Acolytes ?

Courtney scruta le tunnel encore un moment, puis se mit à rire.

– Oui, fit-elle entre deux éclats, je crois que c'est un bon présage.

Mark rit à son tour et serra Courtney dans ses bras. Ils ne savaient pas ce que l'avenir leur réservait, mais une chose était sûre : ils n'étaient plus de simples spectateurs tout juste bons à lire les aventures de Bobby. Ils venaient d'entrer dans le jeu. Pour de vrai.

L'anneau de Mark se mit à tressauter.

– Ah-ha ! fit-il en levant la main.

– Quoi encore ? demanda Courtney. Je commence à en avoir assez des feux d'artifice.

Mais ce qui se passait leur était familier. La pierre au centre de l'anneau se mit à luire. Mark le retira et le posa sur le sol de terre battue. Cette fois-ci, il se mit à croître, ouvrant la porte d'entre les mondes. Les notes musicales habituelles annoncèrent l'arrivée d'une livraison spéciale. La lumière illumina la salle souterraine. Pour Mark et Courtney, il n'y avait rien de plus réconfortant. Après un ultime éclair, les notes se turent et l'anneau retrouva sa taille normale.

À côté de lui était apparu le projecteur argenté contenant le nouveau journal de Bobby.

– Hobie-ho, murmura Mark.

Journal n° 15

VEELOX

On était prêts à partir.

Revêtus de nos combinaisons vertes, Loor et moi faisions face aux trois cercles d'argent du caisson d'immersion. Loor avait été préalablement briefée sur le processus. On avait prélevé un échantillon de son sang et on lui avait passé un bracelet argenté. J'avais aussi eu droit au mien, mais après ce qui s'était passé la dernière fois, je ne lui faisais plus confiance.

Notre sort était entre les mains d'Aja Killian. Elle avait reconnecté le réseau contrôlant l'immersion de Zetlin. C'est elle qui nous plongerait dans le rêve du docteur et nous en tirerait s'il se passait quoi que ce soit. Du moins, c'était ce qui était prévu. Parce qu'une fois que nous serions là-dedans, Réalité détournée pouvait décider de changer la donne.

– Des questions ? a demandé Aja, debout devant la porte de la chambre.

– Non, a répondu Loor, très calme.

Et qu'aurait-elle pu demander ? Elle venait d'un territoire primitif, d'un peuple de guerriers. L'idée de s'infiltrer dans le rêve d'un autre lui était aussi étrangère que… à vrai dire, je doute qu'elle puisse concevoir quelque chose d'encore plus étrange.

Aja est entrée dans le noyau Alpha et s'est assise. Elle a pianoté sur le clavier incorporé dans le bras du fauteuil. Deux des disques argentés se sont rétractés et les tables ont lentement coulissé. Ces tubes entouraient celui du milieu, où gisait le Dr Zetlin. C'était assez dérangeant de penser qu'il était là et qu'on allait plonger dans son esprit.

Pourvu qu'il y ait de la place pour tout le monde.

– Allonge-toi sur cette table, ai-je dit à Loor, et mets-toi à l'aise.

C'est ce qu'elle a fait. Elle me faisait confiance. Pourvu que ça ne soit pas une erreur ! Je suis sorti de la cabine d'immersion et suis allé trouver Aja.

– Tu as une idée de l'endroit où on a une chance de le trouver ? ai-je demandé.

Elle a froncé les sourcils.

– Je n'en sais rien, Pendragon. Tout dépend du genre de monde qu'il s'est choisi.

Elle m'a alors montré une photo. C'était bien le petit garçon du tableau, mais avec au moins cinquante ans de plus. Il n'avait rien de particulier : ce n'était qu'un vieil homme respirant l'intelligence. Il était chauve avec de petites lunettes. J'ai pris le temps de graver ses traits dans ma mémoire.

– Donc, tout ce que j'ai à faire, c'est lui demander le code d'origine ?

– Oui. Dis-lui que le réseau principal a été suspendu parce que le logiciel a été corrompu, et que nous devons nettoyer le système.

– Code d'origine, logiciel corrompu, nettoyer le système… J'y suis.

– D'après moi, a-t-elle ajouté, il ne le donnera pas si facilement.

Elle a regardé par-dessus mon épaule en direction de Loor, paisiblement allongée sur la table, et a dit :

– Tu devras peut-être l'obliger à mettre fin à son immersion.

– Commençons déjà par le trouver, et on verra bien.

– Très juste.

Quelque chose me gênait encore, et j'ai bien été obligé de l'énoncer :

– Aja, si le virus Réalité détournée fait son effet, tu es en danger, toi aussi. Je veux dire, tu as vu ce qu'il a fait à Alex.

Aja a haussé les épaules et dit d'un air crâneur :

– Je ne suis pas Alex.

Bien dit ! Sa confiance en elle était admirable.

– Fais quand même attention.

Je me suis retourné et me suis dirigé vers mon cocon.

– Pendragon ! a-t-elle lancé.

Je me suis arrêté devant la porte et l'ai regardée.

– Je suis contente que tu sois là, a-t-elle déclaré.

C'était bien ce qu'elle m'avait dit de plus gentil jusqu'à présent.

– On va tout arranger, Aja, ai-je répondu en tentant d'être aussi confiant qu'elle.

– On n'a pas vraiment le choix, a-t-elle répondu.

C'était vrai. Si on voulait avoir une chance de sauver Veelox des griffes de Saint Dane – et d'elle-même – il nous fallait détruire le virus Réalité détournée. Je suis allé vers le tube et ai regardé Loor.

– Que dois-je faire, Pendragon ? a-t-elle demandé.

– Rien. Détends-toi. Quand la table va coulisser à l'intérieur du cocon, tu vas te retrouver dans le noir, mais ça ne durera que quelques secondes avant qu'on se retrouve dans l'immersion. C'est ça ? ai-je crié en direction d'Aja.

– C'est ça, a-t-elle répondu. Je contrôlerai tout depuis mon poste.

J'ai sauté sur la seconde table et me suis allongé. Mon cœur s'est emballé. La partie allait commencer.

– Hobie-ho, on y va ! ai-je lancé.

– Aja ? a fait Loor. À quoi dois-je m'attendre ?

J'ai pu sentir une certaine tension dans sa voix. Loor était l'être le plus intrépide que j'aie jamais rencontré. Mais au moment d'effectuer un tel plongeon dans l'inconnu, même elle avait peur.

Aja répondit très simplement :

– À tout.

Curieux. C'était exactement ce que je redoutais le plus.

Tout.

Un jet de lumière m'a ébloui, et j'ai levé les mains pour me protéger les yeux. J'ai d'abord cru que quelque chose n'avait pas marché et que je me retrouvais dans le néant. Mais j'ai aussitôt compris ce qui se passait.

Je me tenais face au soleil.

J'ai jeté un coup d'œil vers le bas – j'étais debout sur un sol de terre battue. Donc, je ne flottais pas dans le vide. Peu après, mes yeux se sont accoutumés à la lumière et j'ai pu distinguer ce qui m'entourait. Je me trouvais au centre d'un canyon rocailleux dont les parois abruptes s'élevaient de chaque côté de moi. Au loin, la gorge effectuait quelques virages pour se terminer sur une prairie verdoyante. À l'horizon, j'ai vu des montagnes couronnées de neige. Donc, le rêve du Dr Zetlin se déroulait par une belle journée ensoleillée dans un paysage de campagne. On peut imaginer pire.

– Où sommes-nous, Pendragon ? a demandé Loor.

Ah, oui. Je l'avais presque oubliée. Je me suis retourné pour la voir, derrière moi. Je lui ai souri :

– Bienv'nue dans la cambrousse, m'dame !

Elle m'a jeté un drôle de regard, comme si elle se demandait ce que je pouvais bien raconter. Mais je n'ai pas pu m'en empêcher, parce qu'à présent elle portait une tenue de cow-boy. Ou de cow-girl. Ou de cow-Voyageuse. Peu importe. Elle était vêtue d'un jean, d'une chemise rouge et de bottes de cheval noires. Ses cheveux étaient noués en une queue de cheval descendant sur ses reins. Un bandana noir entourait son front. Et cette panoplie lui allait à merveille.

J'étais habillé à peu près pareil : un jean, une chemise verte et ces mêmes bottes noires. J'avais même un bandana autour du cou. Le rêve du Dr Zetlin venait tout droit des vieux westerns. Ce qui entraînait une question : y avait-ils des westerns sur Veelox ? J'imagine que oui, puisqu'on était là.

Loor s'est accroupie pour ramasser une poignée de terre, puis l'a laissée s'écouler entre ses doigts.

– Elle est bien réelle. Comment est-ce possible ?

– Elle *semble* réelle, parce que notre esprit nous dit qu'elle l'est, ai-je répondu. Ou celui du Dr Zetlin.

Loor s'est relevée et a parcouru des yeux le canyon :

– C'est ce que pense ce Zetlin ?

– Oui. J'imagine qu'enfant, il voulait être cow-boy.

– C'est quoi, un cow-boy ?

Avant que j'aie pu répondre, j'ai entendu un grondement, comme un roulement de tonnerre dans le lointain.

— Tu as entendu ? ai-je demandé.

Son air intrigué me dit que oui. On est restés là à écouter alors que ce bruit était de plus en plus fort.

— Ça vient de cette direction, a remarqué Loor en désignant le canyon.

Derrière nous, le canyon virait abruptement sur le côté, si bien qu'il était impossible de savoir ce qu'il y avait derrière. Mais Loor avait raison : quelle que soit l'origine de ce bruit, elle se trouvait de l'autre côté de ce virage. Et le grondement ne cessait de s'enfler. Ça se rapprochait. J'ai jeté un coup d'œil dans la direction opposée. L'embouchure du canyon était à moins d'un kilomètre.

— Regarde, a dit Loor.

Je me suis retourné : un immense nuage de poussière brune s'élevait au-dessus du tournant. Qu'est-ce que cela pouvait bien être ? Une tempête ? Un éboulement ? Godzilla ? Le bruit est devenu assourdissant et s'est répercuté à l'infini sur les murs du canyon. J'ai cherché des yeux un endroit où l'on pourrait se cacher, mais les parois de pierre étaient trop escarpées. Nous ne pourrions jamais les escalader. Non, pour être en sécurité, il nous faudrait sortir de ce canyon… et parcourir plusieurs centaines de mètres à découvert.

Je me suis dirigé dans cette direction sans quitter des yeux le tournant.

— On ferait mieux de filer, ai-je dit.

— Si tout ça se passe dans la tête de Zetlin, a demandé Loor, sommes-nous en danger ?

— Ça dépend.

— De quoi ?

— De ce qui va débouler de ce tournant.

Nous n'avons pas tardé à le savoir. Tout un troupeau en déroute en a jailli. Il devait y avoir un millier de têtes de bétail, et elles couraient vers nous.

— Une charge ! ai-je crié. Sauve qui peut !

Loor et moi avons tourné les talons pour nous enfuir à toutes jambes. J'ai jeté un coup d'œil en arrière pour voir que le troupeau occupait toute la largeur du canyon. Les bêtes ne cessaient de souffler et grogner en ouvrant de grands yeux. Ceux du premier rang devaient avoir aussi peur que nous. Si l'un d'entre eux avait le malheur de trébucher, il serait piétiné par les autres. Et ils ne risquaient pas de ralentir. Ils couraient pour sauver leurs vies. Comme nous.

– Qu'est-ce que c'est ? a demandé Loor sans ralentir. Ce sont des carnivores ?

– Non, mais s'ils nous rattrapent, il ne restera plus assez de nous pour se tailler un bifteck !

Il n'y avait pas l'ombre d'un abri. Nous n'avions pas d'autre solution que de sortir de ce piège. Mais la prairie était trop loin. Nous ne pourrions jamais distancer ce troupeau. Un coup d'œil en arrière – ils se rapprochaient. Vite. Autant vouloir échapper à une avalanche. J'ai commencé à sentir sur mon cou la poussière qu'ils soulevaient. Dans quelques secondes, ils nous aplatiraient.

– Là ! s'est écriée Loor.

Elle a désigné la paroi du canyon droit devant nous. Une sorte de liane brune sinuait depuis un point situé en hauteur.

– Suis-moi ! a ordonné Loor en partant dans cette direction.

L'ennui, c'est qu'il n'y avait qu'une seule liane. Même si elle était assez résistante, ce qui n'était pas sûr, il restait à peine assez de temps pour que l'un d'entre nous puisse l'escalader. Plus que quelques secondes avant que le troupeau ne soit sur nous.

– Saute sur mon dos ! a lancé Loor.

Quoi ? Elle était dingue ?

– Vas-y ! a-t-elle ajouté tout en s'emparant de la liane.

Je n'allais pas discuter. Le sol tremblait déjà sous le choc de mille sabots. Loor s'est cramponnée à la liane et je me suis cramponné à Loor, passant mes bras autour de son cou. Et elle a grimpé à bout de bras, une main après l'autre, les pieds contre la paroi, comme si elle marchait. Je suis resté suspendu dans le vide, agrippé à son cou en espérant qu'elle était assez forte pour nous retenir tous les deux – et que la liane était assez solide pour supporter nos poids combinés.

Le troupeau était sur nous. Mais Loor nous avait amenés assez haut pour qu'il ne nous touche pas. Il a défilé comme si nous n'étions même pas là, et pourtant, nous n'étions qu'à quelques centimètres au-dessus. Je pouvais même sentir la chaleur qui en émanait. Ou peut-être n'était-ce que ma propre sueur.

– Ça va, tu tiens le coup ? ai-je demandé à Loor.

Elle a acquiescé. Pas de problème. Je pouvais sentir la force irradiant de ses bras et ses épaules. Je n'avais pas de raisons de m'inquiéter. Pour elle, c'était un jeu d'enfant. Il ne restait plus qu'à espérer que la liane tienne jusqu'au bout.

Le troupeau n'en finissait pas. Je n'arrivais pas à croire qu'ils puissent être aussi nombreux. Finalement, au bout de quelques siècles, la meute a fini par s'amenuiser. Ils n'étaient plus si proches de la paroi.

C'est alors que la liane a cédé. Loor et moi sommes tombés dans la poussière. Heureusement, j'ai amorti sa chute. Enfin, heureusement pour elle. Pour moi, ce n'était pas vraiment ça. Elle m'a coupé le souffle. Ouf ! Il m'a fallu une bonne minute pour reprendre ma respiration, mais ce n'était pas grave. Nous étions vivants. En jetant un coup d'œil, j'ai vu une poignée de retardataires qui tentaient de rejoindre le troupeau. Le grondement des sabots a diminué. La meute s'est dispersée dans la prairie.

– Ça va ? a demandé Loor.

Elle était assise par terre. Apparemment, cette épreuve ne l'avait guère traumatisée.

– Je suis vraiment génial.

– Comment ça ?

– On est ici depuis deux minutes, et tu m'as déjà sauvé la vie. Je savais que j'avais raison de vouloir t'emmener avec moi. Merci, Loor.

Elle s'est relevée et m'a aidé à en faire autant. On époussetait nos vêtements lorsqu'on a entendu une voix :

– Qu'est-ce que vous fichez là, vous deux ?

On a levé les yeux pour voir deux cow-boys à cheval trotter dans notre direction. Pas de doute, ils sortaient tout droit d'un western, avec leurs chapeaux, leurs *chaps* de cuir noués autour de leurs jeans et leurs lassos enroulés autour du pommeau de leurs selles.

Ni l'un, ni l'autre ne ressemblait au Dr Zetlin.

– Ça va, les gars ? demanda l'un d'entre eux.

– Ouais, on s'en sortira, ai-je répondu.

– On a inspecté tout le canyon avant d'y faire passer le troupeau, a repris l'autre. Vous êtes tombés du ciel ou quoi ?

– On a dû s'y engager après que vous l'avez inspecté, ai-je répondu.

Ce qui était vrai. Si l'on veut.

– Vous auriez pu vous faire tuer ! Qu'est-ce que vous faites tout là-haut ?

– On cherche quelqu'un, ai-je répondu.

– Là-haut ? a demandé le premier cow-boy stupéfait. Dans cette gorge ?

– Oui, ben, on s'est un peu perdus. Il s'appelle Zetlin. Vous connaissez ?

Le premier cow-boy a regardé le second et a acquiescé.

– C'est ce type qui habite à Old Glenville ?

– Possible, a répondu l'autre en haussant les épaules.

Le premier s'est tourné vers Loor et moi.

– En ville, il y a un type qui est peut-être celui que vous cherchez. Vous y êtes déjà passés ?

– Non, ai-je répondu, soudain enthousiaste. Vous pouvez nous indiquer la direction ?

– Bien sûr. Où sont vos chevaux ?

Loor et moi nous sommes regardés et avons haussé les épaules.

– On les a perdus, ai-je dit.

Bravo ! Vous parlez d'une explication !

– Perdus ? s'est écrié le second. Comment avez-vous fait ?

– Ce serait une longue histoire. Mais on peut y aller à pied.

– C'est trop loin, a répondu le cow-boy numéro un. On peut vous prêter des chevaux.

– Vraiment ? Super !

– Montez, a dit le cow-boy numéro deux.

Loor et moi sommes montés chacun derrière l'un des deux hommes, et nous sommes sortis du canyon au trot. Ce n'était pas le grand confort, mais c'était toujours mieux que d'y aller à pied.

À la sortie du canyon, j'ai enfin pu voir la gorge dans toute sa gloire. C'était un spectacle magnifique. Le canyon desséché s'ouvrait sur des prés verdoyants qui s'étendaient jusqu'à l'horizon. Les montagnes qui formaient une ligne bleue au loin étaient immenses. Je n'ai jamais vu les Rocheuses, mais elles devaient ressembler à ça. Encore un point commun entre Veelox et la Seconde Terre. Ou du moins une preuve que le rêve du Dr Zetlin évoquait la Seconde Terre. En tout cas, c'était formidable.

Les deux cow-boys nous ont emmenés vers une carriole à laquelle étaient attachés deux autres chevaux. Pendant qu'ils les sellaient, ils nous ont expliqué qu'ils amenaient leur troupeau ici pour l'hiver et qu'il leur arrivait de rester en montagne des semaines entières. Voilà pourquoi ils avaient quatre chevaux : si l'un d'entre eux se blessait, ils ne voulaient pas être obligés d'aller en chercher un autre en ville. Or leur saison tirait à sa fin, c'est pourquoi cela ne les dérangeait pas de nous prêter ces deux-là. Ils nous dirent qu'une fois en ville, nous n'aurions qu'à les confier au forgeron. Dans quelques jours, ils retourneraient les chercher.

Hé ben ! Ces types nous faisaient sacrément confiance. Quoique, c'est vrai que nous étions dans le rêve du Dr Zetlin. Peut-être qu'il n'y acceptait que des gens dignes de confiance.

J'étais déjà monté à cheval une ou deux fois au camp de vacances, si bien que je savais comment monter et le diriger. Mais Loor ? Savait-elle monter à cheval ? J'avais tort de m'inquiéter : Loor a bondi sur la selle comme une pro et a tiré sur ses rênes pour le faire tourner d'un côté, puis de l'autre. Frimeuse. J'aurais dû m'en douter.

– Suivez le sentier qui descend de la gorge, a expliqué le premier cow-boy. Vous ne pouvez le rater : il y a pas mal de passage. Vous devriez atteindre la ville avant le coucher du soleil.

– Merci, a dit Loor.

– Oui, merci, ai-je ajouté. Vous nous sauvez la vie.

– Bof, a fait le second, c'est le moins qu'on puisse faire. Après tout, z'avez bien failli vous faire tuer par notre faute.

Après quelques remerciements, Loor et moi sommes partis vers la ville. Vous parlez d'une promenade ! La pente était douce, l'air chaud, le paysage spectaculaire.

Et Loor ne déparait pas non plus dans ce décor de rêve. Depuis que je l'avais rencontrée, je n'avais cessé de tenter de faire mes preuves. C'était une athlète confirmée et une guerrière. Je l'ai vue flanquer la honte à des types deux fois plus grands qu'elle. À côté d'elle, je n'étais qu'un avorton. Mais elle n'était pas qu'un paquet de muscles. Loor avait un fort sens moral. Elle savait reconnaître le bien du mal, et s'était vouée corps et âme à sa mission de Voyageuse. Sa mère était morte en affrontant Saint Dane, ce qui, je crois, n'avait fait que renforcer sa détermination. Mais après tout ce qu'on avait vécu ensemble, je ne savais toujours pas ce qu'elle pensait de moi. Elle était de mon côté parce qu'on était des Voyageurs tous les deux, et je savais qu'elle me respectait pour certaines choses que j'avais faites, mais cela n'allait pas plus loin. Pour moi, Loor était une excellente amie. Pour elle, je n'étais qu'un coéquipier.

Comme le trajet jusqu'à Old Glenville s'annonçait long, c'était le bon moment pour en parler.

— En Première Terre, lui ai-je dit, ça ne s'est pas passé si bien que ça.

— Saint Dane a échoué. C'est tout ce qui compte.

— Vraiment ? ai-je répondu. On a sauvé le territoire, mais pas grâce à moi.

— Et qu'est-ce que ça t'a fait ?

— J'ai décidé de ne plus jamais le laisser m'embrouiller. Et je m'y tiens.

Loor m'a regardé.

— Je te connais, Pendragon. Tu as le cœur au bon endroit, mais tu n'es pas assez sûr de toi et de ta mission.

Je ne pouvais pas me récrier, parce qu'elle avait raison.

— D'après ce que tu m'as dit, a-t-elle continué, Saint Dane a tenté de saper le peu de confiance que tu avais en toi, mais au contraire, il n'a fait que renforcer ta résolution. Si c'est le cas, il a commis une grave erreur, parce que tout ce qu'il a réussi à faire, c'est de t'impliquer dans ce conflit. Maintenant, c'est une affaire entre toi et lui. Et il va le regretter.

C'est alors que tout est devenu limpide. Je n'avais cessé de me reprocher mon échec. Mais maintenant, Loor venait de me faire comprendre que ce moment de faiblesse était peut-être la meilleure chose qui ait pu m'arriver. Il m'avait donné la détermination nécessaire pour combattre Saint Dane. L'oncle Press a toujours dit que ce conflit était bien plus important qu'une unique bataille. Hé, même Saint Dane l'avait affirmé. Mais en affrontant ma propre faiblesse, je m'étais préparé à tenir sur la durée.

– Tu m'as manqué, Loor.

Comme j'aurais voulu qu'elle me dise que je lui avais manqué, moi aussi !

Raté.

– Je serai toujours là lorsque tu auras besoin de moi, a-t-elle dit, tout comme je sais que tu seras là pour moi. C'est notre destin.

Bon, ce n'était pas vraiment un témoignage d'amitié éternelle, mais j'imagine que c'était toujours mieux que rien.

On a cheminé longuement, en silence la plupart du temps. Je commençais à croire que ces cow-boys nous avaient aiguillés dans la mauvaise direction lorsque…

– Regarde ! s'est exclamée Loor.

J'ai suivi son bras tendu pour voir quelques toits au-dessus des arbres. Ce devait être Old Glenville.

– Le dernier arrivé paye sa tournée de sniggers, ai-je dit.

– Sa quoi de quoi ?

Trop tard. J'ai éperonné mon cheval et suis parti au galop vers la ville. Loor m'y aurait certainement devancé si je n'avais pas pris de l'avance. Quelques minutes plus tard, je suis entré dans la grande rue d'Old Glenville.

C'était une ville fantôme. J'ai arrêté mon cheval, et Loor en a fait autant juste derrière moi. On est restés là, à scruter la ville déserte.

Elle semblait sortie tout droit d'un vieux western. De chaque côté de la grande rue s'étendaient des constructions en bois de deux étages avec des trottoirs de bois, eux aussi, et de grandes pancartes identifiant les boutiques : ÉPICERIE, BARBIER et DENTISTE, SHÉRIF, TÉLÉGRAPHE et même CROQUE-MORT. Au bout de la rue, il y avait même une église au toit pointu qui éclipsait les autres bâtiments. Le tableau était parfait. Tout ce qui manquait, c'étaient des habitants.

– Nous y revoilà, ai-je dit. On se croirait à Rubic.

J'ai éperonné mon cheval pour me diriger lentement vers le centre de la rue. J'ai tendu l'oreille, à l'affût du moindre signe de vie. En vain.

– Ça m'étonne de ne pas voir d'amarante, ai-je dit.

– C'est quoi, une amarante ? a demandé Loor.

Comme par magie, une amarante – un de ces buissons poussés par le vent qu'on voit dans les westerns – j'avais trouvé le nom savant sur le net – est passée devant nous. C'était de plus en plus bizarre, et de plus d'une façon. Je voulais bien croire qu'un autre territoire puisse ressembler à la Terre, mais ça voulait dire que celui de Veelox partageait la même histoire que mon monde. Car cet Old Glenville ressemblait parfaitement à une ville du vieux Far West. Bizarre autant qu'étrange.

– Là ! s'est exclamée Loor.

Elle désignait une sorte d'étable en retrait de la route principale. Une pancarte peinte à la main indiquait : FERRONNIER. C'était là que nous étions censés laisser les chevaux. Nous avons trotté jusqu'à l'étable, sans voir personne. Plus étrange encore, tous les outils étaient là. Des marteaux, des clous, du charbon et tout ce qu'on imagine dans une forge. Il y avait même quelques étables prêtes à recevoir des chevaux, mais c'était bien le seul signe de vie. On aurait dit que cette ville avait été abandonnée récemment, et à la hâte.

On a attaché les chevaux à un poteau près de la grange. J'allais proposer de fouiller un côté de la ville et de continuer en remontant la rue lorsqu'on a entendu quelque chose de bizarre.

– De la musique, a dit Loor.

C'était du piano, un air de Honky Tonk démodé. Exactement ce qu'on s'attend à entendre dans une ville de western.

– Je te parie un dollar qu'il y a un saloon pas loin.

– C'est quoi, un saloon ?

– Je vais te montrer.

Je n'étais jamais entré dans un saloon, mais je connaissais mes classiques. Qui dit western dit saloon. On est donc partis le long de la grande rue. La musique se faisait de plus en plus forte. Et de l'autre côté, j'ai repéré une pancarte accrochée à un balcon annonçant en grandes lettres dorées : OLD GLENVILLE SALOON.

On a traversé l'avenue comme des pistoleros en partance pour OK Corral. Pas de doute, la musique provenait du saloon. En s'approchant, on a vu des doubles portes avec un grand espace au-dessus et en dessous des battants à charnières. On donnait toujours dans le western. On allait monter sur le trottoir de bois lorsque, soudain, le piano s'est tu.

Loor et moi nous sommes arrêtés.

On a alors entendu le raclement d'une chaise sur un plancher, comme si quelqu'un se levait. Puis des pas lourds qui se dirigeaient vers la porte. Et nous.

Loor et moi sommes restés plantés là. J'espérais vraiment que le seul habitant de la ville fantôme serait le Dr Zetlin.

Eh bien non.

Lorsque les portes se sont ouvertes, ce que j'ai vu m'a poussé à me demander si j'étais dans le cauchemar du Dr Zetlin... ou dans le mien. Parce que là, devant nous, se tenait Saint Dane.

Il était tout de noir vêtu, comme un pistolero. Deux six-coups étaient accrochés à sa ceinture. Sa crinière grise couronnée d'un chapeau de cow-boy noir cascadait sur ses épaules. À le voir, on aurait dit que ce démon nous attendait. Il nous a regardés de ses yeux bleus glaciaux, a eu un sourire torve et a dit :

— Il est temps de redonner un peu de vie à cette ville fantôme !

Journal n° 15
(suite)

VEELOX

— Salut, Pendragon ! a fait un Saint Dane jovial tout en s'adossant à la barre où l'on attachait les chevaux. Je vois que tu m'as amené ta petite amie si violente. Quelle bonne surprise !

Ça ne collait pas. Comment Saint Dane pouvait-il se retrouver dans le rêve de Zetlin ? Cette fois-ci, ce n'était pas un hologramme préprogrammé. C'était lui. En chair et en os. Enfin, dans ce rêve. Mon cerveau s'est figé.

— Tu as l'air surpris ! s'est-il exclamé en riant. En effet, je suis bien là, aussi impossible que cela puisse paraître. Il semblerait que le virus d'Aja ait complètement chamboulé Utopias.

Loor m'a regardé et a dit doucement :

— C'est pour de vrai, hein ?

— On ne peut plus vrai ! a répondu Saint Dane.

Il a dégainé un de ses six-coups, l'a braqué vers le ciel et a appuyé sur la détente. Il y eut un claquement qui m'a semblé bien réel. Un peu plus tard, quatre cow-boys armés jusqu'aux dents sont sortis du saloon. Ils se sont empressés de passer derrière nous afin de nous empêcher de fuir. Ces gaillards-là n'avaient rien des braves types que nous avions rencontrés en montagne. Un mot s'est imposé dans mon esprit : desperados.

— Puisque ce n'est qu'un rêve, a déclaré Saint Dane, distrayons-nous un peu.

Il est descendu du trottoir de bois et s'est dirigé vers nous, un pouce glissé dans sa ceinture. Visiblement, il s'amusait bien. J'aurais voulu pouvoir en dire autant.

— Je sais où est l'homme qui vous cause tant de soucis, a-t-il dit, et je vais vous donner une chance de lui sauver la vie.

J'ai jeté un coup d'œil à Loor. Les affaires reprenaient.

— Lui sauver la vie ? ai-je répété.

— À un kilomètre et demi de cette ville, il y a un barrage. De l'autre côté, un lac assez vaste. Sans cette digue, ce trou à rats serait inondé. Au sommet du barrage, il y a une petite hutte de pierre. C'est là que vous le trouverez.

— C'est tout ? C'est aussi simple que ça ?

Saint Dane a éclaté de rire.

— Voyons, Pendragon, ce n'est jamais simple !

Il a tiré une montre à gousset dorée et a regardé l'heure.

— Mes associés ici présents ont posé de la dynamite sur toute la longueur du barrage. Dans, oh, environ dix minutes, elle explosera, et ce village risque de se retrouver les pieds dans l'eau.

L'adrénaline a jailli dans mes veines.

— Donc, on a dix minutes pour arriver à cette hutte et le faire sortir ? C'est ça ?

— Avec un petit handicap. Je vous donne deux minutes d'avance. Puis j'envoie mes associés à vos trousses avec pour consigne de vous empêcher d'atteindre le barrage. Palpitant, non ?

Il s'est penché et m'a regardé droit dans les yeux.

— Tu n'as pas eu la force de réussir en Première Terre. Comment vas-tu surmonter cette petite épreuve ?

Sans réfléchir, je me suis vite emparé d'un des six-coups de Saint Dane et l'ai retiré de son holster.

— Bien joué, Lucky Luke, a-t-il dit sans la moindre surprise. Et maintenant ?

J'ai pris la main de Loor et me suis mis à courir.

— Hi-haw ! a crié Saint Dane.

Si on voulait avoir une chance d'atteindre ce barrage en dix minutes, il nous faudrait des chevaux.

— C'est quoi, de la dynamite ? a demandé Loor tout en courant.

— C'est comme du tak. Le barrage va voler en éclats.

En quelques secondes, nous étions arrivés à l'étable du forgeron. J'ai fourré le revolver dans ma ceinture et ai détaché les chevaux.

– Est-ce vraiment si grave que ce village soit détruit ? a demandé Loor. Après tout, ce n'est qu'un rêve.

– Ce n'est pas cette ville fantôme qui compte, me suis-je empressé de répondre, c'est Zetlin. S'il lui arrive quelque chose, on n'aura jamais le code originel et Utopias va…

Bang ! Ping !

Une balle a égratigné un seau métallique accroché près de la porte de la grange. C'était passé tout près.

– Hé, les deux minutes ne sont pas écoulées ! ai-je crié.

Soit les desperados n'avaient pas de montre, soit ils s'en moquaient, parce qu'en guise de réponse, j'ai eu droit à un feu nourri.

– Rentrons ! a ordonné Loor.

Nous avons saisi les brides des chevaux et les avons ramenés dans la grange. Loor s'est empressée de refermer les grandes portes. On était à l'abri de leurs balles, mais on se retrouvait pris au piège dans cette grange, et le temps passait.

– À quoi servent ces engins bruyants ? a demandé Loor en désignant le revolver fourré dans ma ceinture.

– Ils tirent de petits bouts de métal. Mortels. Mais ils ne contiennent que six balles et ces gars-là sont lourdement armés. Et à vrai dire, je n'ai encore jamais manié de flingue.

D'autres coups de feu ont retenti. Une balle a fracassé une fenêtre, faisant hennir de peur les chevaux.

– Il faut sortir de là, ai-je dit.

Je me suis précipité vers une porte située à l'arrière de l'étable. En l'ouvrant, j'ai été accueilli par une balle qui a heurté le bois juste au-dessus de ma tête. Pour rester dans le cliché de western, ils nous avaient encerclés. Je me suis tourné vers Loor :

– C'est toi l'apprentie guerrière ! Qu'est-ce qu'on peut faire ?

À ma grande surprise, j'ai constaté que Loor était d'un calme olympien. Elle a examiné froidement la grange pour voir ce qu'on avait à notre disposition. Puis :

– Les animaux. S'ils s'affolent, ça donnera quelque chose comme ce troupeau dans le canyon.

J'aurais pu l'embrasser. Son idée était à la fois géniale et un peu folle. En plus des nôtres, il y avait une douzaine de chevaux dans leurs box. Si on pouvait les faire sortir de là, ils nous serviraient de boucliers. En tout cas, ça valait le coup d'essayer.

– Rassemble-les ! a demandé Loor.

On a couru chacun d'un côté de la grange, ouvrant les box en criant aux chevaux de sortir. C'était assez effrayant. Les bêtes étaient déjà énervées par les coups de feu, et voir deux cinglés courir dans tous les sens en agitant les bras n'arrangeait rien. C'était plutôt dangereux. Si l'un d'eux nous décochait un coup de sabot en pleine tête, ce serait la fin des haricots.

Après quelques secondes de folie, on a réussi à les grouper tous au centre de la grange. Les bêtes hennissaient, martelaient le sol de leurs sabots en se bousculant frénétiquement. Tout ce cirque ne leur plaisait pas, mais alors pas du tout.

– Les portes ! a ordonné Loor.

J'ai couru agripper les poignées. Loor a isolé nos deux chevaux, les seuls qui soient sellés, et les a emmenés à l'arrière.

– Tu es prêt ? a-t-elle demandé.

Je l'étais. Et les chevaux aussi. Ils commençaient à se cabrer, et j'ai bien failli me faire piétiner une fois ou deux.

– Allons-y ! ai-je crié.

– Ouvre les portes !

Ce que j'ai fait. Loor a donné un coup de sifflet sec et la horde est sortie de la grange à toute la vitesse.

J'ai eu tout juste le temps de sauter sur le côté pour ne pas me faire écrabouiller. Loor s'est avancée avec nos deux canassons. J'ai sauté sur le mien et nous avons suivi la meute en délire. C'était de la folie, mais je préférais ne pas y penser.

Une fois dehors, la poussière nous a aveuglés. Les chevaux ont foncé à l'air libre pour dévaler la grande rue. Loor et moi avons éperonné nos montures pour rester le plus près possible d'eux. On s'est aplatis sur nos selles pour offrir des cibles moins visibles. Je m'attendais à une fusillade, mais non. J'imagine que la situation était si chaotique que les desperados ne voulaient pas gâcher des munitions. C'était préférable pour tout le monde.

On s'en était sortis avec nos chevaux. Maintenant, il nous restait à foncer vers le barrage et à trouver Zetlin avant qu'il ne saute ou que les desperados nous rattrapent.

– Quelle direction ? a lancé Loor.

Comme on était entrés en ville d'un côté, le barrage devait se trouver de l'autre. J'ai donné une tape à mon cheval, et nous voilà partis. On a dévalé la grande rue, passant devant l'église pour atteindre le chemin menant vers le sud. Côte à côte, on a galopé comme deux bandits de grands chemins fuyant les autorités.

J'ai vite compris qu'on avait un autre souci. J'avais beau me la jouer, comme cavalier, je ne valais pas un clou. Bonjour l'angoisse ! Les chevaux étaient rapides, ce qui était bien, mais c'est à peine si je pouvais diriger le mien. À cette allure, si je tombais, j'allais certainement me casser quelque chose – probablement le crâne. J'ai empoigné les rênes d'une main et me suis cramponné à la selle de l'autre. Je n'ai même pas regardé Loor. Elle était plus expérimentée que moi. Je ne savais pas combien de temps s'était écoulé, mais chaque seconde comptait. Pas question de ralentir.

– Le voilà ! m'a crié Loor.

En effet : dans le lointain, coincé dans un ravin, j'ai vu un grand barrage de pierre. D'après Saint Dane, il se trouvait à plus d'un kilomètre de la ville, mais il était si grand qu'il semblait plus près. J'ai même pu voir le petit bâtiment de pierre qui le couronnait.

Bang !

Nous n'étions pas seuls. Je ne me suis pas retourné de peur de perdre l'équilibre. Mais Loor s'en est chargée.

– Ils arrivent, a-t-elle annoncé.

– Il y en a combien ?

– Tous. Saint Dane en tête.

Super.

D'autres coups de feu. Je m'attendais à ressentir l'impact d'une balle, mais ils devaient être trop loin pour pouvoir viser. Autant tout faire pour que ça dure !

Le chemin s'est divisé en deux. De toute évidence, celui de droite nous mènerait vers le flanc du ravin jusqu'au sommet du barrage. Sans échanger un mot, nous l'avons emprunté. Tout en s'élevant, il ne cessait de rétrécir. Mais on a tout de même poussé nos chevaux. Pas question de laisser ces tueurs nous rattraper. Un véritable à-pic s'est vite creusé sur notre gauche. Et j'ouvrais la voie. Si mon cheval faisait un faux pas, *hasta la vista* !

Le chemin a débouché dans une forêt. Des branches nous ont fouettés comme si elles cherchaient à nous désarçonner. Ça commençait à faire mal.

– Faut qu'on ralentisse ! ai-je dit.

Loor et moi avons tiré sur les rênes pour continuer au trot. Entre les arbres, j'ai pu voir que nous étions presque au sommet du barrage. Plus qu'une centaine de mètres.

– Passe-moi ce machin bruyant, a ordonné Loor.

J'ai jeté un coup d'œil en arrière. Elle descendait de son cheval !

– À quoi tu joues ? ai-je crié. On y est presque !

– Continue ! a-t-elle répondu. Trouve Zetlin et emmène-le loin d'ici. Je vais retenir les autres.

Quoi ? Je n'allais pas la laisser là toute seule !

– Loor, je ne…

– On perd du temps, Pendragon ! Il faut sauver Zetlin ! C'est tout ce qui compte. Donne-moi ce machin !

J'ai serré les dents – croyez-moi, ce n'était pas facile –, ai tiré le six-coups de ma ceinture et le lui ai jeté. Elle l'a examiné avec curiosité. Voilà un des rares points sur lequel je ne lui faisais pas totalement confiance.

– Prends-le par la crosse, braque le tube sur les méchants et appuie sur la détente. Et accroche-toi, parce qu'il doit avoir un sacré recul.

Pour un cours accéléré, c'en était un, mais je n'avais pas mieux.

– Vas-y ! a-t-elle crié.

J'ai empoigné les rênes, éperonné ma monture et suis parti au galop vers le barrage. J'ai jeté un dernier coup d'œil par-dessus mon épaule pour voir que Loor avait caché son cheval derrière les arbres. Elle leur tendait un piège. Quel courage ! Quoique, si le barrage explosait, elle ne serait pas aux premières loges. Mais moi si. Je ne savais pas ce qui était le pire : affronter les desperados ou risquer de sauter avec ce fichu machin. Soudain, j'en oubliais mes scrupules.

Maintenant, tout était une question de temps. Je ne savais pas combien de secondes il me restait avant le grand boum. J'ai fini par sortir de la forêt pour voir l'immense lac dont m'avait parlé Saint Dane. J'étais bien au sommet du barrage. La hutte de pierre était au milieu, à une cinquantaine de mètres. Une très, très longue cinquantaine de mètres. Une distance plus facile à couvrir à cheval.

C'est alors que j'ai entendu des coups de feu. Les desperados avaient rattrapé Loor. Je ne pouvais qu'espérer qu'elle s'en sorte et puisse les retenir assez longtemps pour me permettre d'atteindre le Dr Zetlin.

– Yaaah !

J'ai éperonné mon cheval et on est partis au galop sur le barrage. Celui-ci n'était pas très large, trois mètres tout au plus, avec d'un côté de l'eau et de l'autre une très, très longue chute. Je suis resté le plus près possible du lac.

Bang ! Bang !

D'autres coups de feu, suivis d'éclats de pierre pleuvant sur moi. Les desperados ne mitraillaient pas Loor : ils cherchaient à m'abattre entre les arbres. Je me suis aplati sur mon cheval et l'ai supplié d'aller plus vite.

Ping ! Crac !

Un éclat de pierre m'a égratigné le bras. Ils visaient de mieux en mieux, mais je ne les laisserais pas m'arrêter. Pas maintenant, alors que j'étais si près de réussir. On avait suivi le jeu pervers de Saint Dane et on était sur le point de l'emporter. Une fois devant la hutte de pierre, j'ai sauté de mon cheval et l'ai attaché à l'autre bout de la construction pour m'assurer qu'elle le protègerait des balles perdues.

Un million d'idées se sont bousculées dans ma tête. Que devais-je faire maintenant ? Trouver le Dr Zetlin, le faire monter à cheval derrière moi, puis détaler à toute allure… Mais pour où ? Si je repartais vers la ville, on tomberait dans les griffes des desperados. Mais je ne pouvais pas abandonner Loor ! La seule solution était de nous diriger vers l'autre bord du barrage. Mais en ce cas, après l'explosion, Loor resterait coincée avec ces tueurs !

C'était un sentiment horrible et familier. Je devais faire un choix. Qu'est-ce qui était le plus important ? L'avenir de Veelox ou la sécurité de mon amie ? J'en revenais au dilemme du *Hindenburg*. Était-ce ce que Saint Dane voulait dès le départ ? Me mettre dans cette même position pour me voir échouer une fois de plus ?

Tout ça a défilé dans ma tête en moins de trois secondes. Et franchement, je ne savais pas quoi faire. À part que je devais continuer. Mais lorsque j'ai ouvert la porte de la hutte, j'ai vu un spectacle si incroyable qu'à côté, toutes ces considérations me semblèrent triviales.

– Docteur Zetlin ! ai-je crié. Il faut partir, le barrage va sau...

Mais lorsque j'ai vu qui était là, dans cette hutte, je me suis figé. Ce n'était pas le Dr Zetlin. Les dés étaient pipés. Quoique, Saint Dane n'avait pas vraiment menti non plus. Il m'avait dit que celui qui me causait des soucis était là, dans cette hutte. Et c'était le cas.

Ce n'était pas Zetlin, mais Gunny.

– Fiston ! a-t-il crié en me voyant. Qu'est-ce qui se passe ici ?

Il était attaché à une chaise par une corde plutôt longue. C'était un tel choc de le voir ici que je suis resté paralysé.

– Que... Comment êtes-vous arrivé là ? ai-je balbutié.

– Saint Dane m'a joué un tour de cochon ! Détache-moi !

J'ai fini par réagir. J'ai couru défaire les nœuds qui le retenaient. J'ignorais si j'étais content de le voir ou complètement déboussolé.

– Vous ne voudrez jamais me croire, ai-je dit. Tout ça n'existe pas. Ce pays n'est pas réel. (Je me suis arrêté et l'ai regardé.) Minute. Comment pouvez-vous vous retrouver là ? Saint Dane vous a enfermé dans une des pyramides d'Utopias ?

Gunny allait répondre lorsque j'ai entendu un grondement. On aurait dit un bref tremblement de terre. Sauf que ce n'était pas ça. Nos dix minutes étaient écoulées. Le grondement s'est multiplié. La dynamite avait explosé. On ne pourrait jamais s'en sortir à temps. Le barrage allait s'effondrer, et Gunny et moi étions toujours dessus.

Journal n° 15
(suite)

VEELOX

— Qu'est-ce qui se passe ? a demandé Gunny, les yeux écarquillés de terreur.

— Le barrage explose, ai-je dit. Saint Dane l'a bourré de dynamite.

J'ai entrevu mon cheval qui s'était libéré et s'enfuyait, pris de panique. Pas bête. Il savait ce qui allait se passer.

— Fiche-moi le camp, a dit Gunny.

J'aurais bien voulu le contredire. Sortir une phrase héroïque, du genre « on s'en sort tous les deux ou pas du tout ! » ou quelque chose comme ça. Mais en vérité, je n'avais pas le temps. La dynamite déchirait le barrage comme du papier de soie. Le sol a tremblé et des morceaux de plafond se sont abattus. Dans quelques secondes, tout serait fini, et nous aussi.

— Va-t'en, Pendragon, a imploré Gunny.

Trop tard. Il n'y avait plus qu'un seul moyen d'échapper à l'écroulement du barrage. J'ai tendu le bras et tiré sur ma manche pour dévoiler le bracelet à trois boutons. Celui de droite était censé mettre fin au saut. Il n'avait pas marché la dernière fois, mais je ne voyais pas d'autre solution. J'ai donc appuyé dessus et prié très fort.

La hutte a tremblé. Tout allait s'écrouler.

— Au revoir, fiston, a dit Gunny.

Fondu au noir.

Je me suis redressé en sursaut et me suis cogné la tête.

— Aïe !

J'étais complètement désorienté. Et j'avais mal au crâne. Que s'était-il passé ? J'ai tout de suite eu la réponse. Dans un léger bourdonnement, le disque argenté qui scellait le tube d'immersion s'est ouvert, inondant de lumière l'intérieur de mon petit cocon. J'étais de retour dans Utopias ! La table a coulissé pour me ramener dans le cabinet du noyau Alpha. Mon bracelet avait fonctionné. Il avait mis fin à mon immersion. J'ai regardé sur ma gauche. Loor était là, elle aussi ! Sa propre table venait de coulisser et, visiblement, elle était indemne.

– Qu'est-ce qui s'est passé, Pendragon ? a-t-elle demandé. Je tirais sur Saint Dane et soudain tout est devenu noir.

Elle était hors d'haleine et ouvrait de grands yeux. C'était la première fois que je la voyais perdre son sang-froid. Mais qui pourrait l'en blâmer ?

– J'ai mis fin à l'immersion, ai-je répondu. Ça va ?

– Je suis déboussolée, pas blessée. Tu as trouvé le Dr Zetlin ?

J'ai regardé le tube du milieu. Il était fermé. Zetlin était toujours là-dedans.

– Non. Quelque chose ne va pas.

J'ai sauté de ma table et ai couru hors de la cellule.

– Aja ? Qu'est-ce qui est arrivé ?

Elle n'était pas là. Son fauteuil était vide. Mais les écrans montraient encore des images de notre immersion. Sur l'un d'entre eux, j'ai assisté à un spectacle terrifiant. C'était une vue du barrage en train de s'écrouler. Les explosions avaient fragilisé la structure de pierre et des millions de litres d'eau s'échappaient des fissures. Puis il s'est écroulé comme un château de sable. J'ai vu la petite hutte disparaître dans ce maelström d'eau et de pierre.

– Gunny, ai-je dit.

L'écran est redevenu opaque. L'immersion était terminée.

– Qu'est-ce qui s'est passé ? Où est Aja ?

Loor se tenait là, derrière moi.

– Je n'en sais rien.

Nous avons quitté le noyau Alpha pour partir à la recherche d'Aja. Où était-elle ? Et pourquoi avait-elle abandonné ses commandes au beau milieu de l'immersion ? Bien sûr, j'ai tout de suite envisagé le pire. Avait-elle été aspirée dans notre immersion, et lui était-il arrivé malheur ? Plus étrange encore, comment Gunny avait-il pu échouer dans le rêve du Dr Zetlin ? Pire, s'il était bien présent dans cette histoire de fous, avait-il été entraîné dans l'effondrement du barrage ? Que de questions sans réponses ! Mais avant tout, il fallait retrouver Aja.

On a parcouru le noyau pour constater qu'il était bien tel qu'on l'avait laissé. Les moniteurs brillaient d'une lueur verte et il n'y avait ni veddeur, ni phadeur en vue. Ni d'Aja, d'ailleurs. On a quitté le couloir de verre pour retourner au comptoir où on nous avait installé nos bracelets. Le veddeur goth était toujours là, avec son air de s'enquiquiner ferme.

— Vous avez vu Aja ? lui ai-je demandé.

— Aja est partie il y a déjà un bout de temps. Elle avait l'air pressée. Elle m'a demandé de vous dire qu'elle rentrait chez elle.

— Chez elle ? Mais le réseau est suspendu !

— Hé, je n'y peux rien. Je ne suis qu'un veddeur.

Ça ne collait pas. Que pouvait-il y avoir de si important pour qu'elle nous abandonne en pleine immersion ? J'ai regardé Loor dans l'espoir qu'elle me donne une réponse… mais elle examinait le portrait représentant Zeltin jeune.

— Il faut le retrouver, a-t-elle déclaré.

— Ouais, je sais. Mais on ne peut le faire sans Aja. Viens.

On allait partir lorsque le veddeur nous a rappelés. On s'est tournés vers lui : il a indiqué son poignet. Ah, oui. On portait toujours nos bracelets. Loor et moi nous sommes empressés de les dégrafer et les poser sur le comptoir.

— Merci, a dit le veddeur. C'est ce qui était écrit.

Je lui ai jeté un regard surpris.

— Pourquoi avez-vous dit ça ?

Il s'est contenté de hausser les épaules.

— Comme ça, c'est tout, a-t-il répondu, et il m'a souri.

Bizarre autant qu'étrange.

— Allons-y, ai-je dit à Loor.

J'étais à la fois déboussolé, effrayé et furieux. Comment Aja avait-elle pu nous abandonner ? Loor et moi avons sauté sur un des tricycles à pédales et nous sommes dirigés à toute allure vers le manoir où Aja s'était installée.

— J'ai du mal à comprendre ce qui se passe, Pendragon, a dit Loor.

— Oui, moi aussi, ai-je répondu avec honnêteté. Rien n'est tel qu'il devrait l'être. Mais je suis sûr que si Aja est rentrée chez elle, c'est qu'elle avait de bonnes raisons. Alors inutile de se creuser les méninges. Quand on l'aura retrouvée, tout sera plus clair.

On a continué à pédaler en silence. Les rues désertes de Rubic semblaient encore plus angoissantes qu'avant. C'était une ville fantôme au cœur d'un territoire fantôme, et on ne faisait pas grand-chose pour changer cet état de fait.

Une fois arrivés au manoir, on a grimpé quatre à quatre l'escalier de marbre. J'avais envie d'enfoncer la porte en hurlant le nom d'Aja, mais ça n'aurait pas été correct. C'était aussi la maison d'Évangeline. J'ai donc attrapé le heurtoir et ai frappé plusieurs fois. Quelques interminables secondes plus tard, la porte s'est ouverte. C'était Évangeline. Lorsqu'elle m'a vu, un sourire a illuminé son visage.

— Pendragon ! Quelle bonne surprise ! Et qui est cette jeune femme ?

— Mon amie Loor. C'est une Voyageuse, elle aussi. Où est Aja ?

— Une autre Voyageuse ? Formidable ! Vous arrivez juste à temps pour le dîner !

Elle a fait un pas en arrière pour nous laisser entrer.

— Évangeline, ai-je insisté, il faut qu'on voie Aja.

— Mais vous avez bien le temps de prendre un bol de gloïde, a-t-elle répondu gentiment. Ce soir, il y a du bleu. C'est bien ton préféré, non ?

Ben voyons.

— Où est Aja ? a demandé Loor.

Elle se moquait des convenances, elle.

— Pas ici en tout cas, a répondu Évangeline. Venez dans la cuisine.

Elle s'est retournée et est partie le long du couloir.

— Si Aja n'est pas chez elle, a dit Loor, où peut-elle bien être passée ?

– Je n'en sais rien.

On a suivi Évangeline vers la cuisine, à l'autre bout de la maison. Je n'avais aucune envie de me farcir ce gloïde bleu, mais il fallait qu'on retrouve Aja. Lorsque nous avons passé la porte de la cuisine, Loor et moi nous sommes figés sur place. Ce qui se déroulait sous nos yeux était impossible, et pourtant…

Évangeline versait de grandes louches de gloïde bleu dans des bols blancs. Mais ce n'est pas ça qui nous a choqués.

– Asseyez-vous, tous les deux, nous a-t-elle dit. Il y a bien assez de place.

Loor et moi n'avons pas bougé. Car il y avait déjà deux convives attablés. C'était incroyable, et pourtant, ils étaient bien là, à enfourner de grandes cuillérées de gloïde. Les deux cow-boys du ravin. Ceux qu'on avait rencontrés dans le rêve de Zetlin.

– Salut, les enfants ! a lancé l'un d'eux. Vous êtes venus nous rendre nos chevaux ?

– C'est gentil d'avoir fait un tel détour ! a renchéri l'autre, puis il s'est tourné vers Évangeline : M'dame, c'est vraiment délicieux !

– Merci, a-t-elle répondu en rougissant.

Non, mais qu'est-ce qui se passait ici ?

– Tu sens cette odeur ? a demandé Loor.

D'abord, j'ai cru qu'elle parlait du gloïde, mais j'ai inspiré profondément. En effet, il y avait un relent de brûlé.

– Évangeline ? Vous avez quelque chose sur le feu ?

Avant qu'elle ait pu répondre, une porte s'est ouverte à l'autre bout de la cuisine.

– Gunny !

Eh oui, c'était bien Gunny Van Dyke, vêtu de son plus bel uniforme du Manhattan Tower Hotel.

– Salut, fiston ! a-t-il dit. Je vois que tu t'es sorti à temps de ce barrage. Tu me présentes ton amie ?

J'étais comme figé. Mon cerveau refusait tout en bloc. C'était trop bizarre.

– Je… vous présente… Loor, ai-je dit d'une voix atone.

– La fille d'Osa ? s'est exclamé Gunny. Très honoré.

Gunny a tendu la main par-dessus la table pour serrer celle de Loor. Qui l'a serrée en retour. Elle avait l'air tout aussi abasourdie que moi.

C'est alors qu'a retenti un coup de feu.

Le sourire de Gunny s'est figé sur son visage. Il a chancelé, puis est tombé la tête la première sur la table. Quelqu'un l'avait abattu comme un chien. Les deux cow-boys ont plongé sous la table. Évangeline a poussé un grand cri et s'est blottie derrière le plan de travail. J'ai regardé l'autre côté de la pièce, d'où venait le coup de feu.

Là, dans l'embrasure de la porte, se tenait Saint Dane. Il portait toujours sa tenue de pistolero noire et tenait dans sa main un six-coups encore fumant.

– Tu as triché, Pendragon, s'est-il exclamé. Ce n'est pas bien. Maintenant, il va falloir payer.

Derrière lui sont entrés les desperados, brandissant tous leurs armes.

J'étais sous le choc et complètement paralysé. Tout se passait trop vite, alors que ça n'aurait jamais dû arriver. C'était impossible. Je n'avais pas la moindre idée de ce que je devais faire.

Heureusement, Loor était plus vive que moi.

Elle a empoigné le rebord de la table de cuisine et l'a renversée. Des couverts et du gloïde ont jailli de tous côtés. C'est alors que les desperados ont ouvert le feu. Les balles ont frappé la table et l'ont mise en pièces. Mais la présence d'esprit de Loor nous avait sauvés. Du moins pour l'instant.

– Filons d'ici ! ai-je crié, et on s'est précipités vers la porte du grand hall.

D'autres coups de feu ont retenti, d'autres balles ont achevé de dévaster la cuisine. Une salve nous a ratés de peu, mais n'a atteint que le mur. À peine avions-nous passé la porte qu'on a compris d'où provenait cette odeur de brûlé.

Le manoir était en feu.

Comme si ça ne suffisait pas, le hall du rez-de-chaussée était rempli de chevaux. Non, je ne délire pas. J'ai eu l'impression d'être revenu au milieu de la meute affolée de l'étable – mais c'était bien pire, parce que les flammes et la fumée qui s'échappaient des salles bordant le hall les rendaient fous de terreur. Loor m'a dépassé, m'entraînant derrière elle tout en se frayant un passage au milieu des bêtes épouvantées. En fait, elle a carrément repoussé celles qui se dressaient sur son chemin. Heureusement qu'elle était avec moi, sinon, je me serais probablement fait piétiner.

On a réussi à gagner la grande porte de devant, mais les flammes l'enveloppaient déjà.

– L'escalier ! ai-je crié.

On a grimpé les grandes marches pour déboucher au premier. Avec un peu de chance, on pourrait passer à l'arrière de la maison et sortir par une fenêtre avant de nous faire piétiner, carboniser ou revolveriser.

– Qu'est-ce qui se passe ? m'a demandé Loor sans cesser de courir.

– Parce que tu crois que je le sais ? ai-je rétorqué. Moi non plus, je n'y comprends rien !

On a atteint le palier et continué le long du couloir, visant la fenêtre qui s'ouvrait à l'autre bout. On allait l'atteindre lorsque les vitres ont volé en éclats. Loor et moi avons plongé à terre sous une pluie de fragments de verre. Les desperados de Saint Dane étaient sortis du manoir et nous attendaient là-dehors.

On était pris au piège.

Une autre balle a fracassé un tableau suspendu juste au-dessus de ma tête. On s'est retournés comme un seul homme. Saint Dane était là, sur le palier, se découpant sur les flammes, brandissant ses six-coups tel un prêcheur de l'apocalypse.

– Ton temps est presque écoulé, fiston, a-t-il dit avec une joie malsaine. Que vas-tu faire maintenant ?

J'ai poussé Loor dans une des chambres et ai claqué la porte. Ce n'est pas comme ça qu'on se tirerait d'affaire, mais au moins, ça nous laissait quelques secondes pour réfléchir.

– Ce n'est pas possible, a fait Loor.

Maintenant que le choc était passé, mon cerveau se remettait à fonctionner. Une idée venait de germer. Elle était née lorsque nous avions vu les deux cow-boys à la table d'Évangeline et chaque nouvelle catastrophe renforçait ma théorie.

– Il n'y a qu'une seule explication, ai-je dit.

J'ai levé le bras et regardé sous la manche de ma chemise pour constater que… j'avais raison.

Je portais toujours mon bracelet argenté. Loor fit comme moi. Elle aussi avait le sien.

– Mais on les a retirés en sortant de cette pyramide, a-t-elle dit, complètement perdue.

– C'est ce qu'on croyait, ai-je répondu. Mais c'est parce qu'on ne savait pas la vérité.

– Qui est ?

– On est toujours en immersion. Tout ça fait partie du rêve.

Crac !

Une balle a traversé la porte. Saint Dane avait frappé à sa façon. J'ai entraîné Loor et on s'est blottis derrière les lits.

– Pourquoi est-ce qu'on ne les a pas vus plus tôt ? a-t-elle demandé.

– Parce qu'on croyait être sortis de l'immersion, ai-je répondu. C'est comme ça que ça marche : si tu te laisses porter par le rêve, tu ne vois pas les bracelets. Mais dès que j'ai réalisé qu'on était toujours en pleine immersion, ils ont réapparu.

Crac ! Crac !

Deux autres balles ont fracassé le bois de la porte.

– Allez, sortez donc de votre cachette ! a fait Saint Dane d'une voix moqueuse depuis le couloir.

– Alors rien de tout ça n'est vrai ? a demandé Loor.

– C'est bien trop réel à mon goût. Il est temps d'aller se faire voir ailleurs.

J'ai regardé le bracelet de contrôle et ses trois boutons. Celui de droite était censé nous ramener dans la réalité, mais manifestement, il ne fonctionnait pas. Celui du milieu devait changer la direction que prenait le rêve, mais la dernière fois que je m'en étais servi, on avait bien failli se faire dévorer par les quigs. Il ne restait plus que celui de gauche. J'ai donc appuyé dessus.

Il s'est mis à émettre une lueur blanche, puis…

– C'est pas trop tôt !

Loor et moi avons levé les yeux. Aja se tenait là, devant nous.

– Je commençais à croire que vous ne devineriez jamais !

– Qu'est-ce qui s'est passé ? ai-je demandé.

– Vous n'avez jamais plongé dans le rêve de Zetlin, a-t-elle répondu. Ce doit être un effet de Réalité détournée. Je l'ai compris au moment même où je vous insérais dans le système, mais je ne pouvais rien faire, pas tant que vous n'aviez pas compris ce qui se passait et demandé mon intervention.

– Tu es vraiment là ? ai-je demandé.

– Non, ce n'est que mon image. En réalité, je suis toujours dans le noyau Alpha.

Soudain, la porte d'un placard s'est ouverte et un jet de flammes s'en est échappé. L'incendie avait atteint le premier étage. On était cuits.

– Alors, ça chauffe ? a raillé Saint Dane depuis le couloir.

– Sors-nous de là ! ai-je crié à Aja.

– C'est trop dangereux.

– Dangereux ? ai-je rétorqué. Parce que là, on n'est pas en danger, peut-être ?

– Si je vous sors de cette immersion, je risque de ne plus pouvoir vous y faire rentrer. Réalité détournée lutte pour prendre le contrôle du rêve de Zetlin. Je ne sais pas combien de temps je vais pouvoir le contenir, et il faut absolument trouver Zetlin !

– Aja, a dit Loor d'un ton très calme, si nous ne sortons pas d'ici, nous ne vivrons pas assez longtemps pour retrouver qui que ce soit.

– Je sais. Pendragon, appuie sur le bouton du milieu.

– Quoi ? La dernière fois...

– Je sais ce qui est arrivé la dernière fois, a-t-elle coupé. Mais pendant que tu jouais les cow-boys, j'ai programmé un lien.

– Un lien ?

Soudain, la porte de la chambre s'est ouverte dans un grand fracas, et Saint Dane est entré d'un pas conquérant.

– C'est le moment de régler nos comptes, coyotes ! s'est-il écrié.

Et il a levé ses six-coups, prêt à ouvrir le feu.

– Presse le bouton ! a crié Aja.

C'est ce que j'ai fait.

Saint Dane a tiré de ses deux armes à la fois. J'ai entendu les détonations, vu les flammes des canons, mais je n'ai rien senti du tout, parce qu'une nanoseconde plus tard, tout est devenu noir.

Journal n° 15
(suite)

VEELOX

Un instant, j'ai cru me retrouver dans une immense passoire. Où que se portait mon regard, je voyais de petits trous ronds. Un instant, j'ai eu peur de me retrouver dans une immense cuisine de rêve. Je m'attendais presque à ce qu'on me balance des feuilles de laitue sur le râble.

Mais ça ne rimait à rien. Et pourtant, il y avait trop de trous pour qu'ils soient dus aux six-coups de Saint Dane. Alors où étais-je ?

En y regardant de plus près, ce n'étaient pas non plus des trous. C'étaient de petites gouttes d'eau de la taille d'un petit pois. Il y en avait des millions, non, des milliards suspendues dans le vide, partout. J'ai levé la main et l'ai lentement passée devant mon visage. Mes doigts ont senti l'humidité. Plus étrange encore, ma main a tracé un sillon dans les gouttes, comme lorsqu'on essuie une vitre embuée.

– Où sommes-nous, Pendragon ? a demandé Loor.

Elle était là, à côté de moi, et faisait exactement la même chose. Elle a fait un pas en avant, et tout son corps a creusé un sillon au milieu des gouttes. Au fur et à mesure qu'elle avançait, sa combinaison devenait de plus en plus humide.

Parce que oui, on portait toujours nos combinaisons.

– Je n'en sais rien, ai-je répondu.

J'en avais marre de toujours répéter la même chose. J'ai regardé autour de moi afin de m'orienter, mais n'ai pas vu grand-chose. On se serait cru dans un nuage de brouillard blanchâtre. Le sol sur lequel on se tenait était pavé comme un trottoir, mais on n'y voyait guère plus loin qu'un mètre.

– Qu'est-ce que c'est que ça ? a demandé Loor en désignant quelque chose.

J'ai distingué une vague silhouette non loin de nous. Comme elle ne bougeait pas et n'avait pas l'air menaçante, je me suis dirigé vers elle, non sans faire attention où je mettais les pieds. L'eau s'est accrochée à ma combinaison et l'a détrempée. Drôle de sensation. Au fur et à mesure que je m'en rapprochais, la silhouette est devenue plus distincte. Lorsque j'ai vu ce que c'était, j'ai retenu mon souffle.

C'était un homme vêtu d'une combinaison verte, comme les nôtres. Il avait l'âge de mon père et semblait tout à fait normal – sauf qu'il était comme pétrifié sur place. Ce type ne bougeait littéralement pas d'un poil. On aurait dit qu'il faisait un pas en avant tout en regardant derrière lui en agitant la main lorsqu'on avait appuyé sur le bouton « pause » de son existence.

J'ai regardé à qui il faisait signe pour voir deux autres personnes à quelques mètres derrière lui. C'était une femme qui donnait la main à une petite fille. Elles semblaient se presser pour rattraper l'homme, sauf qu'elles aussi étaient figées sur place. On aurait dit des statues dans un musée de cire. Plus dérangeant que ça, tu meurs.

– Qu'est-ce qu'ils ont ? a demandé Loor.

Une idée m'a chatouillé l'arrière du cerveau. J'ai regardé les milliards de gouttes suspendues entre ciel et terre.

– De la pluie. Toutes ces gouttelettes d'eau. C'est un orage.

– Comment est-ce possible ?

– Je ne sais pas, ai-je répondu en passant à nouveau ma main au milieu des gouttes en suspension. Mais je crois que dans ce rêve d'Utopias, le temps est suspendu.

J'ai regardé de plus près la famille pétrifiée. Ils n'avaient rien. Leurs yeux étaient limpides, leur peau normale. Et de près, on voyait clairement que ce n'était pas des statues de cire, mais bien des êtres humains. Je me suis même enhardi jusqu'à toucher la main de l'homme.

— Elle est chaude, ai-je dit. Pour ce type, le temps est suspendu. Tout comme la pluie et le brouillard blanc. C'est comme si… tout s'était arrêté.

Loor a fait quelque pas en direction de la femme et de l'enfant. Elle voulait y voir de plus près. Moi aussi. Je l'ai suivie à travers le rideau liquide jusqu'au point où la brume se dissipait.

— Regarde ! s'est exclamée Loor.

Une fois sortis du nuage de brouillard, ou de brume, ou de je ne sais quoi, on a pu voir ce qui nous entourait. Pas très loin, car l'espace dégagé n'était guère plus grand qu'une place publique, mais j'en voyais assez pour me faire une idée de ce qu'était cet endroit. Et on aurait dit un cauchemar surréaliste.

C'était bien une rue, mais dans une ville telle que je n'en avais jamais vu. Les bâtiments étaient d'un noir de jais et semblaient faits du même matériau luisant qui couvrait la pyramide géante d'Utopias.

Ce coin était assez fréquenté, enfin si l'on peut dire, puisque tous les passants étaient tout aussi immobiles que la famille que nous avions croisée. J'ai vu des gens d'âges et de races différents, mais tous vêtus de combinaisons vertes. Les trottoirs étaient bondés. Certains traversaient la rue, d'autres pédalaient sur des tricycles semblables à ceux de Rubic. Sauf que Rubic était déserte et que cette ville-là grouillait de vie.

De « vie » ? Ce n'était pas le bon terme. J'avais plutôt l'impression de me retrouver au cœur d'un environnement en trois dimensions.

C'est alors qu'une voix a retenti derrière nous :

— C'est incroyable !

Loor et moi avons sursauté, puis nous sommes retournés. C'était Aja. Elle regardait autour d'elle avec la même stupeur que nous.

— Alors voilà à quoi ressemble le rêve d'un génie, a-t-elle dit. Ce n'est pas vraiment le paradis, non ?

— C'est vraiment ça ? ai-je demandé. On est dans le monde imaginaire de Zetlin ?

Aja a jeté un œil à son bracelet.

— Oui, le lien a fonctionné. Il reste encore à trouver le docteur.

– Que s'est-il passé avant qu'on arrive ici ? a demandé Loor. Quel était cet autre endroit ?

– C'était Réalité détournée. Je le combats sans arrêt. À chaque fois que j'entre une série de commandes, il cherche à les contourner. Au lieu de vous envoyer dans le rêve de Zetlin, Utopias s'est inspiré de toi, Pendragon. Tout ce qui s'est passé a été extirpé de ton esprit.

Loor m'a jeté un regard troublé. Pour elle, tout ça ne rimait à rien. Or ce monde de western, le troupeau en folie, Saint Dane, Gunny, tout provenait de mon propre cerveau. Voilà pourquoi ce n'était pas un rêve issu du passé de Veelox, mais un bon vieux western bien de chez nous.

– Alors Saint Dane n'était pas vraiment à nos trousses ? a demandé Loor.

– Exact. Il faisait partie de l'immersion.

– Mais maintenant, ai-je insisté, nous sommes bien dans le rêve de Zetlin ?

– Oui, a affirmé Aja. Désolée du retard.

– Tu es avec nous, Aja ?

– Non. Je suis toujours dans le noyau.

Elle a passé sa main au milieu des gouttes d'eau, mais n'a pas laissé de sillon comme nous l'avions fait. Ce n'était que l'image d'Aja. Loor, curieuse, s'est avancée et a cherché à la toucher. Sa main est passée à travers la poitrine d'Aja. Loor s'est vite reculée. Elle venait de toucher un fantôme, en quelque sorte.

– Ne t'en fais pas, lui ai-je dit. Tout va bien.

– Pendragon, a répondu Loor d'une voix vibrante de nervosité, je veux trouver Zetlin et partir d'ici le plus vite possible.

– Ouais, moi aussi. Mais je ne sais par où commencer.

– Quand le Dr Zetlin a plongé dans Utopias, a dit Aja, il ne voulait pas qu'on vienne le déranger. Il n'était pas question que des gens de Veelox s'introduisent dans son rêve et viennent lui casser les pieds.

– Et c'est précisément ce que nous faisons, ai-je remarqué.

– Oui, a continué Aja, mais cet homme est un génie. Il savait qu'en cas d'urgence, on serait bien obligés de le contacter.

– Si ce n'est pas une urgence, je ne sais pas ce que c'est.

Aja nous a montré une petite boîte de plastique bleu de la taille d'une disquette d'ordinateur.

– Zetlin a laissé un gadget comme celui-ci pour chaque phadeur en chef, a-t-elle expliqué. C'est déjà difficile de s'introduire dans son rêve, mais le contrôler est une autre paire de manches. Voilà les codes nécessaires.

– Et qu'est-ce qui se passe lorsqu'on les utilise ?

– Je n'en sais rien, a répondu Aja, mais on ne va pas tarder à le savoir.

Elle a ouvert la boîte de plastique, révélant un petit carré argenté. Aja l'a retiré et examiné.

– Il y en a deux, a-t-elle annoncé.

– Je suppose qu'aucun des deux n'est le code d'origine ? ai-je demandé, plein d'espoir.

– J'aimerais bien. Je vais essayer le premier.

Elle a levé son bracelet et y a tapé la série d'instructions inscrite sur le carré de métal. Ce code devait être complexe, parce qu'elle a pianoté pendant plusieurs secondes. Puis, au dernier chiffre…

Il s'est mis à pleuvoir.

Les gouttes suspendues entre ciel et terre sont tombées et nous ont trempés jusqu'aux os. Au loin, le tonnerre a grondé.

– Attention ! a crié quelqu'un.

Loor m'a attirée en arrière. Un tricycle à pédales avait bien failli me rentrer dedans.

– Faites gaffe, les enfants, a dit son conducteur avec un geste amical. Il y a de la circulation aujourd'hui.

Sans blague. J'ai regardé autour de moi pour voir que le tableau s'était animé. Les passants marchaient dans des flaques et couraient se mettre à l'abri. La femme et la petite fille avaient rattrapé l'homme. Il ont pris la fillette par la main et continué leur chemin. Le brouillard était en mouvement, lui aussi. Il descendait la rue, poussé par le vent.

– Fascinant ! a dit Aja.

– Ne restons pas en pleine rue, ai-je conseillé.

Nous sommes montés sur le trottoir pour nous mettre sous un auvent protégeant l'entrée d'un bâtiment.

Et on est restés là, à regarder s'animer la ville que le Dr Zetlin avait créée.

— Je n'y comprends rien, ai-je dit. Ce génie a la possibilité de vivre dans n'importe quel paradis, et il choisit une ville grise et pluvieuse aux immeubles noirs ? Il est peut-être intelligent, mais il manque sacrément d'imagination.

Je me suis mis devant un type qui s'apprêtait à entrer dans le bâtiment devant lequel on s'abritait.

— Excusez-moi, vous connaissez le Dr Zetlin ?

Il m'a regardé bizarrement.

— C'est une blague ?

J'ai regardé Aja, qui a haussé les épaules.

— Non. Savez-vous où on peut le trouver ?

Il a secoué la tête, incrédule.

— Au Barbican, bien sûr. Où voulez-vous qu'il soit ?

— Au Barbican, ai-je répété. D'accord. C'est où ?

Il a secoué à nouveau la tête comme s'il avait affaire à un débile. Il a reniflé et est entré dans le bâtiment sans répondre.

— Je suppose qu'ici, tout le monde est censé savoir où il se trouve, a remarqué Aja.

— Ouais, tout le monde, sauf nous, ai-je répondu. C'est quoi, un Barbican ?

— Pendragon ? a fait Loor d'une voix basse.

Elle est passée sur le trottoir et a regardé la rue d'un air déboussolé.

— Je ne sais pas ce qu'est un Barbican, mais si tu veux mon avis, je dirais que c'est ça.

Aja et moi nous sommes tournés pour voir ce qu'elle désignait. Et ce que nous avons découvert défiait l'imagination.

La pluie avait cessé. L'orage continuait son chemin et la brume se dissipait. On pouvait voir plus loin. De chaque côté de la rue s'alignaient des bâtiments de taille et de forme différentes, tous faits du même matériau d'un noir luisant. Alors que le brouillard se levait, la population nous apparaissait. Tout le monde portait cette même combinaison vert foncé et vaquait à ses occupations. C'était une ville bien sinistre. Mais ce qu'il y avait tout au bout de la rue ne l'était pas vraiment.

C'était aussi un immeuble noir. En fait, c'était plutôt un gratte-ciel. À vue de nez, il devait faire dans les quatre-vingts étages. Il était bien plus grand que tous les autres. Mais ce n'était pas sa taille qui était le plus remarquable. C'est qu'il flottait dans le vide !

En fait, il ne flottait pas vraiment. Une sorte d'immense entretoise triangulaire le maintenait en place. Comme une sorte d'arche, avec un immense bâtiment horizontal fixé à son sommet. On aurait dit une bascule géante.

On est restés là, à fixer l'immense structure. Nul ne savait que dire. Aja fut la première à réagir. Sans un mot, elle s'est mise en marche le long du trottoir. On aurait dit que cet étrange bâtiment l'attirait. J'ai jeté un coup d'œil à Loor et nous l'avons suivie, comme dans un songe. Lorsqu'on est arrivés devant, on devait avoir parcouru plus d'un kilomètre.

Alors qu'on se tenait sous la monumentale structure, les nuages se sont dissipés et un rayon de soleil a frappé le flanc du gratte-ciel suspendu, faisant luire sa surface noire.

Loor a fini par rompre le silence :

— Comment va-t-on y rentrer ?

— Aja ? ai-je fait. Tu as bien dit qu'il y avait deux codes ?

— Oui.

— Essaie le second.

Aja a haussé les épaules, regardé le carré argenté, puis tapé le second code sur son bracelet.

— Voilà, c'est fait.

Sauf qu'il ne s'est rien passé. J'ai regardé la rue, craignant que ce second code ne fige à nouveau le rêve. Mais les gens ont continué de s'affairer.

— Essaie encore, ai-je dit.

Mais ça n'a pas été nécessaire. D'abord, on a entendu un bruit, un grand grincement métallique à vous percer les oreilles. On aurait dit de vastes pièces de métal en mouvement raclant l'une contre l'autre. Et c'était exactement ça.

— Il bouge ! s'est écriée Loor.

On a tous levé les yeux pour voir que l'énorme bâtiment pivotait sur son axe comme une monstrueuse grande roue. J'ai regardé le sol sous l'entretoise révéler les contours d'un vaste carré.

– C'est son socle ! ai-je crié. Le bâtiment se redresse !

En effet, il revenait peu à peu à la verticale. L'ennui, c'est que nous nous tenions en plein dans le carré gigantesque.

– En arrière !

On est partis en courant pour sortir de la zone dangereuse. Le grincement d'outre-tombe a continué alors qu'une des extrémités du bâtiment se rapprochait du sol. Comment quelque chose d'aussi démesuré pouvait-il se déplacer ainsi ? Bon, après tout, on était dans le rêve d'un génie. Dans l'esprit de Zetlin, tout était possible.

Le processus complet a pris une minute. Avec un ultime sifflement pneumatique évoquant les freins d'un énorme camion à la puissance mille, la base de l'immeuble s'est insérée dans le carré dessiné sur le sol. Au moment de l'impact, le sol a tremblé. Lorsqu'on a levé les yeux, on s'est retrouvés face à un gratte-ciel de quatre-vingts étages planté dans le sol. Ses flancs vertigineux étaient luisants de pluie. Il semblait ne pas y avoir la moindre fenêtre. Mais à sa base, comme une puce sur un chien, s'ouvrait une petite porte.

– Hé bé ! ai-je dit. Il ne risque pas d'être dérangé par les représentants !

– Ce doit être l'entrée, a dit Loor en désignant la porte. Suivez-moi.

– Attendez, a répondu Aja. Je dois revenir en arrière.

– Pourquoi ? ai-je demandé.

– À cause de Réalité détournée. Je dois installer des pare-feu pour empêcher le virus d'entrer dans ce rêve. Et pour ça, je dois être dans le noyau Alpha.

– Et si on a besoin de toi ?

– Crois-moi, Pendragon, je vous serai bien plus utile dans le noyau qu'ici. Si Réalité détournée trouve un accès au réseau Alpha…

– Ça va, j'ai compris, l'ai-je interrompue. Pas la peine de me faire un dessin.

Aja a baissé les yeux. Quelque chose la dérangeait.

– Qu'est-ce qu'il y a ? ai-je demandé.

– Je… Je suis désolée, Pendragon, a-t-elle répondu d'une voix douce. Je m'en veux de vous avoir entraînés dans cette histoire, Loor et toi.

— Nous sommes des Voyageurs, Aja. Ne t'en fais pas. Assure-toi que ce virus dément ne vient pas nous casser les pieds, c'est tout ce qu'on te demande !

Aja a acquiescé. Puis elle a tendu la main vers moi. Je crois qu'elle voulait que je la serre. J'ai regardé dans ses yeux et ai cru y lire… de la compassion ? Alors elle ne se fichait pas complètement de moi ? Il n'y a pas si longtemps, elle voulait m'envoyer au diable vauvert. Elle craignait que je ne lui vole son moment de vérité. J'imagine qu'avoir vu la mort de près une ou deux fois peut vous changer un homme. Ou une femme.

— Je crois sincèrement que c'était écrit, a dit Aja.

J'ai tendu la main, mais mes doigts sont passés à travers les siens. Après tout, ce n'était qu'une image.

— Bonne chance à vous deux, a-t-elle dit avec chaleur. Je serai là pour vous assister.

Puis elle a disparu dans une onde de lumière.

Je suis resté là comme un débile, la main tendue.

— Tu sais, je crois qu'elle t'aime bien, a dit Loor.

Je me suis empressé de fourrer ma main dans ma poche. À vrai dire, j'étais gêné. Je ne voulais pas que Loor croie qu'il y avait quelque chose entre Aja et moi, parce que ça n'était pas vrai.

— Quand tu rédigeras ton journal pour l'envoyer à Courtney Chetwynde, a-t-elle insisté, vas-tu omettre ce petit épisode ?

Incroyable. Voilà que Loor se moquait de moi !

— Il n'y a rien à cacher, ai-je affirmé, mais avec une telle véhémence qu'elle ne m'a pas cru.

— Très bien. Tu n'es pas obligé de me convaincre.

— Alors, on peut y aller ?

Loor a regardé le vertigineux gratte-ciel.

— Il est quelque part là-dedans.

— Ouais, ai-je répondu. Allons le chercher.

On s'est dirigés vers la petite porte qui nous mènerait dans l'univers imaginaire né de l'esprit brillant du Dr Zetlin, génie.

Le créateur d'Utopias.

Journal n° 15
(suite)

VEELOX

On est entrés dans une jungle.

Au sens le plus littéral du terme. C'était une vraie forêt amazonienne, avec des palmiers, une végétation dense et des moustiques. Le sol sous nos pieds se composait de terre noire et molle. Il devait bien faire dans les 40 °C. L'air était si humide que ma combinaison collait déjà à ma peau. Dans le lointain, je jure avoir entendu le grondement d'une chute d'eau.

– Comment est-ce possible, Pendragon ? a demandé Loor, une fois de plus.

J'ai regardé la porte noire que nous venions de franchir. Pas de doute, on se trouvait bien dans cet étrange bâtiment qu'on appelait le Barbican, même si on avait plutôt l'impression d'être à l'air libre. J'ai levé les yeux en m'attendant à voir un plafond, mais n'ai rien distingué, que du noir. J'aurais presque cru voir des étoiles, mais c'était impossible. Cela dit, dans le rêve d'un inventeur de génie, y a-t-il encore quoi que ce soit d'impossible ?

– On est dans le monde de Zetlin, ai-je répondu. Il faut s'attendre à tout.

Un sentier étroit sinuait au milieu de l'épaisse végétation. C'était le seul chemin praticable. Passant devant moi, Loor a pris la tête et s'est avancée fièrement vers l'inconnu. Ça m'a rappelé la façon dont elle avait ouvert la marche dans les galeries de mines de Denduron. Sauf que cette fois, on ne savait pas ce qui nous attendait.

Loor marchait d'un pas vif, repoussant les lourdes branches qui s'interposaient sur le chemin. J'ai dû rester à quelques pas de distance pour ne pas me les prendre sur le râble lorsqu'elles se redressaient.

Soudain, elle s'est arrêtée net.

– Qu'est-ce que c'est que ça ?

J'avais aussi entendu. On aurait dit qu'on marchait dans les taillis, mais ceux-ci étaient si denses qu'il était impossible de distinguer quoi que ce soit. Pourvu que celui ou ce qui se cachait là-dessous ne puisse pas nous voir non plus. On est restés là, à tendre l'oreille, mais on n'a rien entendu, que le plic-ploc de l'eau dégoulinant le long des grandes feuilles.

– Continuons, ai-je suggéré.

Loor s'est remise en marche.

– Qu'est-ce qu'on cherche ? a-t-elle jeté par-dessus son épaule.

– Je n'en ai pas la moindre idée, mais je suis sûr qu'on le saura quand on le verra !

Un peu plus tard, le sentier s'est ouvert sur un grand espace découvert qui semblait avoir été dégagé pour permettre d'y installer un campement. Toutes les plantes avaient été taillées pour former un cercle. J'ai pu voir les branches coupées comme par une énorme tronçonneuse. On est allés au centre de la clairière… pour s'arrêter aussitôt en entendant de nouveau un bruissement dans les buissons. On a échangé un regard. Pas de doute, il y avait quelqu'un. Ou quelque chose.

– Docteur Zetlin ? ai-je lancé.

Pas de réponse. Plus de bruissements.

– Qu'est-ce que c'est que cet endroit, Pendragon ? a demandé Loor.

– Il y a des jungles comme celle-ci en Seconde Terre, ai-je répondu. Mais Zetlin ne vient pas de Seconde Terre, si bien que je ne sais pas à quoi m'attendre.

À ce moment précis, quelque chose a jailli des buissons. Ça ressemblait à une longue liane. Mais elle s'est dirigée droit sur nous comme si on l'avait tirée à l'aide d'un canon. Loor et moi nous sommes baissés, et elle nous a ratés de peu. L'extrémité est allée se perdre dans les buissons pour s'enrouler autour d'un tronc, si bien qu'elle est restée tendue au-dessus de la clairière.

241

Avant qu'on n'ait pu réagir, une seconde liane a jailli de la même façon. Sauf que cette fois, elle est passée derrière nous pour s'attacher également à un arbre. Loor et moi étions désormais coincés entre ces deux cordes.

— Est-ce que ça arrive aussi en Seconde Terre ? a demandé Loor.

— Non, et ça ne me dit rien qui vaille. Viens.

On a plongé sous la liane et couru vers l'autre côté de la clairière, là où le sentier continuait. Mais d'autres lianes ont jailli des buissons. Elles arrivaient de plus en plus vite et de toutes les directions – devant, derrière, au-dessus de nos têtes. En quelques secondes, Loor et moi nous sommes retrouvés encerclés par un réseau de lianes tendues à craquer, qui nous bloquaient le passage. Il n'y avait qu'un mot pour décrire ce qu'elles évoquaient.

— Une toile d'araignée, ai-je dit.

D'autres bruissements, plus sonores cette fois-ci, nous sont parvenus des buissons. Ça venait vers nous. Loor et moi nous sommes retournés pour surprendre un mouvement à l'orée de la clairière. Les feuilles s'agitaient à plusieurs endroits.

D'un côté, je mourais d'envie de découvrir ce qui venait vers nous. Mais de l'autre, je n'avais aucune envie de mourir pour le savoir. Si une araignée géante nous attaquait, j'aurais préféré être ailleurs. Loor n'a pas perdu de temps. Elle a plongé vers le bord de la clairière et s'est emparée d'une branche d'un mètre cinquante. Elle avait l'air assez solide pour faire des ravages, surtout dans les mains d'une Loor.

— Je ne sais pas ce que c'est, a-t-elle dit, mais si ça charge, reste derrière moi.

Je crois qu'on s'attendait tous les deux à voir un animal sauvage sortir des buissons. Mais ce qui est arrivé en se tortillant sur le sol ressemblait plutôt à un cactus géant. Sérieux : c'était un genre de plante. En fait, elle était plutôt jolie. Son corps en forme de tube était vert et couvert d'épines. À la place de la tête, il y avait une fleur violette. Et elle était grosse, de la taille d'un ballon. Ses vastes pétales s'ouvraient et se refermaient comme sous l'effet d'une respiration.

Sous nos yeux émerveillés, d'autres plantes semblables sont apparues. Les fleurs, ou ce qui y ressemblait, étaient de couleurs différentes : roses, bleues, violettes et jaunes. On aurait dit qu'elles rampaient dans la clairière pour jeter un œil à leurs visiteurs.

– Elles sont belles, à leur façon, ai-je dit.

Erreur. Comme mues par un signal inaudible, les huit fleurs se sont ouvertes en grand pour cracher leurs lianes ! L'une d'entre elles s'est enroulée autour de mon bras, tailladant ma combinaison. Ce truc était constellé de piquants acérés comme des lames de rasoir ! Je me suis vite enfui alors qu'une autre liane s'enroulait autour de ma cheville et me faisait tomber. Un coup d'œil aux autres plantes m'a appris tout ce que j'avais à savoir. À l'intérieur des fleurs, il y avait des excroissances pointues évoquant des crocs. Ces belles plantes avaient faim, et leur repas venait de s'aventurer dans leur territoire. Au menu : tartare de Voyageurs.

– Loor ! ai-je crié.

Précaution inutile. Elle était déjà passée à l'action. Telle une bûcheronne, elle a martelé de son gourdin la liane qui enserrait mon pied. Celle-ci s'est rétractée, m'arrachant un hurlement de douleur. Je me suis relevé pour voir Loor manier son arme improvisée avec ardeur et repousser les autres lianes que nous balançaient les plantes carnivores.

– Le sentier ! ai-je crié.

Je suis passé derrière elle, ai empoigné l'arrière de sa combinaison et l'ai entraînée. Tout en reculant, elle n'a cessé de repousser les missiles végétaux comme une batteuse de base-ball en folie. Elle n'en a pas raté un seul.

J'ai donné un coup de pied dans la toile d'araignée qui bloquait le chemin. Le réseau était dense, mais pas très solide, parce que j'ai pu le déchirer sans trop de mal. Pendant que je cherchais désespérément à nous frayer un passage, Loor a vaillamment repoussé les lianes. Mais elles étaient trop nombreuses pour qu'elle puisse soutenir un tel rythme. J'ai jeté un bref coup d'œil en arrière : ces plantes carnivores se rapprochaient, prêtes à nous dévorer.

– Filons d'ici ! ai-je crié.

Loor a donné un dernier coup à une liane, puis s'est retournée et s'est mise à courir. On a plongé sous une ouverture dans la toile pour foncer le long de l'étroit sentier. D'autres lianes ont jailli au-dessus de nos têtes pour nous retenir, en vain. Plus on approchait du bord de la clairière, plus elles se faisaient rares. Mais on ne s'est pas arrêtés pour autant. Je craignais qu'on ne fonce vers un autre nid de ces espèces de cactus.

Après quelques minutes de course folle, on s'est permis quelques instants de repos. Heureusement, parce que sinon, mon cœur aurait explosé. Je crois que la terreur nous avait donné des ailes. Je suis resté là, les mains sur les genoux, à inspirer de grandes goulées d'air. Loor, elle, semblait à peine fatiguée. Elle a scruté la jungle, à l'affût du moindre mouvement.

– Là ! s'est-elle exclamée.

– Ne me dis pas que c'est encore un légume affamé ! ai-je grogné.

Mais non. Aussi bizarre que ça puisse paraître, un escalier en spirale s'élevait au beau milieu de la jungle pour disparaître dans le noir. Tout d'abord, je me suis demandé ce qu'un escalier venait faire dans une jungle pleine de prédateurs affamés. Puis j'ai compris.

– C'est vrai qu'on est dans un immeuble. Il doit mener à l'étage supérieur.

– On monte ?

– On n'a pas vraiment le choix.

On a suivi le sentier, Loor en tête, jusqu'à arriver au pied de l'escalier. Un coup de pied a suffi à nous rassurer : ces marches de métal étaient assez solides pour supporter notre poids. Toute la structure étaient envahie par des plantes grimpantes ressemblant aux lianes qui avaient failli nous emprisonner. Je les ai touchées pour voir si elles n'allaient pas nous attaquer sans crier gare, mais il ne s'est rien passé. J'ai fait un pas en arrière pour regarder où débouchait l'escalier, mais son sommet disparaissait dans les ténèbres.

Loor m'a jeté un bref regard, puis s'est mise à grimper. Je l'ai suivie. Au fur et à mesure qu'on montait, on pouvait mieux voir la jungle en contrebas. Elle s'étendait sur une sacrée distance. Mais la végétation était trop dense et trop sombre pour que je puisse distinguer les murs du bâtiment. Du moins je suppose qu'on était toujours dans cet immeuble, ce Barbican. Tout ça ne rimait à rien, mais après tout, c'était un rêve, et il ne fallait pas s'attendre à ce qu'il suive une autre logique que la sienne propre. Ou celle du Dr Zetlin.

Après quelques minutes, on s'est retrouvés dans le noir. La jungle s'étendait toujours en bas – tout en bas. J'en avais des sueurs froides. On était sacrément haut. Je me demandais comment on pourrait sortir d'ici lorsque Loor s'est arrêtée brusquement.

– Ça ne me plaît pas, a-t-elle dit calmement.

– Qu'est-ce qu'il y a ? ai-je demandé, sans être sûr de vouloir le savoir.

J'ai levé les yeux pour voir que nous avions atteint le niveau supérieur. L'escalier se poursuivait, passant à travers un grand trou dans le plafond noir. Loor a passé la main dans ce trou et, lorsqu'elle l'a ramenée, des gouttes d'eau me sont tombées sur la tête. Elle m'a montré sa main. Trempée.

– Je n'y comprends rien, ai-je dit.

J'ai continué mon ascension, passant devant elle. J'ai plongé ma propre main dans le trou pour découvrir qu'il s'agissait en fait d'un cercle d'eau. À peine l'avais-je touché que des ondes concentriques se sont propagées sur sa surface comme si je me trouvais face à une mare inversée. Comment le liquide pouvait-il rester en suspension sans couler par cette ouverture ? Mystère.

– Je commence à croire que ce Dr Zetlin n'aime pas les visites, a remarqué Loor.

– Non, sans blague ? ai-je répondu, sarcastique. Il faut qu'on traverse ce truc.

– Tu oublies que je ne sais pas nager.

Oh. En effet. Aussi incroyable que ça puisse paraître pour une athlète de son niveau, dans l'eau, Loor était une enclume. Zut. Je savais ce que ça signifiait. Mon estomac s'est noué.

– Il faut continuer, ai-je dit avec une assurance que j'étais loin de ressentir. Je vais aller y jeter un œil.

Je n'en avais vraiment aucune envie, mais que pouvais-je faire d'autre ? J'ai vu que Loor avait envie de m'en dissuader, mais elle aussi était consciente qu'il n'y avait pas d'autre solution. Avant de me dégonfler, j'ai fait un pas en avant pour me trouver juste au-dessous du plafond aquatique. J'ai inspiré profondément pour dilater mes poumons, puis ai retenu mon souffle et passé ma tête dans l'eau.

Celle-ci était chaude. Bien. Je m'y suis plongé jusqu'aux épaules et ai tenté de jeter un œil autour de moi. Il n'y avait pas grand-chose à voir, sans doute parce que l'eau brouillait ma vision. J'aurais bien voulu avoir un casque respiratoire de Cloral sous la main ! Mais je n'ai rien distingué dans toute cette obscurité.

Et pourtant, en levant les yeux, j'ai vu de la lumière au-dessus de moi. J'ai fait un pas en arrière pour retomber sur l'escalier. Ma tête et mes épaules étaient trempées, mais très peu d'eau s'était écoulée du bassin. Incroyable.

– C'est une grande mare, ai-je dit. Le trou débouche sur son lit. Impossible de dire à quelle distance est la surface.

On s'est regardés, Loor et moi. On savait tous les deux ce qui allait suivre. Loor s'est mise à arracher des lianes sur l'escalier.

– Je vais en nouer une à ta cheville.

Elle avait un temps d'avance. Alors que j'essayais toujours de me convaincre de tenter ce plongeon dans l'inconnu, Loor s'assurait déjà de pouvoir me ramener. Elle a arraché une racine bien assez longue pour cette aventure. Si je nageais assez loin pour la tendre et que je n'avais toujours pas atteint la surface, je n'aurais jamais assez d'air pour faire marche arrière.

Loor en a attaché une extrémité à ma cheville, m'a regardé et m'a dit :

– Je vais me cramponner à ta taille. Ne me laisse pas tomber.

– Hé ! Tu ne vas pas venir avec moi ?

– Il vaut mieux rester ensemble et faire ce trajet en une seule fois, expliqua-t-elle.

Elle devait être terrifiée, mais n'en laissait rien paraître. Quel courage ! Difficile de dire ce qui était le pire : l'emmener avec moi ou courir le risque d'y aller seul et devoir faire le trajet deux fois. Mais j'ai décidé que si Loor était partante, autant y aller ensemble.

– D'accord, ai-je dit. Mais si on ne trouve pas tout de suite la surface, on fait demi-tour.

Loor a acquiescé. Elle a accroché l'autre extrémité de la liane à la rambarde de l'escalier et a tiré dessus pour s'assurer qu'elle était assez solide. Elle a posé le reste de notre corde improvisée enroulé sur une marche. Puis elle s'est relevée et a enserré ma taille. J'ai pu sentir la force de ses bras. Pourvu qu'elle n'ait pas d'accès de panique, ou elle me casserait en deux.

– Si tu commences à manquer d'air, ai-je indiqué, serre-moi deux fois. Je virerai de bord et nous ramènerai au trou.

– Compris.

Luttant contre sa frayeur, Loor était pleinement concentrée. Jamais je ne permettrais qu'il lui arrive quoi que ce soit. On est restés juste au-dessous du trou.

– Inspire profondément plusieurs fois, ai-je conseillé. Tu pourras retenir ta respiration plus longtemps.

On a inspiré trois fois en retenant la troisième goulée d'air. Un léger hochement de tête, et nous étions partis.

Il fallait faire vite. Chaque seconde comptait. Drôle d'impression : on se tenait sur l'escalier, retenus par la gravité, et l'instant suivant on se retrouvait dans l'eau et cette même gravité nous poussait vers le haut. J'ai commencé à nager, une brasse la plus efficace possible. Loor s'est cramponnée à moi. Son poids me ralentissait, mais ça n'avait pas d'importance. Tout ce qui comptait, c'était d'arriver à la surface le plus vite possible. Or pas moyen de discerner à quelle distance elle se trouvait. Au bout de cinq brasses, j'ai pensé revenir en arrière, mais il serait plus dur de nager vers le bas que vers le haut. Je me suis décidé : encore cinq brasses et je redescendais.

C'est alors qu'on a entendu un drôle de bruit. Un son aigu, comme le moteur d'un bateau. Bien sûr, comme on était sous l'eau, il était difficile de dire d'où il provenait. Mais une chose était sûre : il était de plus en plus sonore. Ce qui voulait dire que ça se rapprochait.

J'ai jeté un coup d'œil vers le haut pour voir des lumières dans le lointain. Il y en avait cinq à notre niveau. On aurait dit des projecteurs braqués sur nous. Et ils étaient rapides. C'était certainement ce qui émettait ce bruit aigu.

Que faire ? Ces lumières étaient-elles une menace ? Devais-je nous ramener au trou ? Continuer dans l'espoir de déboucher à la surface ? Ou devions-nous rester sur place pour nous défendre ?

Je n'ai pas eu le temps de prendre une décision : en quelques secondes, les cinq lumières étaient sur nous. Elles ont plongé pour nous passer dessous si rapidement que je n'ai même pas pu voir ce à quoi on avait affaire. Elles ne nous ont pas touchés, mais à peine étaient-elles parties que j'ai senti un fort courant qui m'empêchait de nager. J'ai tout de suite compris ce qui se passait. Un coup d'œil en bas me l'a confirmé.

Quoi que puissent être ces lumières, elles avaient coupé la liane qui nous reliait au fond. L'extrémité tailladée a dérivé jusqu'à moi.

C'est alors que Loor m'a serré deux fois. Elle manquait d'air.

Nous étions pris au piège de ces limbes aquatiques.

Journal n° 15
(suite)

VEELOX

Il fallait que je continue à nager vers la surface.

On était trop loin du trou pour que je cherche à y retourner. En plus, sans la liane pour me guider, je n'étais même pas sûr de pouvoir le retrouver. Il ne me restait plus qu'une option : nager comme un dingue ou me noyer.

J'ai continué mes brasses en y mettant toutes mes forces. J'aurais bien voulu battre des jambes, mais Loor s'était enroulée autour de la moitié inférieure de mon corps. Mes poumons ont commencé à me brûler. Je nageais si vigoureusement que je brûlais le peu d'oxygène qu'ils contenaient encore.

Une idée m'a frappé : appuyer sur le bouton du bracelet et mettre fin à l'immersion. Si on n'atteignait pas très, très vite la surface, ce serait notre dernier espoir. Mais uniquement en dernier recours, car rien ne nous disait que le bracelet fonctionnerait. Alors nage, Bobby, nage.

Quelques douloureuses secondes plus tard, on était toujours sous l'eau. Je commençais à voir des taches noires devant mes yeux. Impossible de continuer sans oxygène. Fin de la mission. J'ai tendu la main vers mon bracelet, mais au moment même où j'allais nous tirer d'affaire, j'ai entendu un clapotement tout proche. Quoi que ce soit, c'était gros et ça se déplaçait à toute allure, parce qu'en heurtant la surface, ça faisait un sacré boucan. Mais peu importe ce que c'était, parce que pour l'entendre si nettement, il fallait qu'on soit tout près de la surface. C'est pourquoi je n'ai pas appuyé sur le bouton et ai fait encore deux brasses.

C'est alors que j'ai crevé la surface, suivi par Loor. On a aspiré l'air à grandes goulées. On avait réussi ! Mais ce n'était pas le moment de se taper dans le dos, parce qu'on se retrouvait face à un nouveau danger. Loor ne savait toujours pas nager. Il fallait que je m'occupe d'elle. Loor battait déjà frénétiquement des bras. Si elle m'assommait par accident, on sombrerait corps et biens, tous les deux.

– Détends-toi, Loor, ai-je dit. Essaie de flotter sur le dos. Je te tiens.

Loor s'est retournée. Elle était hors d'haleine et ses yeux étaient écarquillés par la peur, mais elle essaya de se décontracter. Tout en retenant sa tête au-dessus de la surface, je me suis mis à patauger.

– Tout va bien, ai-je dit d'une voix qui se voulait rassurante. Reprenons notre souffle et partons d'ici.

J'ai enfin pu regarder autour de moi. L'espace caverneux où l'on flottait était plongé dans les ténèbres et, comme dans la jungle, il était impossible de distinguer les murs de cet incroyable bâtiment. Le plafond était tout aussi sombre. Mais il y avait quelque chose de bizarre dans l'air. Des globes luisants de couleur vive flottaient au-dessus de l'eau. Ils faisaient une soixantaine de centimètres de diamètre et chacun brillait d'une couleur différente. Orange, rouge, vert, jaune. Il devait y en avoir une centaine, suspendus à différentes hauteurs.

– On dirait des étoiles, a dit Loor. Qu'est-ce que ça peut être ?

Bien. Elle retrouvait son calme.

– Je n'en ai pas la moindre idée. Elles n'ont pas l'air dangereuses…

Soudain, il y a eu un grand jaillissement d'eau à quelques mètres de nous. En sortirent les lumières qui avaient cassé notre liane. Mais maintenant, je pouvais voir ce qu'elles étaient exactement.

Des véhicules sous-marins.

Ils ont bondi des flots pour s'envoler dans les airs. On aurait dit des motos multicolores dépourvues de roues. Chacune portait un pilote revêtu d'un casque. Ils étaient aplatis comme des jockeys derrière un petit pare-brise conique. Et ils traçaient sec.

Les sous-marins ont foncé vers les globes. Non seulement ils pouvaient circuler sous l'eau, mais aussi voler ! Les cinq engins se sont dirigés en formation serrée vers un globe orange vif. Ils l'ont dépassé, ont viré brutalement pour le contourner, puis sont repartis vers le suivant.

– Ils font la course ! ai-je dit. Ces globes servent de repères !

Les cinq coureurs se sont éloignés de nous, passant d'un globe à l'autre, puis ils ont pivoté pour filer vers la surface des flots. Ils l'ont crevée et ont disparu comme des mouettes affamées chassant le poisson.

– Trop cool ! me suis-je écrié. C'est une course !

– Pendragon, a répondu Loor très calme, je ne sais toujours pas nager.

Ah oui. Il fallait sortir de l'eau. J'ai regardé autour de nous et, à mon grand soulagement, ai vu un autre escalier à spirales émerger à quelques mètres de là. En deux brasses, j'avais atteint les marches. Loor et moi nous y sommes cramponnés, heureux de pouvoir sortir de l'eau. Avant d'avoir repris notre souffle, on a vu les coureurs jaillir à nouveau, foncer dans le ciel et se perdre dans le lointain. Ils étaient bons pilotes et leurs engins vraiment sensass.

– Ça va ? ai-je demandé à Loor.

Elle a acquiescé.

– Il faut continuer de monter.

J'ai regardé vers le haut. L'escalier disparaissait dans le noir.

– Bon sang, ce Zetlin est vraiment cinglé !

Cette fois, j'ai pris la tête pour grimper l'escalier. Tout en montant, on a continué de regarder le ballet des coureurs qui tournaient autour des globes, plongeaient dans l'eau, puis en jaillissaient pour reprendre leur vol. Ça avait l'air plutôt marrant.

Une fois au plafond, j'ai constaté à mon grand soulagement que la nouvelle ouverture n'avait rien de liquide. Non, les marches s'élevaient dans un grand cercle blanc.

– On n'est même plus mouillés, a dit Loor. C'est incroyable.

En effet, nos combinaisons et même nos cheveux étaient secs. Ça ne valait plus la peine de se demander par quel tour de magie. Si on se retrouvait secs tout d'un coup, ainsi soit-il. Et d'ailleurs, c'était une bonne chose, car lorsque j'ai tendu la main vers le cercle, j'ai constaté qu'il était froid.

– C'est de la neige ! me suis-je écrié.

En effet, mes doigts ont plongé dedans et en ont ramené une poignée de cristaux de glace.

– Quoi encore ? ai-je dit sans grande inspiration.

J'ai monté les dernières marches pour arriver dans une petite caverne de neige. J'avais l'impression d'être dans un igloo. Et il y faisait un froid de canard. Heureusement qu'on n'était plus trempés.

– Ce doit être par là, ai-je dit en montrant l'ouverture de la caverne.

On n'avait pas la moindre idée de ce qui nous attendait là-dehors, mais il faudrait bien en passer par là. On s'est donc dirigés vers la lumière et la sortie. Il y a eu un tournant, et après l'avoir franchi, une lumière blanche d'une intensité incroyable nous a aveuglés. Après les ténèbres de la jungle et du terrain de course aquatique, on a dû se couvrir les yeux et attendre qu'ils s'ajustent à ce nouvel environnement. Quelques secondes plus tard, quand on a baissé nos mains, ç'a été pour découvrir une nouvelle vision incroyable.

On se serait crus en Antarctique.

Je n'y suis jamais allé, bien sûr, mais ça doit ressembler à ça. Tout était blanc, ce qui expliquait pourquoi on avait du mal à distinguer quoi que ce soit. Le ciel aussi était d'un blanc éblouissant. On était peut-être dans un immeuble, mais une fois de plus, pas moyen de distinguer un mur ou un plafond.

Alors que mes yeux continuaient de s'accoutumer à la lumière, j'ai pu distinguer d'autres détails. On se tenait sur un immense champ de glace. Mais il n'était pas uniforme : des amas congelés formaient des collines et des vallées tout autour de nous.

– Ce Dr Zetlin a vraiment une imagination assez particulière, a dit Loor.

Avant que j'aie pu répondre, on a entendu des cris surexcités :

– Wooouh ! Yaah ! Ehaaaa !

On aurait dit une bande de skieurs fous. Un peu plus tard, cinq silhouettes sont apparues au sommet d'un des amas de glace.

Elles ont inspiré profondément, puis se sont jetées sur la pente et l'ont dévalée sur ce qui ressemblait à des snowboards. Sauf que ces engins n'avaient rien à voir avec ceux de Seconde Terre : ils étaient ronds et noirs, de la taille d'un couvercle de poubelle avec un bord recourbé. Les pieds des lugeurs étaient arrimés quelque part au milieu. Et ces types étaient doués. Tout en dévalant la pente, ils ont effectué toutes sortes de figures de style dignes d'une équipe de cascadeurs. Ils portaient tous ces combinaisons vertes devenues familières, et des casques noirs protégeaient leurs têtes et des lunettes masquaient leurs visages.

Émerveillés, Loor et moi les avons regardés foncer vers nous. Je ne savais pas si nous devions nous enfuir ou rester là. Je me suis reculé, mais Loor m'a arrêté :

– Non. Il ne faut pas montrer notre peur.

Facile à dire. Mais je suis resté là où j'étais.

Un peu plus tard, les lugeurs nous ont aspergés de neige en s'arrêtant droit devant nous. Drôle de moment. Les cinq hommes casqués sont restés là, épaule contre épaule, à nous examiner derrière leurs grosses lunettes teintées. Personne n'a rien dit. Finalement, je me suis lancé :

– On cherche le Dr Zetlin, ai-je dit.

Les cinq types se sont regardés et se sont mis à rire. Ça, je ne m'y attendais pas. Finalement, l'un d'entre eux a repris son sérieux et s'est avancé :

– On ne peut débarquer comme ça et demander à voir Z, a-t-il dit.

– C'est très important, ai-je répondu sans grande imagination. Il acceptera de nous recevoir.

Comment leur résumer pourquoi on devait voir le docteur ? Ces types n'auraient sans doute pas la patience de subir une longue explication. Et il est probable qu'ils s'en fichaient.

– Vous savez où il est ? a demandé Loor.

Un autre lugeur s'est approché :

– Bien sûr, mais si vous voulez le voir, vous devez d'abord faire une partie.

– Une partie ? De quoi ?

– De slickshot ! a crié un autre lugeur.

– Ouais ! ont renchéri les autres. De slickshot !

Ils se sont alors empressés de détacher leurs bottes de leurs disques, puis ils ont rejeté ces derniers et se sont mis à patiner sur la glace. Ce qui semblait impossible : ils se déplaçaient comme s'ils portaient des patins à glace, sauf qu'ils n'en avaient pas. Seules les semelles de leurs bottes touchaient la surface. Puis le premier a glissé vers nous et s'est arrêté devant moi :

– Voilà le marché, a-t-il dit. L'un d'entre vous fait une partie de slickshot avec nous. Il est inutile de l'emporter, il faut juste arriver au finish.

– C'est quel genre de partie ? ai-je demandé.

Il a désigné les autres patineurs.

– Une course de glisse. La piste est indiquée par des flèches rouges. On va tous concourir et le premier à terminer le circuit aura gagné.

– Tout ce qu'on a à faire, ai-je demandé, c'est de tenir jusqu'au bout ?

– Ce n'est pas si facile, a continué l'homme. Il y a cinq étapes. La première comprend une tour avec six balles rouges, une par coureur. Il faut en ramasser une, puis continuer son chemin et la lâcher dans un panier avant de partir vers l'étape suivante. Qui comprend aussi six balles. Mais à la suivante, il n'y en a plus que cinq. Le dernier arrivé est hors-jeu. La suivante a aussi cinq balles, mais la dernière étape n'en comprend que quatre.

– Donc, il y a six coureurs au départ et quatre à l'arrivée.

– Exactement. Finis la course et vous pourrez voir Z.

– On n'est pas là pour jouer, a affirmé Loor.

– Dommage pour vous, a répondu le patineur en haussant les épaules.

Sur ce, il a tourné les talons et s'en est allé.

– Attendez ! ai-je crié. Je veux bien tenter le coup. Mais je ne sais pas comment vous pouvez patiner sans patins.

Il est revenu vers l'entrée de la caverne. À côté, il y avait un présentoir plein de casques noirs semblables à ceux des patineurs. Il y avait aussi une corbeille métallique pleine de balles rouges de la taille d'un ananas. Il devait y en avoir quarante. Sans doute les mêmes qui nous attendraient à chaque étape. Le type a ramassé un des casques avant de venir vers nous :

— Attachez ça à vos chaussures, a-t-il dit en plongeant la main dans le casque.

Il en a tiré deux structures de métal qui semblaient faites pour s'accrocher sous une semelle. Chacune comprenait deux tampons, un à l'avant, un à l'arrière.

— Entraînez-vous, a-t-il dit. On va préparer la course.

Et il est allé rejoindre les autres.

— C'est peut-être moi qui devrais concourir, a remarqué Loor.

— Tu sais patiner ? ai-je demandé.

Elle a baissé les yeux. Loor n'aimait pas s'avouer vaincue.

— Moi si, ai-je tranché. Je vais essayer ces machins.

La pièce de métal s'adaptait bien à mes semelles. Une extrémité s'est refermée sur mes doigts de pied, l'autre sur le talon. Mais je ne comprenais toujours pas comment elles pouvaient tenir lieu de patins – du moins pas avant de reposer mes pieds.

— Eh ! ai-je crié en glissant sur la glace.

Ces tampons devaient être sacrément lisses, parce que j'ai filé comme si j'avais enfilé des chaussures de hockey. Il m'a fallu trente secondes pour prendre le coup et conclure que ces machins étaient encore plus faciles à diriger que des patins. J'avais joué au hockey en junior pendant deux ans, si bien que je savais me débrouiller sur la glace. J'ai vite constaté qu'avec ces gadgets, je pouvais virer, m'arrêter et reculer plus facilement. Je commençais à reprendre confiance.

Mais ça me laissait face à un sacré dilemme. De nous deux, c'était Loor l'athlète. Oui, mais qu'importait sa force si elle était incapable de patiner aussi bien que moi ? Elle n'arriverait jamais à la première étape.

— Je crois que c'est moi qui dois y aller, lui ai-je dit.

Elle a acquiescé. Elle savait que j'avais raison.

— Pourquoi faut-il en passer par là ? Notre mission est trop sérieuse pour dépendre d'un jeu infantile.

— Je sais, mais autant faire les choses à leur façon. Si je termine le parcours, on trouvera Zetlin.

— Et si tu n'y arrives pas ?

255

Je n'avais pas de réponse à ça.

Les cinq se sont dirigés vers nous et se sont arrêtés comme un seul homme.

– Tu es prêt ? a demandé celui qui m'avait donné mon casque.

– Bien sûr, ai-je répondu avec assurance. D'autres règles que je devrais connaître ?

Ils ont éclaté de rire. Je détestais ça.

– Tout à fait, a dit le premier. La règle numéro un, c'est qu'il n'y a pas de règles. Tout est bon pour passer la ligne d'arrivée.

Ça ne me plaisait guère. Mais c'était leur jeu, et je n'allais pas discuter. Ils sont partis vers la ligne de départ. J'allais les suivre lorsque Loor m'a touché l'épaule. Elle n'a rien dit ; elle s'est contentée de me regarder dans les yeux. Je pense qu'elle voulait me donner un peu de sa force et de sa confiance. Mes genoux m'ont lâché. À ce stade, je m'inquiétais plus de la décevoir que de retrouver Zetlin. Elle a cligné de l'œil et m'a laissé partir.

J'ai patiné vers les autres tout en enfilant mon casque et mes lunettes. Jamais, de toute ma vie, je n'avais ressenti un tel désir de victoire. Pour Loor, pour moi, même pour Aja. Et j'ai réalisé que le destin de Veelox se déciderait peut-être là, sur cette piste.

Qu'auriez-vous fait à ma place ?

Journal n° 15
(suite)

VEELOX

Les cinq coureurs se sont alignés épaule contre épaule face à un poteau rouge.

– C'est le départ et l'arrivée, a expliqué le premier. (Il m'a montré la piste du doigt.) La première étape est droit devant.

J'ai regardé le vaste espace gelé débouchant sur un mur de glace dans le lointain. Puis j'y ai vu une flèche rouge peinte à même la glace et pointant vers la gauche.

– Tu n'as qu'à suivre les flèches, a dit le coureur. Tu ne peux pas les rater. Va à l'étape, ramasse une balle et jette-la dans le panier. Si tu en loupes une, tu es hors-jeu. Compris ?

– Oui.

Mon cœur s'est mis à battre plus vite. Soudain, ça ne me disait plus rien. Je n'avais aucune idée du niveau de ces gars-là. Ils n'étaient pas bâtis comme des champions de ski, au contraire : ils étaient plutôt de mon gabarit. Mais ils étaient sur leur terrain. J'imagine qu'ils devaient s'entraîner sans arrêt sur cette piste. Mais je ne pouvais plus reculer. Pourvu que je puisse tenir jusqu'au finish.

– À mon signal, a dit le premier.

On s'est tous accroupis, prêts à bondir.

– Un, deux, *go !*

Et le trois, alors ? J'étais mal parti. La course commençait à peine et j'avais déjà une seconde de retard. C'était le moment de tricoter des jambes pour les rattraper tout en utilisant mes bras pour gagner de la vitesse. À ma grande surprise, je suis resté à la hauteur des autres. Mieux encore, je n'ai pas tardé à rattraper mon retard. Je restais bon dernier, mais j'ai repris confiance. Après tout, j'avais peut-être encore une chance.

On est vite arrivés à la première flèche pour virer de bord vers l'étape. J'ai abordé le tournant avec facilité en croisant les jambes pour ne pas trop perdre de vitesse. Devant nous, j'ai vu un panier comprenant six de ces balles de la taille d'un ananas. Les cinq coureurs s'en sont emparés sans ralentir. J'étais le dernier, mais toujours en course.

Du moins jusqu'à ce que le dernier patineur fasse tomber ma balle, qui a roulé loin du panier. J'ai dû m'arrêter pour la ramasser. Ce n'était certainement pas un accident. J'imagine qu'ils ne plaisantaient pas en disant qu'il n'y avait pas de règles. Il ne s'agissait pas uniquement de tenir le rythme. Ces cocos-là n'hésitaient pas à tricher.

Puis je suis reparti. À quelques mètres de là, il y avait un panier contenant les cinq autres balles que les joueurs y avaient balancées. J'y ai ajouté la mienne et ai pris de la vitesse pour rejoindre les autres.

Ceux-ci patinaient sans se presser. Aucun d'entre eux ne semblait chercher à prendre la tête. Ce qui me convenait parfaitement. Tant qu'ils restaient à ce rythme, je pouvais encore les rattraper. Cette partie de la piste était une vaste étendue de glace. Je n'ai même pas cherché des yeux la flèche rouge : je me suis contenté de suivre les autres.

Mais ils filaient en ligne, épaule contre épaule. Agaçant. Pas moyen de les contourner. J'ai progressé derrière le groupe, mais lorsque j'ai cherché à les dépasser, ils ont pivoté en chœur pour me bloquer le passage. J'ai tenté d'aller dans la direction opposée, mais ils se sont à nouveau déplacés comme un seul homme. Je commençais à croire qu'aucun d'entre eux ne cherchait à l'emporter, mais qu'ils voulaient plutôt me faire perdre. Tant qu'ils me retenaient ainsi, je serais forcément le dernier pour prendre une balle.

Ce qui me mettrait en sale position pour aborder la troisième étape.

La deuxième n'était pas loin. Les cinq patineurs se sont avancés gracieusement, toujours en ligne. Et je fermais toujours la marche. Mais cette fois-ci, je suis resté assez près du cinquième pour qu'il ne tente pas un coup fourré avec ma balle.

Il n'a pas pris cette peine. On a ramassé chacun une balle rouge pour la poser dans le panier métallique. Cette fois, j'étais dans le peloton, mais toujours en sixième place. Pas bon. Il fallait que je fasse quelque chose.

La piste s'est alors faufilée dans un étroit canyon entre deux grandes parois de glace. L'espace dégagé ne devait pas faire plus de deux mètres de large, nous obligeant à progresser en file indienne. Pas moyen de les dépasser.

J'étais mal barré. À la prochaine étape, il n'y aurait plus que cinq balles. Si je ne trouvais pas quelque chose pour rattraper mon handicap, j'étais cuit. J'ai cherché à m'approcher du cinquième coureur, mais on aurait dit que ces types avaient un œil dans le dos. Toute la file m'a bloqué le passage. Quelle barbe ! J'étais assez rapide pour tenir le rythme, mais je n'avais pas assez d'expérience pour les surclasser.

La troisième étape se rapprochait à vitesse grand V. Il fallait agir ou la course serait terminée pour moi. J'ai alors eu une idée géniale ou complètement débile. J'avais toutes les chances de me planter, mais je ne voyais pas d'autre solution. J'ai regardé les murs de glace qui nous entouraient… et j'ai trouvé ce que je cherchais. Droit devant sur ma droite, j'ai vu un coin un peu moins escarpé que le reste. Pas le temps d'y regarder à deux fois : il fallait y aller.

J'ai donné un petit coup sur la gauche et, bien sûr, toute la formation s'est déplacée pour me bloquer le passage. Mais j'ai alors jailli sur la droite pour foncer vers le bloc de glace. La pente était assez douce pour que je ne m'y écrase pas. Au contraire, je l'ai escaladée en forçant mes jambes flageolantes à tenir bon. Puis j'ai fait pivoter mon corps et ai visé le centre de la piste. Mon élan m'a donné juste assez de vélocité pour atterrir entre le cinquième et le quatrième patineur. C'était sacrément risqué, mais ça a fonctionné à merveille.

Le cinquième type n'en croyait pas ses yeux. Mon coup d'éclat l'a tellement surpris qu'il a perdu la cadence et failli tomber. Mais on était arrivés à la hauteur du panier chargé de balles.

La cinquième et dernière était pour moi. Je l'ai ramassée pour la fourrer dans le panier. Je m'en étais tiré.

La section suivante de la course s'annonçait délicate. On a jailli du canyon de glace et suivi un tournant sur la gauche. J'ai compris qu'on décrivait un grand cercle dans le sens inverse des aiguilles d'une montre pour revenir à notre point de départ. Devant moi, les patineurs ont rompu leur formation. J'ai vite compris pourquoi.

Le champ glacé qui s'étendait devant nous était jonché de morceaux de glace de la taille d'un rocher. Impossible d'y aller en ligne droite : c'était une vraie course d'obstacles. Attaquer bille en tête aurait été un suicide. Il fallait ralentir, contrôler sa trajectoire et éviter les rochers. Mais ça me convenait parfaitement, car je commençais à fatiguer. Ces patineurs devaient être en meilleure forme que moi. Mon avantage, c'était que l'enjeu était si énorme que je ne pouvais pas perdre. J'étais dopé à l'adrénaline.

Chacun d'entre nous a choisi un chemin différent. C'était risqué, non pas parce que je devais passer le plus vite possible, mais parce que, comme je n'avais plus d'autre skieur pour m'ouvrir la voie, je devais bien suivre les flèches rouges.

À vrai dire, je m'en tirais plutôt bien. Mais ce n'était pas uniquement mon fait. Ces patins étaient incroyables. Avec eux, il était si facile de changer de direction que j'ai pu prendre un maximum de vitesse pour passer très près des rochers. En fait, j'avais remonté les autres ! Incroyable mais vrai, lorsqu'on est arrivés à l'autre bout du champ, j'avais pris la tête. L'étape se trouvait juste après le dernier obstacle, et j'ai pu m'emparer de la première balle. Gagné ! Mais à ce stade, peut m'importait de remporter la course. Je me souciais principalement de la prochaine étape. Il fallait que je m'empare d'une des dernières balles pour être sûr d'arriver au finish. J'avais assez confiance en moi, ce qui, d'après mon expérience, est toujours mauvais signe. Cette fois comme les autres.

Je venais de m'emparer de la balle rouge et l'avais jetée dans le panier, et j'étais prêt pour la dernière ligne droite lorsque j'ai senti un choc sur mon talon. Tout d'abord, je me suis demandé ce que c'était... jusqu'à ce que je pose ce pied et tente de me propulser en avant. J'ai aussitôt perdu l'équilibre et suis tombé sur la glace avant de pouvoir comprendre ce qui m'arrivait. Mon patin m'avait lâché.

En regardant à côté de moi, j'ai repéré le coupable. Une balle rouge gisait à mes pieds. Le premier coureur est venu la ramasser et la fourrer dans le panier.

– Désolé, a-t-il dit, elle m'a échappé.

Ben voyons. Il me l'avait lancée dessus, oui. Elle m'avait arraché mon patin et, lorsque j'avais reposé mon pied, ma semelle avait touché la glace, m'envoyant bouler. En effet, à quelques mètres de là, j'ai vu mon patin. J'ai couru pour le récupérer et le fixer à nouveau à mon pied.

J'ai jeté un coup d'œil au loin – les quatre autres m'avaient dépassé. C'était la fin des haricots. Je ne pourrais jamais les rattraper tous avant la prochaine étape. Mais je ne savais pas quoi faire d'autre. Ainsi, je suis parti derrière eux en attendant un miracle.

La piste a viré de nouveau sur la gauche pour passer par un autre canyon. Celui-ci n'était pas aussi étroit que le précédent et ses murs étaient moins escarpés. J'ai fait de mon mieux pour rattraper le peloton, mais en vain. Ces types ne prendraient plus de risques. Ils y allaient franco et plus vite qu'au début de la course. J'ai alors compris la triste vérité : jusque-là, ils s'étaient joués de moi. Ils savaient qu'ils n'avaient rien à craindre et ne s'étaient pas vraiment fatigués. Mais à présent qu'ils avaient baissé la tête et battaient des bras au rythme de leur foulée, je n'avais plus l'ombre d'une chance.

C'est alors qu'a eu lieu le miracle que j'attendais.

Les quatre autres étaient si concentrés qu'ils n'y ont vu que du feu. Tout d'abord, je n'ai pu dire ce que c'était. Ce n'était pas logique. Mais la logique avait-elle encore droit de cité dans ce bâtiment de rêve ? Plus rien n'aurait dû m'étonner. Lorsque j'ai vu plus précisément de quoi il s'agissait, ça m'a paru évident.

Tout en haut d'un des murs en pente du canyon, une avalanche se préparait. Pas une avalanche de glace et de neige, mais de balles rouges. Il devait y en avoir une quarantaine qui dévalaient la colline, fonçant droit vers les patineurs. Il n'y avait qu'une seule explication possible.

Loor.

J'ai regardé tout en haut de la pente et l'ai bien vue plantée là, avec en main le panier vide qui avait contenu les balles. Bien joué.

Je me suis tourné vers les coureurs. Ils n'avaient pas la moindre idée de ce qui leur tombait dessus. Restait à savoir si Loor avait bien calculé son coup. Il était possible que l'avalanche passe derrière eux.

Mais non. Elle a atteint son but.

Les balles ont plu sur les patineurs et les ont forcés à se disperser. Le coureur de tête est allé percuter le mur de glace. Un autre s'est mis à virevolter comme une toupie avant de s'arrêter. Le troisième a continué son chemin, mais a dû battre désespérément des bras pour conserver son équilibre. Le dernier a réussi à éviter toutes les balles pour filer sans ralentir. Peu importait. Je me contenterais aisément de la quatrième place.

J'ai foncé comme une fusée devant les patineurs qui tentaient de conserver leur équilibre. Ils n'avaient pas réalisé ce qui s'était passé. Une fois à l'étape, j'avais le choix entre trois balles. J'ai bien eu envie d'en prendre une et de balancer les autres par pure vengeance, mais il y avait déjà eu assez de triche comme ça. J'ai donc ramassé une des balles et l'ai jetée de toutes mes forces dans le panier.

J'ai abordé la dernière ligne droite. Deux autres patineurs m'avaient de nouveau dépassé, mais je m'en fichais comme de l'an quarante. J'ai passé la ligne d'arrivée les bras en l'air en criant :

– On est quatrièmes ! On est quatrièmes !

Loor a dévalé la pente pour me claquer le dos. J'ai deviné qu'elle se retenait de sourire.

– Bien joué, Pendragon.

– Bien pensé, Loor, ai-je répondu.

– Vous avez triché ! s'est exclamé un des patineurs.

C'était le dernier arrivé. Il a passé la ligne d'arrivée avec l'air pas content du tout.

– Ça ne vaut pas !

– Pardon, ai-je dit calmement. Je croyais que la règle était qu'il n'y avait pas de règles.

– Mais elle n'avait pas à s'en mêler, a-t-il protesté.

– Alors que c'était tout à fait réglo d'envoyer une balle dans mon patin pour me faire tomber ? ai-je rétorqué. Non, pas vraiment.

Le sixième coureur venait alors d'arriver.

– Je demande une revanche ! a-t-il dit.

– Dur pour vous, ai-je répondu.

– C'est inutile, a fait le premier coureur, celui qui nous avait expliqué les règles et, de fait, était le vainqueur. Il a couru avec le même esprit que nous. Il a gagné à la loyale.

Il s'est alors dirigé vers moi et m'a tendu la main.

– Bravo. Bien joué.

J'ai serré sa main tendue.

– Maintenant, à vous de respecter votre part du marché.

– Tout à fait, a-t-il répondu.

Il a rabattu ses lunettes et retiré son casque. C'était un beau jeune homme, dans les seize ans. Il avait des cheveux blonds courts et un regard intense. À peine l'ai-je vu que j'ai eu la certitude de l'avoir déjà croisé quelque part, mais où ?

– Je tiens toujours parole.

C'est alors que j'ai compris. En effet, je le connaissais. Si l'on veut. Je l'avais vu en peinture. Il était plus jeune sur ce portrait, mais pas de doute possible, c'était bien lui.

– Je suis le docteur Zetlin, a-t-il dit avec un sourire malicieux. Bienvenue dans mon rêve.

Journal n° 15
(suite)

VEELOX

— C'est impossible, ai-je dit. Le Dr Zetlin a soixante-dix ans.

— Soixante-dix-neuf, plus précisément, a répondu l'ado.

Loor et moi avons échangé un regard troublé.

— C'est mon rêve, après tout, a-t-il ajouté. Pourquoi le vivrais-je sous les traits d'un vieillard ?

— Donc, ai-je demandé, celui qui gît dans la cellule Alpha…

— C'est mon corps physique âgé de soixante-dix-neuf ans, a répondu Zetlin. Ici, je suis un athlète de seize ans. Mais j'ai une question beaucoup plus intéressante : qui êtes-vous, tous les deux ?

Après tout le mal qu'on s'était donné pour venir jusqu'ici, j'ai dû forcer mon cerveau à embrayer pour me souvenir du message d'Aja.

— On est là parce qu'Utopias est en danger. Un virus a corrompu le logiciel. Il nous faut le code originel pour le désinfecter.

J'étais à peu près sûr que c'était le bon message. Mais en voyant le drôle de regard qu'il m'a lancé, j'ai redouté qu'il n'éveille plus rien en lui. Puis il s'est tourné vers les autres patineurs et a lancé gaiement :

— C'était une belle course, les gars ! À plus tard, d'accord ?

— Ouais, à plus tard ! Salut, Z ! ont-ils répondu en chœur avant de s'éloigner.

Zetlin s'est alors tourné vers nous :

— Suivez-moi ! a-t-il dit d'un ton sévère.

Il a retiré les patins de ses bottes et est reparti à pied. Loor et moi lui avons emboîté le pas. Bizarre. Lorsque Zetlin nous parlait, c'était avec le sérieux d'un adulte alors qu'avec les autres patineurs, il s'exprimait comme un enfant. J'imagine que c'était ça, son rêve : revivre sa jeunesse. Très bien, du moment qu'il nous donnait le code d'origine. Ses rêves ne regardaient que lui.

— À vrai dire, ça m'étonne que vous soyez arrivés jusqu'ici, a-t-il dit. En général, les phadeurs ne passent pas le stade de la jungle. Comment vous appelez-vous ?

— Moi, c'est Pendragon, et elle, Loor.

— Pourquoi vous cachez-vous dans ce bâtiment ? a demandé Loor.

Hmm. Je ne savais pas si c'était une bonne idée de le défier. Mieux valait s'attirer ses bonnes grâces. Mais c'était tellement typique de Loor de mettre les pieds dans le plat que je n'étais pas trop surpris.

— Le Barbican me sert de refuge contre un monde que je rejette, a-t-il expliqué. (Il s'est arrêté et s'est tourné vers nous.) Et je n'aime pas qu'on m'y dérange. Mais vous avez accepté de jouer selon mes règles. Vous avez mérité une audience. Suivez-moi.

Non mais, pour qui se prenait-il ? Un roi ? Mais j'ai laissé glisser : ce n'était pas à moi de le remettre à sa place. Il y avait plus important.

Zeltin s'est dirigé vers un mur de glace. Un petit disque noir dépassait de la paroi à hauteur de notre taille. Zetlin a appuyé dessus et ouvert une porte de glace donnant sur une petite pièce aux murs de métal bleu clair. Il nous a fait signe d'entrer. On s'était donné trop de mal pour se dégonfler maintenant. Loor et moi avons obéi. La pièce n'était pas plus grande qu'une cabine d'ascenseur et, en fait, c'est ce qu'elle était. Un ascenseur. Zetlin nous a rejoints, a refermé la porte, a appuyé sur un bouton de contrôle, et nous voilà partis.

— Je ne comprends pas, ai-je dit. Utopias est censé suivre les mêmes règles que la réalité. Et ce Barbican est totalement dissocié de la réalité.

— C'est parce que vous n'avez aucune imagination, a-t-il répondu avec un petit rire.

En effet. Ce Zetlin était vraiment quelqu'un d'exceptionnel. J'imagine que son rêve devait l'être tout autant.

– Les gens de Veelox n'exploitent qu'une infime partie des ressources d'Utopias, a-t-il ajouté. Mais ils finiront par découvrir toutes les possibilités qu'il leur offre.

– Oh, non, ai-je rétorqué. Veelox est sur le point de s'écrouler. Tout le monde est enfermé dans son propre rêve.

Si cette nouvelle a affecté Zetlin, il n'en a rien laissé paraître. L'ascenseur s'est immobilisé et la porte s'est ouverte. Zetlin a ouvert la marche, et nous l'avons suivi dans ce qui, en résumé, ressemblait fort à la demeure de rêve d'un garçon de quinze ans. Et j'en sais quelque chose : j'ai quinze ans, et j'en suis tombé amoureux au premier coup d'œil.

La salle était immense, mais divisée en sections plus petites pour qu'on n'ait pas l'impression de se tenir dans un hangar à avions ou quelque chose comme ça. Le plafond était transparent, si bien qu'on pouvait voir le ciel et les derniers nuages de pluie. Ce qui voulait dire qu'on était désormais au dernier étage du Barbican.

Tout d'abord, on a traversé un espace dont le parquet m'a évoqué une piste de basket. Sauf qu'on était sur Veelox. Pour la variante locale de ce jeu, il y avait des paniers ressemblant plutôt à des buts de foot et des balles vertes deux fois plus grosses que celles de basket.

Zetlin nous a fait traverser le terrain désert et passer une porte pour arriver sur un autre terrain consacré à un jeu que je me souviens avoir pratiqué lorsque j'étais gamin. Vous savez, celui où il faut renverser des quilles de bois disposées sur une table en agitant une balle au bout d'une ficelle ? Je ne sais plus comment il s'appelait, mais c'était bien ça – sauf que ce jeu était à taille humaine. Il y avait cinq énormes balles suspendues à des cordes au centre d'une piste ronde. Et à la place de quilles, il fallait renverser des gens. Non, je ne délirais pas. Une partie était en cours : dix gamins se tenaient au centre du cercle et dix autres tout autour de celui-ci. Ceux qui se trouvaient à l'extérieur se passaient les balles et les poussaient vers le centre en visant les quilles humaines. Et certains se la prenaient en pleine poire. On aurait dit une version particulièrement vicieuse de la balle au prisonnier. Un jeu ou un moyen de torture ?

– Hé, les gars ! a lancé Zetlin. La partie est terminée. On remet ça demain, d'accord ?

Il utilisait même un argot évoquant la Seconde terre. Mais mon cerveau de Voyageur devait interpréter le langage familier d'usage sur Veelox.

– Ouais ! À plus tard, Z ! ont crié les joueurs avant de courir vers l'ascenseur.

– Vous aimez vraiment tous ces jeux d'enfants, a remarqué Loor.

– En effet. Ces simples exercices d'adresse et de hasard me détendent.

Il nous a menés vers ce qui ressemblait fort à des appartements. C'était un espace moderne, avec plusieurs grands canapés confortables de toutes les couleurs. Le mur était tapissé d'énormes écrans qui, je l'aurais parié, servaient aux jeux vidéo. Apparemment, on avait raté une grande fiesta. Des tasses et des assiettes étaient éparpillées dans tous les coins, plus des reliefs de je ne sais trop quoi, mais certainement pas de gloïde. Deux types plus âgés en combinaison verte se chargeaient du nettoyage. L'un d'eux nous a vus entrer et a dit :

– Tout sera prêt en un clin d'œil, Z.

– Prenez tout votre temps, a répondu Zetlin. Je doute qu'on reçoive qui que ce soit aujourd'hui.

Parce qu'en plus, il avait ses larbins personnels pour tout nettoyer sur son passage ? C'était vraiment le top.

Et encore, je n'avais pas tout vu.

On est entrés dans une cuisine moderne où planaient des odeurs incroyables. Une douzaine de cuistots s'affairaient autour de leurs casseroles, leurs poêles et… mon estomac s'est mis à grogner. Ces derniers jours, j'avais dû me contenter de gloïde, et j'aurais bien voulu manger quelque chose d'un peu plus substantiel.

Une cuisinière s'est empressée de nous apporter un plat rempli de gâteaux tout frais.

– Vous vous laisserez bien tenter, Z ?

Zetlin nous a fait signe de nous servir. Par politesse, j'en ai pris un. Par politesse, mon œil ! Ils sentaient trop bon ! J'en aurais bien pris dix. Mais celui que j'ai entamé était délicieux, sucré, ferme et au bon goût de chocolat. Loor en a mangé un, elle aussi. À son air, j'ai su qu'elle l'appréciait autant que moi. Comme par magie, un autre chef est apparu avec deux verres. Pourvu que ce soit du lait de Veelox ! Pourquoi le lait et le chocolat vont-ils si bien ensemble ? Ce liquide crémeux était en tout cas délicieux.

— Merci, ai-je dit aux cuisiniers.

— Oui, merci, a ajouté Loor.

Zetlin a souri et nous a emmenés plus loin. À peine avait-on passé la porte de la dernière section que j'ai su qu'il s'agissait de notre véritable destination. Tout un mur était en verre, si bien qu'on pouvait contempler d'en haut cette étrange ville aux bâtiments noirs. L'autre mur était consacré à une console ressemblant fort au noyau Alpha d'Utopias. Cet endroit n'était pas voué aux jeux et aux loisirs. C'était bien notre destination.

— Chaque chose en son temps, a dit Zetlin.

Il s'est dirigé vers le fauteuil de contrôle et a pianoté sur le clavier installé sur son bras. L'immeuble s'est mis à bouger. On aurait dit un tremblement de terre.

Loor s'est aussitôt accroupie, aux aguets.

— Qu'est-ce qui se passe ?

— Ne vous en faites pas, a répondu Zetlin. Je remets le Barbican dans sa position originelle.

Les murs se sont mis en mouvement. L'immense bâtiment se remettait à la verticale ! On a entendu le grondement des roues de métal soutenant cette immense masse. Loor et moi avons regardé autour de nous, cherchant quelque chose à quoi s'accrocher.

— Pas de panique ! a lancé Zetlin en riant. Les planchers pivotent en même temps que la structure. On reste d'équerre.

Et en effet, le plafond est devenu un mur et une autre cloison tout aussi transparente l'a remplacé. Nous-mêmes restions sur place, mais cette rotation me donnait le tournis. Pour éviter de perdre l'équilibre, j'ai fixé la ville. Elle, au moins, restait fixe. Ce qui signifiait qu'en effet, le bâtiment tournait autour de nous tandis que le plancher restait d'équerre. Impressionnant. Quelques secondes plus tard, le bâtiment a cessé de trembler. C'était fini. J'ai jeté un coup d'œil autour de moi. Tout semblait comme avant.

— Le bâtiment est à nouveau à l'horizontale ? ai-je demandé.

— Oui, a répondu Zetlin. Tous les étages sont des cubes parfaits. C'est comme ça qu'ils peuvent pivoter sur leur base à l'intérieur même du Barbican. Maintenant, la seule différence est que chaque étage se trouve à côté du suivant. Dans la position un, il est inutile de grimper d'un niveau à l'autre. Tout est sur le même plan.

— Pourquoi faites-vous tourner l'immeuble comme ça ? a demandé Loor.

— Pour décourager les indésirables, bien sûr.

Autant dire nous, mais je n'avais pas l'intention de m'excuser. J'ai marché vers le mur de verre pour contempler cette ville sombre et lugubre.

— Je ne comprends pas, ai-je dit. Pourquoi avez-vous créé cette cité ? Vous pouvez ordonner votre monde comme vous le voulez. Excusez-moi, mais ce décor est assez étrange.

Zetlin m'a rejoint et a regardé au-dehors.

— Cette ville est un souvenir, a-t-il dit doucement.

— De quoi ?

— De ce qu'était l'existence avant Utopias.

— Je n'y suis pas. C'est là que vous viviez ?

— D'une certaine façon, oui, a répondu Zetlin. Je suis né à Rubic et j'y ai passé mon enfance. En ce temps-là, c'était une communauté très active, mais je ne m'y mêlais pas. J'étais trop – comment disaient-ils ? – trop *particulier* pour vivre comme tout le monde.

C'était bizarre de l'entendre parler ainsi. Il avait l'apparence d'un gamin de seize ans, mais s'exprimait comme un vieillard. C'était presque effrayant.

— Les directeurs ont reconnu mon génie alors que je n'étais qu'un enfant, a-t-il continué. Ils ont prédit que mon intellect supérieur pourrait changer la face de Veelox. (Il m'a regardé et a eu un petit rire.) Bien vu, non ?

– Donc, vous n'avez pas mené une existence ordinaire ? a demandé Loor.

– Oh, loin de là ! s'est-il empressé de répondre. J'ai mené une existence *extra*ordinaire. J'étais entouré par les scientifiques les plus brillants de leur époque. C'étaient mes professeurs, mais ils sont vite devenus mes élèves. Mes théories sur la compatibilité neuro-électrique les a émerveillés. C'est grâce à elles qu'on a pu abattre le mur entre le virtuel et la réalité. J'avais huit ans quand j'ai créé le premier prototype d'Utopias. Bien sûr, ce n'était qu'une grossière ébauche, mais nous avons pu générer des images mues uniquement par les fonctions cérébrales. C'était notre moment de vérité. Notre grande avancée. À partir de là, il ne restait plus qu'à développer notre découverte.

– Mais qu'est-ce que vous faisiez de votre temps libre ? ai-je demandé. Je veux dire, d'accord, vous êtes un génie et tout ça, mais ce mode de vie n'a pas l'air… hem, vraiment drôle.

Zetlin n'a pas répondu. Il s'est contenté de regarder par la fenêtre. J'ai fini par comprendre, peu à peu. Aja m'avait expliqué ce qu'était une formation de phadeur. Il s'agissait d'apprendre et de s'entraîner, tout le temps. Pas une minute n'était consacrée aux distractions ou à l'amitié. J'imagine que Zetlin avait dû vivre ce même genre d'enfance à la puissance mille. Cette horrible cité noire correspondait à l'image qu'avait Zetlin de sa vie. Sa *vraie* vie.

Je m'étais trompé en pensant que, dans son rêve, Zetlin tentait de revivre son enfance. Il tentait plutôt de vivre l'enfance qu'on lui avait dérobée. Cet immeuble appelé le Barbican était sa seconde chance d'être un adolescent.

– J'avais un but, a-t-il fini par dire. J'ai travaillé sur Utopias soixante années durant. Ce projet me dévorait, du matin au soir. Mais j'ai continué, parce que je savais que c'était ma seule chance de m'évader. (Il a désigné l'autre côté de la vitre.) Cette ville glaciale, pluvieuse et sombre sert à me rappeler ce qu'a été ma vie, et pourquoi je ne quitterai jamais le Barbican.

J'avais pitié de ce type. Son existence était une illusion. Il n'avait pas le moindre souvenir d'amis en chair et en os ou d'une quelconque famille. Tout ce qui comptait pour lui était issu de son esprit. Pire encore, j'étais là pour lui annoncer que ça ne durerait pas.

— On a besoin de votre aide, docteur Zetlin, ai-je dit.

Il s'est détourné de la fenêtre. Soudain, il était redevenu un jeune homme débordant d'énergie. Il s'est laissé tomber sur son fauteuil de contrôle.

— C'est vrai. Vous avez parlé d'un virus qui aurait infecté le code principal. Ce qui, à mon sens, est impossible.

Il a pianoté sur son clavier. Un flot de données est apparu sur le grand écran au-dessus de lui.

— C'est pourtant ce qui se passe, ai-je insisté. Le virus s'est propagé dans Utopias. Il change les pensées des gens. Au lieu de leur donner une existence idéale, il cherche ce qui leur fait peur et transforme leur rêve en cauchemar. Les phadeurs ont dû suspendre le réseau, ou beaucoup de monde serait...

— Ils ont suspendu le réseau ? a interrompu Zetlin.

— Oui ! Sur tout Veelox, les gens sont dans les limbes, attendant...

— Je sais ce que ça veut dire, a rétorqué Zetlin. (Il a appuyé sur quelques touches et examiné les données.) À première vue, tout semble normal.

— Parce que votre immersion est isolée des autres, ai-je répondu. Écoutez, là, je ne sais pas trop quoi dire. J'ignore comment fonctionne tout ce bastringue.

— Dans ce cas, que faites-vous là ? a-t-il demandé. Vous faites de drôles de phadeurs.

— On n'est pas des phadeurs, ai-je répondu nerveusement. On est venus vous dire qu'il faut nous donner le code originel. Sinon, des millions de gens vont mourir.

Zetlin m'a regardé droit dans les yeux.

— Je ne suis pas convaincu, a-t-il dit. Je pense que ce virus n'existe pas. Donc, pas question de vous donner ce code. Au revoir.

Notre mission allait échouer lamentablement. Que fallait-il lui dire pour le persuader ? C'est alors que j'ai entendu une voix familière :

— Ce virus est bien réel, a dit Aja.

On s'est retournés comme un seul homme. Elle était bien là, devant nous.

— Je le sais, parce que c'est moi qui l'ai créé, a-t-elle repris. Je suis une phadeuse, et j'ai peut-être déjà la mort de millions d'habitants de Veelox sur la conscience.

Journal n° 15
(suite)

VEELOX

— Je te connais ! a dit Zetlin à Aja. Tu es une des phadeuses de Rubic. Qu'est-ce qui se passe ? Pourquoi ces gens se sont-ils introduits chez moi ?

Aja avait l'air nerveuse. Elle se retrouvait devant le big boss et était porteuse de mauvaises nouvelles.

— Je m'appelle Aja Killian, a-t-elle dit d'une voix mal assurée. Je vous présente mes excuses, docteur Zetlin. Je ne me serais jamais permis de perturber votre immersion si la situation n'était pas si grave. J'ai envoyé mes amis ici présents vous retrouver parce qu'il faut que je reste dans le noyau Alpha pour contenir le virus Réalité détournée.

— Réalité détournée ? s'est écrié Zetlin.

Il était furieux contre Aja. On aurait dit qu'il allait exploser de fureur. Un instant, j'ai vraiment cru qu'il allait lui rentrer dans le lard. Mais il a repris le contrôle de lui-même et a demandé :

— Je te somme de t'expliquer.

Aja a hésité. Je suis sûr qu'elle n'avait vraiment aucune envie d'expliquer à l'homme le plus important de l'histoire de Veelox que son invention était sur le point de tout faire péter. Son éternelle assurance semblait avoir pris un coup dans l'aile.

— C'est bon, Aja, ai-je dit pour l'encourager. Dis-lui ce qui se passe.

— Veelox est en danger, a-t-elle attaqué. Docteur Zetlin, depuis votre immersion dans Utopias, le peuple de Veelox a abandonné la réalité. Ils préfèrent s'abandonner au rêve que leur offre Utopias plutôt que de vivre leur vraie vie.

– Je les comprends, a dit Zetlin.

– Mais c'est mal ! s'est écriée Aja avec passion. Votre invention était censée leur offrir un moment de distraction, pas une existence alternative. Nos villes sont désertées. La nourriture se fait rare. Plus personne ne communique. Les gens sont trop pris par la création de leur univers de fantaisie pour s'intéresser à leur réalité. Il ne se passe plus rien. Ce monde stagne. Plus rien n'est vrai. Veelox est mort.

Zetlin a eu un geste de mépris, puis a demandé :

– Qu'est-ce que ce virus, cette Réalité détournée ?

C'est là que ça se corsait. Je n'aurais pas voulu être à la place d'Aja. J'ai espéré qu'elle ne se lancerait pas dans l'historique des Voyageurs et de Saint Dane, parce qu'à ce moment précis, ça n'avait aucune importance.

– Je ne pouvais pas laisser mourir Veelox sans rien faire, a-t-elle dit. J'ai donc créé un programme. Dans mon idée, je voulais rendre les rêves moins parfaits. Le programme s'attachait au flux de données de chaque plongeur pour altérer légèrement son rêve. Je pensais que si ceux-ci étaient moins agréables, les gens n'y passeraient plus toute leur existence et choisiraient de reprendre leur vie normale.

Zetlin a acquiescé. Ses mâchoires se sont crispées. Il venait d'apprendre que quelqu'un avait cherché à saboter l'œuvre de sa vie. Mais, à sa décharge, je dois dire qu'il a gardé toute sa tête et ne s'est pas mis à crier après Aja. Enfin pas à ce moment.

– Mais ce… *programme*… n'a pas fonctionné de la façon prévue ? a-t-il demandé, très calme, bien que le mot « programme » soit chargé de mépris.

Aja a avalé sa salive et répondu :

– Non. Réalité détournée était bien plus puissant que je le croyais. Il s'est comporté comme un virus et a envahi tout le système. Non seulement il altère les plongées, mais il les rend hyperréalistes. Et dangereuses. Comme on ne pouvait l'arrêter, on a bien dû suspendre le réseau. Maintenant, presque tous les habitants de Veelox sont dans les limbes en attendant que j'éradique ce virus.

– Et pour ça, a conclu Zetlin, il te faut le code originel.

— Oui, a acquiescé Aja. Mais il y a encore une chose. Depuis que mes amis sont entrés dans votre rêve, je n'arrête pas d'installer des pare-feu dans le réseau Alpha pour empêcher Réalité détournée d'infecter votre immersion. Il a flairé votre trace, monsieur, et il ne lâche pas prise. À chaque fois que j'installe un pare-feu, il trouve un moyen de le contourner. Je ne sais pas combien de temps je vais pouvoir le retenir. Tôt ou tard, il finira par s'infiltrer dans votre rêve, et vous aussi serez en danger.

Allons bon. Pour une mauvaise nouvelle, c'était une mauvaise nouvelle.

Zetlin a regardé l'image d'Aja tout en analysant ce qu'elle venait de lui dire. Puis il s'est retourné et s'est rassis sur son fauteuil de contrôle.

— Pas question de vous donner ce code, a-t-il dit d'un ton sans réplique.

Zut.

— Il le faut ! a insisté Aja. C'est du suicide. Pire : un génocide !

— J'ai déjà dit que je refusais d'y retourner, a-t-il rétorqué. Si Utopias doit être détruit, ainsi soit-il. Les survivants se chargeront de rebâtir Veelox. Pour moi, peu importe. Maintenant, je suis dans ma réalité. Quoi que puisse me faire ce petit programme, je m'en occupe.

— Mais je peux tout arrêter ! a crié Aja. Je peux sauver Utopias !

— D'après ce que tu m'as dit, il vaut mieux ne pas le faire.

— Mais à quel prix ? ai-je rétorqué. La mort de millions d'individus ?

— J'ai fait d'Utopias ma réalité, a expliqué Zetlin. Pour moi, Veelox a cessé d'exister. Je ne me soucie que des réalités de ma vie ici, dans mon rêve. Au Barbican, je suis chez moi. Avec ces gens, dans ce corps, pendant cette existence.

— Sauf que vous ne la méritez pas, ai-je dit.

Zetlin m'a jeté un regard noir. Je ne savais pas exactement où je voulais en venir, mais il fallait trouver un moyen de le convaincre.

— Comment peux-tu prétendre une chose pareille ? s'est-il écrié en sautant sur ses pieds. J'ai *bâti* Utopias de mes mains !

– Et alors ? ai-je continué. D'après ce que j'en sais, ce n'est qu'une question de calculs. Mais être bon en maths ne vous donne pas le droit de mener une existence parfaite. Pensez-vous à ceux qui vous entourent ? Ce sont les seuls qui peuplent votre vie. Vos seuls amis. Croyez-vous vraiment qu'ils tiennent à vous ?

– Bien sûr que oui, s'est-il empressé de répondre.

– Pourquoi ? Parce que vous êtes Z ? Celui qui fait la course avec eux, joue à la balle et donne de grandes fiestas ? C'est pour ça ?

– Tout à fait, a affirmé Zetlin. Ils m'aiment.

– Mais ils ne sont pas réels, ai-je dit. Vous les avez créés. Ce sont des pantins qui obéissent à vos moindres caprices. Vous seriez un monstre qu'ils vous aimeraient tout de même. Vous avez choisi la solution de facilité, Zetlin. Au lieu de remettre en question votre véritable vie, vous vous êtes immergé dans un monde imaginaire. Vous ne vous sentez jamais seul ?

Les yeux de Zetlin ont parcouru la pièce. Il commençait à comprendre. À vrai dire, je pense que c'était le Voyageur en moi qui venait de s'exprimer.

– Seul ? a-t-il dit, l'air ébranlé. Je suis entouré d'amis. On passe d'un tournoi à l'autre. Et je suis champion de slickshot !

– Je n'en doute pas ! ai-je rétorqué. Je suis sûr que vous gagnez toutes vos compétitions. C'est facile lorsqu'il suffit de s'imaginer vainqueur. Et je parie que personne ne vous dit jamais non, n'est-ce pas ?

Cette question l'a vraiment secoué. Il n'avait même pas besoin d'y répondre.

– Personne ne vous contredit, ai-je repris doucement. Personne ne discute vos décisions. Personne ne vous défie, ne vous pousse à trouver des idées nouvelles. Pour quelqu'un comme vous, ça ressemble fort à une mort lente.

Zetlin m'a jeté un regard effaré. Pas de doute, j'avais touché juste.

– Vous savez ce qu'est vraiment votre réalité ? ai-je continué. Vous gisez dans un tube et vous dépendez de machines pour vous nourrir. Vous êtes un mort vivant. Et le pire, c'est que votre invention est en train de faire subir le même sort à tout Veelox. Le virus d'Aja s'est peut-être retourné contre elle, mais elle, au moins, a tenté de sauver son monde. Un monde sous perfusion, qui respire à peine. Veelox va mourir, tout comme vous. Et si c'est le cas, votre vie entière aura été non seulement malheureuse, mais aussi tragique.

Zetlin a chancelé, puis est retombé sur son fauteuil. Là, j'y étais allé fort.

L'image d'Aja s'est déplacée vers le Dr Zetlin. Une fois devant lui, elle a parlé d'une voix rassurante :

– Je vous en prie. Vous êtes un grand homme. J'aimerais vous rencontrer tel que vous êtes, et non comme un souvenir de ce que vous étiez. Je voudrais vous serrer la main et vous dire à quel point je vous admire.

Aja a tendu la main. Zetlin a levé des yeux rougis, comme s'il était au bord des larmes. Il a tendu la main à son tour, mais ses doigts sont passés à travers Aja. Elle n'était qu'une image créée par Utopias. Tout contact était impossible.

– Revenez-nous, docteur Zetlin, a-t-elle ajouté. Aidez-nous à reconstruire Veelox.

Zetlin s'est retourné lentement et a regardé ses ordinateurs. Aja m'a jeté un regard plein d'espoir. L'avait-on convaincu ?

– Zéro, a dit Zetlin d'une voix faible, comme s'il n'avait plus assez d'énergie pour combattre.

– Pardon ? a demandé Aja.

– J'ai dit zéro. C'est ça le code originel.

– Zéro ? ai-je répété. C'est tout ? Juste… zéro ?

Zetlin a eu un léger sourire.

– Les phadeurs sont plutôt malins en général. Je savais qu'ils chercheraient à craquer le code et qu'ils s'attendraient à quelque chose de plus compliqué.

Aja a souri.

– Vous êtes vraiment génial.

– Vraiment ?

– Je vais éliminer le virus, a répondu Aja.

Et son image a disparu.

– Et ensuite ? a demandé Zetlin. Si Veelox est en si mauvaise passe, tout ce qu'elle va réussir, c'est à précipiter son inévitable déclin.

– Ça, c'est le problème suivant, ai-je dit. Il doit bien y avoir un moyen d'utiliser Utopias sans le laisser contrôler la vie des gens.

– En fait, a ajouté Loor, si vous pouviez aider Veelox à atteindre un tel équilibre, vous vous assureriez une place enviable dans l'histoire de ce monde. Vous deviendriez peut-être le plus grand homme qui ait jamais existé.

– Peut-être, a répondu Zetlin, puis il m'a regardé : la vraie vie est bien plus pénible que le rêve.

– Oui, ai-je répondu. Mais le rêve ne dure pas.

Zetlin s'est levé et s'est dirigé vers le grand mur transparent pour contempler cette ville sinistre. Je n'osais même pas imaginer ce qui pouvait bien lui passer par la tête.

Soudain, l'écran a pris vie et l'image d'Aja est apparue. Elle était à nouveau assise dans son fauteuil au cœur du noyau Alpha.

– On a des ennuis, a-t-elle déclaré sans préambule.

– Avec le code d'origine ? ai-je demandé.

– Non, il a fonctionné à merveille. Il est entré tout droit dans le réseau et a tout nettoyé. Le virus Réalité détournée a été complètement éradiqué.

– Alors où est le problème ? a demandé Loor.

– Le réseau s'est reconnecté tout seul. Je n'ai rien eu à faire. C'est comme ça.

– Donc, ai-je demandé, les habitants de Veelox sont tous à nouveau dans leurs rêves ?

La voix d'Aja s'est brisée. On aurait dit qu'elle avait peur.

– Oui. Mais ce n'est pas tout. Dès que le réseau est reparti, une montagne de données s'est déversée sur le noyau Alpha, des données provenant de toutes les pyramides d'Utopias.

– Des données ? ai-je demandé en cherchant à garder mon calme. Qu'est-ce que ça veut dire ?

– Je... Je n'en sais rien...

Sous nos yeux, elle a tapé une série de commandes, puis regardé son écran de contrôle. Ses yeux trahissaient sa tension. Quoi qu'il se passe, ça ne me disait rien qui vaille.

– C'est impossible ! s'est-elle écriée, prise de panique. Toutes les données de Veelox sont dirigées vers le noyau Alpha !

– Le noyau Alpha, a répété Loor. Où donc se trouve-t-il ?

– Ici même, a dit Zetlin en s'interposant entre nous deux.

Aïe.

– Killian, a repris Zetlin, ces pare-feu que tu as créés pour contrer le virus sont-ils toujours en place ?

– Oui, mais… mais les données ne cessent d'affluer. Maintenant, elles attaquent le noyau Alpha et détruisent les pare-feu. Je ne peux pas les reprogrammer assez vite.

Tout en parlant, Aja a continué de pianoter à toute allure sur son clavier.

– C'est peut-être un effet du virus ? ai-je suggéré.

– Non ! a crié Aja. J'ai tout nettoyé. Réalité détournée n'est plus. Il est…

L'image sur l'écran s'est peu à peu effondrée. Elle s'est tordue dans tous les sens pour devenir autre chose. Et cette image-là était vraiment la dernière que j'avais envie de voir.

Celle de Saint Dane.

– Qui est-ce ? a demandé Zetlin.

– Il vaut mieux ne pas le savoir, ai-je réussi à répondre.

– Bonjour à vous, malheureux Voyageurs, a-t-il dit avec une joie malsaine. Si vous voyez cet enregistrement, c'est que vous avez réussi à éradiquer le virus d'Utopias. Bravo d'être allés aussi loin ! Mais il reste un petit problème. Réalité détournée ne peut pas être effacé. Je m'en suis assuré. En fait, si vous tentez de l'éradiquer, vous ne faites qu'augmenter sa puissance. En ce moment, chaque plongeur est en train de le renforcer. Figurez-vous que vous allez devoir affronter les peurs de chaque rêveur de Veelox. Cela dit, vous n'avez pas à faire un grand effort d'imagination. Vous allez être aux premières loges ! J'ai hâte de revenir sur Veelox pour découvrir les dégâts qu'aura causés ma petite surprise. En attendant, faites de beaux rêves !

Et son image s'est vue remplacée par des milliards de chiffres défilant à la vitesse de l'éclair. Puis les lumières de la console ont brillé encore plus fort. Le Dr Zetlin s'est mis à pianoter furieusement sur son clavier. Mais quoi qu'il fasse, ça ne marchait apparemment pas.

– Plus rien ne fonctionne, a-t-il dit.

– C'est peut-être une surcharge ? ai-je suggéré. Il entre trop de données pour que l'ordinateur puisse les trier.

Les lumières ont encore gagné en intensité, nous aveuglant tous. On s'est couvert les yeux, ce qui était une bonne chose, parce qu'aussitôt après le grand écran au-dessus du fauteuil de contrôle a explosé. Loor a empoigné Zetlin par le dos de sa combinaison et l'a arraché à son fauteuil au moment même où une pluie de verre brisé s'abattait à cet endroit.

On s'est cachés, tous les trois, de peur que quelque chose d'autre n'explose. La salle s'est emplie de fumée, imprégnée d'un relent de plastique brûlé. On s'est pelotonnés l'un contre l'autre, puis on a levé les yeux pour assister à un spectacle extraordinaire.

La salle de contrôle était plongée dans l'obscurité. Les lumières s'étaient toutes éteintes. L'écran n'était plus qu'un trou fumant dans le mur. On s'est redressés et on a regardé l'écran détruit d'un œil stupéfait.

Et ce n'était pas tout.

– Qu'est-ce que c'est que ça ? a demandé Loor.

Sur le sol, au milieu des débris de l'écran, il y avait un morceau de boue noire de la taille d'une balle de base-ball. On aurait dit qu'en explosant, le panneau de contrôle avait craché un bout de goudron.

– C'est quoi, ça, un morceau de l'écran ? ai-je demandé.

– Non, a répondu Zetlin. Je n'ai jamais rien vu de tel.

Mauvaise réponse.

Le bout de goudron noir s'est mis à se tortiller et à prendre toutes sortes de formes. Une pousse a jailli de sa tête pour monter vers le plafond, telle une plante en accéléré. Elle a continué, puis a formé ce qui ressemblait à une gueule au bout d'un bourgeon noir ! Ladite gueule s'est ouverte, révélant des crocs noirs et acérés. Ils ont claqué, une fois, puis la gueule s'est amalgamée à cette boue noire dont elle était sortie.

– C'est... dégueu, ai-je éructé.

280

Cette espèce de pâte a continué de se tortiller. On a vu apparaître un œil qui a juste eu le temps de cligner une fois avant de retourner d'où il venait. Puis un poing noir s'est tendu, a étiré ses doigts et est retourné dans la masse originelle. Ç'a été ensuite le tour d'une espèce de chose pointue qui s'est aussitôt rétractée.

On était tous figés sur place, à regarder ce spectacle hideux et fascinant à la fois.

— On dirait une argile vivante, ai-je dit. Elle se modèle d'elle-même.

C'est alors que la masse noire s'est transformée en quelque chose qui ressemblait à un animal. En quelques secondes, on s'est retrouvés face à une sorte de créature féline haute de quelques centimètres à peine, mais pourvue de deux têtes, chacune dotée d'une solide mâchoire. Elle est restée vautrée sur le flanc à remuer ses membres comme un nouveau-né. Elle était d'un noir de jais, mais peu à peu sa texture s'est modifiée. Un instant, on aurait dit de la fourrure, mais c'est vite redevenu une boue noire. Ça a même émis un drôle de croassement.

À l'instant même où la silhouette se formait, j'ai senti Loor se crisper.

— Qu'est-ce qu'il y a ?

— C'est un zhou, a-t-elle répondu. Une bête originaire de Zadaa.

— Aïe. Docteur Zetlin, vous avez déjà vu une chose pareille ?

— Jamais, a-t-il répondu avec emphase.

— Dans ce cas, Loor, ce machin vient de ton esprit. Et tu sais ce que ça signifie.

— Ça signifie qu'il est là, a fait une quatrième voix.

On s'est retournés pour voir qu'Aja était revenue.

— Il a abattu mes pare-feu, a-t-elle continué d'un air choqué. Je n'ai pas pu l'en empêcher.

Le félin a encore muté. Il s'est replié sur lui-même pour redevenir une matière informe. Avec une nuance toutefois, si subtile que tout d'abord je n'ai rien remarqué, mais lorsqu'il s'est remis à se tortiller, il n'y avait pas d'erreur possible.

Cette chose avait grandi.

– Les pare-feu se sont effondrés, a continué Aja. Des quantités incroyables de données s'écoulent dans le réseau Alpha. Elles nourrissent cette créature.

La glaise noire a continué de s'étendre. À présent, elle était de la taille d'un petit chien. Elle était toujours d'un noir de jais, mais lorsqu'elle s'est tournée vers nous, elle a dévoilé deux yeux d'un jaune brillant. Mes genoux ont failli me lâcher.

C'était un quig de Denduron.

– Je sais ce que c'est, ai-je dit avec beaucoup de mal.

– C'est un quig, a affirmé Loor.

– Non. C'est le virus Réalité détournée. Il a trouvé le moyen de se donner une apparence physique.

C'est alors qu'il a attaqué.

Journal n° 15
(suite)

VEELOX

La petite bête noire a bondi.

On s'est éparpillés dans tous les sens. L'étrange créature n'a rencontré que du vide, et lorsqu'elle est retombée au sol, ses pattes ont cédé sous son poids. Ça m'a rappelé Bambi lorsqu'il n'avait pas assez de force pour se tenir sur ses pattes. Mais ce démon n'avait rien d'un faon de dessin animé. Si vous voulez mon avis, il aurait bientôt assez d'énergie pour se relever, et à ce moment-là, on serait mal barrés. Sa peau noire se transformait déjà en fourrure brun sale de quig. Et il grandissait toujours. En quelques secondes, il a acquis la taille de Marley, mon retriever doré.

– C'est fini, Pendragon, a dit Aja. Sors de cette immersion.

Je ne demandais qu'à appuyer sur le bouton de mon bracelet et dire au revoir à ce monde de cauchemar, mais on ne pouvait pas s'en aller maintenant.

– Passez en premier, docteur Zetlin, ai-je dit. Il est temps d'abandonner le navire.

Zetlin avait l'air sous le choc. Il a fixé le quig comme s'il n'arrivait pas à en croire ses yeux.

– Ce n'est pas possible, a-t-il marmonné. Le réseau ne le permettrait pas.

– Maintenant si ! ai-je crié. Il faut sortir de là !

– Allez-y. Je vous suis.

Je ne l'ai pas cru. Je craignais qu'il ne reste là pour tenter de limiter les dégâts.

– Venez, docteur, il faut y aller !

– Ça ne marche pas comme ça, Pendragon, a corrigé Aja. Quand il partira, l'immersion prendra fin pour de bon. Loor et toi devez passer en premier.

J'ai regardé le quig mutant. Son corps était agité de spasmes et des poils poussaient sur sa peau noire.

– Docteur, promettez-moi de quitter ce rêve, l'ai-je supplié. Vous pouvez affronter cette chose depuis le noyau Alpha.

– J'y compte bien, a-t-il affirmé. Allez-y.

Le quig s'est relevé lentement. Maintenant, il faisait le double de la taille de ma chienne Marley et semblait gagner des forces à chaque instant. J'ai jeté un coup d'œil à Loor. Elle s'était cachée derrière le fauteuil et se cramponnait à son dossier. Elle était prête à bondir si le monstre attaquait à nouveau.

– On ferait mieux de filer, a-t-elle dit sans quitter le quig des yeux.

– Avec plaisir, ai-je répondu en appuyant sur le bouton droit de mon bracelet. C'est parti.

Sauf que ça n'a pas marché.

– Pourquoi on est toujours là ? a demandé Loor.

– Aja ? ai-je crié.

– Je ne sais pas, a répondu l'image. Loor, essaie le tien !

Elle a appuyé sur le bouton de son propre bracelet, mais sans effet. Non ! Je me suis mis à marteler le mien comme ces crétins qui continuent à appuyer sur les boutons d'un ascenseur en croyant le faire aller plus vite, ce qui ne sert à rien. Tout comme ce que je faisais.

Le quig s'est relevé sur ses pattes tremblantes, s'est cabré et a bondi.

Loor a arraché le fauteuil du sol pour le jeter sur la bête. Le lourd meuble l'a cloué au sol. Il est resté là, à haleter tout en continuant sa croissance accélérée.

– Aja ! ai-je crié. Sors-nous de là !

– Tenez bon, a-t-elle répondu. Je retourne au noyau Alpha.

Son image a disparu.

– Venez ! ai-je crié aux autres.

Il nous fallait rester en vie jusqu'à ce qu'Aja ait trouvé un moyen de nous sortir de ce piège. Et rester à portée d'un monstre en pleine mutation n'était pas la meilleure solution. Loor a pris Zetlin par le bras. Nous sommes partis en courant tous les trois en direction de la porte qui donnait sur la grande cuisine. Lorsqu'on y est entrés, on a tout de suite constaté que les cuistots n'étaient plus là. Je ne pouvais les en blâmer. C'étaient peut-être des êtres imaginaires, mais ils savaient quand il valait mieux débarrasser le plancher.

En voyant la cuisine vide, Loor a eu une autre idée.

– Des armes ! s'est-elle exclamée.

Elle a sauté par-dessus le comptoir de métal et s'est précipitée vers une table où reposaient plusieurs couteaux de cuisine assez inquiétants. Elle les a soupesés et a choisi les deux qui lui plaisaient le plus.

– Si ce quig continue de grandir, ai-je remarqué, ce n'est pas ce coupe-papier qui va l'arrêter.

– Tu n'as pas confiance en moi, Pendragon ? a-t-elle répondu en feignant de s'offusquer.

Elle a jeté un couteau en l'air, l'a fait tournoyer, puis l'a rattrapé en cours de route par sa poignée. On aurait dit un pistolero. Ou un lanceur de couteaux. Depuis son arrivée sur Veelox, Loor avait du mal à trouver son équilibre. Elle devait composer avec des événements, des technologies qu'elle ne pouvait comprendre. Mais maintenant, qu'il s'agissait de combattre un adversaire en chair et en os, elle était dans son élément.

Le quig mutant a fait irruption dans la cuisine. Il avait désormais la taille de ceux de mon cauchemar au lycée Davis-Gregory. Pire encore, il semblait plus fort. Il s'est encadré dans la porte et a poussé un rugissement terrifiant. Pas de doute, il était officiellement prêt à foncer dans le tas.

Tout comme Loor. Elle lui a lancé un couteau, puis un second avant même que le premier ait touché sa cible. Je n'aurais jamais dû douter de ses capacités. Les deux lames ont atteint leur cible. La première s'est enfoncée dans l'épaule du monstre, la seconde dans son cou. Ce n'était pas très beau à voir, mais je préférais que ce soit lui qui déguste plutôt que nous. Il s'est dressé sur ses pattes de derrière avec un grand cri de douleur. J'ai cru que le combat était terminé avant même d'avoir commencé.

Grave erreur.

Le quig a atteint le couteau planté dans son cou avec sa patte et l'a arraché. Il ne l'a pas retiré, mais l'a poussé jusqu'à ce qu'il tombe, comme si sa chair était faite de caoutchouc semi-liquide. Il a fait de même avec l'autre enfoncé dans son épaule. Les deux couteaux ont cliqueté sur le sol. Pas de plaies. Pas de sang. Quels que soient les dommages provoqués, la créature s'était régénérée.

Alors là, on était vraiment mal barrés.

— C'est impossible, a marmonné Loor, choquée.

— Pas pour lui, ai-je répondu. Ce n'est pas un vrai quig, mais le virus Réalité détournée.

Comme pour me donner raison, le mutant a grogné, a tremblé de tout son corps et a encore grandi. Il approchait de la taille des quigs de Denduron.

— On file ! ai-je crié en m'emparant du Dr Zetlin.

On a couru vers la porte menant à la salle des jeux vidéo pour la traverser en courant. La pièce était tout aussi déserte. Les nettoyeurs s'étaient enfuis.

— Peut-être va-t-il grandir jusqu'au point où il ne pourra plus nous suivre ? a dit Zetlin.

Crac ! Le quig a fracassé la porte juste derrière nous, arrachant un bout de mur au passage.

— Je n'y compterais pas trop, ai-je dit en continuant de courir.

On a réussi à atteindre la grande piste de jeu. Au centre se tenait l'image d'Aja. On s'est tous précipités vers elle.

— Qu'est-ce qui se passe ? ai-je demandé.

— Je n'arrive pas à le contenir, a-t-elle répondu nerveusement. Les données affluent depuis tout Veelox. Elles nourrissent Réalité détournée et le rendent plus fort.

— Ouais, on a vu ce que ça donne. Tu peux nous tirer de là ?

— Tout est au point mort ! Le réseau est en surcharge et je n'arrive pas à reprendre le contrôle !

— Ce qui veut dire qu'on est piégés ici ? a demandé Loor.

— Je vais altérer l'immersion, a proposé Zetlin.

Il a levé le bras pour dévoiler son bracelet de contrôle et a appuyé sur le bouton du centre.

J'ai fait la grimace. Mais il ne s'est rien passé. Qui a dit : pas de nouvelles, bonnes nouvelles ?

— Nous avons perdu le contrôle de la situation, a dit Zetlin. (Il s'est tourné vers Aja.) Tu vas devoir isoler le réseau Alpha. Peut-être pourras-tu tromper le virus en créant un alias.

— Un alias ? ai-je demandé.

— Une duplication du programme à l'intérieur même du logiciel Alpha. Puis elle va prendre cette copie et la sélectionner par défaut. Peut-être que le virus la reconnaîtra et l'attaquera aussi.

— Diviser pour régner.

— Exactement. Tu peux le faire, Aja ?

— Je peux toujours essayer, a-t-elle répondu avant de disparaître.

— Quant à nous, ai-je dit, contentons-nous de rester en vie.

— Je ne sais pas comment affronter cette bête, a déclaré Loor.

— Moi si, ai-je répondu. Les quigs ont horreur des sons aigus. Leurs oreilles ne les supportent pas. Il faut trouver de quoi émettre un sifflement. Si cette chose est bien un quig, elle sera réduite à l'impuissance.

— Je sais ce qu'il nous faut ! a annoncé Zetlin avant de se remettre à courir.

On l'a suivi dans la pièce d'à côté, sur cet étrange terrain de basket à quatre paniers. Il s'est dirigé vers un casier de métal.

— Pour ce jeu, on emploie des sifflets, a-t-il dit dans un souffle.

Je l'aurais embrassé. On l'a rejoint alors qu'il ouvrait le casier. Pendant qu'il cherchait les sifflets, on a entendu le quig se jeter sur la porte pour chercher à l'abattre.

— On n'a plus beaucoup de temps, ai-je prévenu.

Zetlin a trouvé deux sifflets ressemblant à des kazoos. Il m'en a donné un.

— On va se relayer, ai-je dit. Je souffle dedans jusqu'à ce que je sois à bout de souffle, puis ce sera à votre tour. Le plus fort sera le mieux.

— Et après ? a demandé Loor.

— Il faudra sortir du Barbican. On a plus de chances de distancer cette chose en ville que dans ce bâtiment.

Un rugissement terrifiant a retenti. On s'est tous tournés vers la porte pour voir que…

La bête avait grandi. À présent, elle était bien plus grosse qu'un quig ordinaire. Sa tête était presque aussi large que la porte d'entrée. Pourvu que les sifflets suffisent à contenir quelque chose d'aussi énorme…

– Maintenant, utilisez vos sifflets, a dit Loor, très calme.

J'ai inspiré profondément et sifflé dans cette espèce de kazoo. Le son qui en a résulté était à la fois horrible et parfait. C'était un piaillement sonore particulièrement énervant – exactement ce que détestaient les quigs. La bête a levé la tête et poussé un rugissement de douleur. Ça marchait ! On pouvait arrêter ce monstre. Mon esprit s'est mis à calculer comment se relayer assez longtemps pour pouvoir lui échapper.

Mais notre victoire n'a pas duré.

J'étais à bout de souffle et Zetlin allait prendre le relais lorsque le quig a cessé de brailler. Il se modifiait encore une fois. Sous nos yeux horrifiés, sa tête s'est mise à croître, se tortiller et changer de forme. La fourrure a disparu pour redevenir cette peau noire et luisante du début. Zetlin a inspiré profondément, mais j'ai posé une main sur son épaule :

– Laissez tomber. Ce n'est plus un quig.

La tête s'est aplatie et la peau huileuse a pris une nouvelle texture évoquant des écailles. Les yeux ont adopté les pupilles verticales d'un serpent. Je déteste les serpents. Soudain, une langue rose d'un bon mètre a jailli dans la salle.

Réalité détournée s'était changé en serpent, et les serpents n'avaient pas peur des sifflets.

– L'ascenseur ! s'est exclamée Loor.

On a couru jusqu'à la porte menant à l'ascenseur bleu. Zetlin a tiré sur la poignée, mais elle ne s'est pas ouverte.

– La cabine n'est pas là, a-t-il dit avec angoisse. Les joueurs ont dû la prendre.

J'ai jeté un coup d'œil par-dessus mon épaule et l'ai aussitôt regretté, parce que mon estomac s'est soulevé. La tête du serpent était trop large pour passer par l'entrée, mais il n'allait pas se laisser décourager par ce simple détail. Il s'est contenté de se tourner sur le côté pour passer. Sous mes yeux horrifiés, le serpent noir géant a rampé sur le terrain. Son regard restait braqué sur nous.

– On peut faire remonter la cabine avant Noël ? ai-je demandé en cherchant à dissimuler ma panique croissante.

– Elle arrive, a répondu Zetlin.

– Le serpent aussi, a remarqué Loor.

La créature s'est arrêtée. Du moins sa tête. Le reste de son corps a continué.

– Encore combien de temps ? ai-je demandé.

– Elle y est presque.

– C'est un presque de trop.

Le serpent devait bien faire dans les huit mètres de long et un mètre cinquante d'épaisseur. Il s'était enroulé sur lui-même. Une position d'attaque parfaite. Il a ouvert la gueule et sifflé, révélant deux crocs acérés d'une bonne trentaine de centimètres.

– Docteur Zetlin ? ai-je insisté.

– La voilà ! a-t-il dit en ouvrant la porte.

C'est alors que le serpent a reculé sa tête, ouvert en grand ses mâchoires, et s'est rué sur nous.

Journal n° 15
(suite)

VEELOX

On s'est précipités dans la petite cabine d'ascenseur et je me suis empressé de tirer la porte derrière moi. À ce moment précis, le serpent a attaqué avec une violence telle qu'il a repoussé la porte, m'envoyant bouler contre Loor et Zetlin.

– Regardez ! a crié Zetlin.

Là, sur le panneau, traversant le métal, étaient apparus deux crocs de serpent. Un peu plus tard, un jet de liquide a jailli de l'un d'entre eux.

Du venin.

On s'est massés à l'arrière de la cabine pour l'éviter. Zetlin s'est fait asperger la main et a poussé un cri de douleur.

– Sors-nous de là ! ai-je crié à Loor.

Elle a tendu la main vers le tableau de contrôle. Je doutais qu'elle sache lequel était le bon bouton, mais ça n'avait pas grande importance, du moment qu'on bougeait de là. La cabine a tressauté, et nous voilà partis. Mais les crocs, eux, sont restés là où ils étaient. Le serpent géant jouait les passagers clandestins. Heureusement, le flot de venin s'était tari. Il devait être à sec.

– On se déplace à l'horizontale, ai-je remarqué. Pourquoi ne descend-on pas ?

– Parce que le Barbican tout entier est à l'horizontale, a répondu Zetlin en grimaçant de douleur. Tous les étages sont au même niveau.

Oh. J'avais oublié.

Loor a pris la main de Zetlin et a essuyé le venin avec sa manche. J'ai vu que le poison avait laissé une marque rouge sur sa peau.

– Ça ira, a-t-il dit.

– Comment peut-on sortir d'ici ? ai-je demandé, décidé à ne faire preuve de compassion que lorsqu'on serait en sécurité.

– L'ascenseur va nous mener à la jungle par où vous êtes entrés, a répondu Zetlin. De là, je pourrai remettre le Barbican en position verticale et nous n'aurons qu'à marcher vers la porte.

– C'est bien vu, ai-je dit en désignant les crocs fichés dans la porte. Mais tant que cette chose nous tient, on ne pourra même pas sortir de la cabine.

Soudain, celle-ci a tressauté.

– C'est normal ? ai-je demandé.

– Non. Ce doit être…

Avant que Zetlin ait pu finir sa phrase, l'ascenseur a été secoué comme un prunier. J'ai regardé les crocs de notre auto-stoppeur. Ils s'étaient mis à bouger. Le serpent avait décidé de prendre le contrôle de la situation. Puis les crocs se sont retirés, laissant deux trous dans la porte.

– Quoi encore ? ai-je demandé.

L'ascenseur s'est mis à danser comme un bateau en pleine tempête. Zetlin a regardé le panneau de contrôle.

– On est dans la salle des poids.

La salle des poids ? Zetlin avait sa salle de gym personnelle ? Il a ouvert un panneau situé sous le tableau de contrôle, révélant un compartiment rempli de drôles de gadgets évoquant les patins qui nous servaient à filer sur la glace. Ils comportaient le même genre d'infrastructure métallique à accrocher à ses chaussures, mais il n'y avait qu'un tampon sur la semelle. Il était plus épais avec un trou en son centre.

Zetlin en a tiré trois paires et nous en a donné deux.

– Accrochez-les à vos chaussures, a-t-il dit.

On a obéi. L'ascenseur tressautait si violemment qu'on pouvait à peine se tenir debout. Réalité détournée cherchait à arracher la cabine de sa cage. Et il faut dire qu'il se débrouillait bien. On était secoués comme des gamins dans une attraction de foire. Sauf que ça n'avait rien de drôle. Ça faisait mal.

– Qu'est-ce que c'est ? ai-je réussi à demander tout en me bagarrant pour enfiler cet équipement.

– C'est le seul moyen de traverser la salle des poids, a répondu Zetlin.

Ce qui ne répondait guère à ma question. Il a tendu à chacun de nous un petit instrument de contrôle que, suivant son exemple, nous avons glissé à notre index. Un bouton était attaché à l'anneau et reposait sur la paume de la main.

– Une fois dehors, a repris Zetlin, appuyez sur le bouton. Il actionne les jets d'inertie.

– Les quoi ? a demandé Loor.

Il n'a même pas eu le temps de répondre, parce que l'ascenseur s'est renversé et s'est mis à tournoyer. Réalité détournée avait réussi à arracher la cabine et la secouait dans tous les sens. On se serait crus à l'intérieur du tambour d'une machine à laver. Je me suis cramponné du mieux que j'ai pu, attendant l'impact. Mais il n'est pas venu. On s'est contentés de tourner et tourner. Curieusement, la cabine n'a pas ralenti.

– Suivez-moi ! a crié Zetlin en se ruant sur la poignée de la porte.

– Non ! ai-je hurlé.

J'étais sûr qu'il allait se tuer. Mais il n'avait pas l'air d'avoir peur. Il a ouvert la porte et s'est hissé au-dehors. Loor l'a suivi de près. Perdu pour perdu, autant affronter notre destin ensemble. J'ai plongé vers la porte et me suis lancé vers l'extérieur.

« Lancé » était bien le mot. À peine avais-je passé la porte que j'ai effectué un roulé-boulé tout en protégeant ma tête en prévision d'un atterrissage sans douceur. Mais non : au bout de quelques secondes, j'ai compris que je n'avais rien à craindre. Parce que je flottais dans l'espace. J'ai jeté un coup d'œil prudent entre mes bras. Il faisait nuit, et le ciel était piqueté d'étoiles. Je dérivais dans l'espace ! Ce n'était pas une salle avec des poids, mais une salle *sans* poids. Loin sur ma droite, la cabine d'ascenseur tournoyait toujours. Je l'ai regardée une seconde, interdit, puis on m'a touché l'épaule.

– Ahhh !

Je me suis retourné d'un bond en croyant voir les crocs du serpent noir prêts à se refermer sur ma tête. Mais ce n'était que le

Dr Zetlin. Il flottait à mes côtés, accompagné de Loor. Il a tendu la main. Ils étaient tous les deux à l'envers. Ou peut-être était-ce moi.

– Les jets d'inertie vous propulsent depuis vos pieds, a-t-il expliqué. Vous n'avez qu'à pointer votre corps dans la direction où vous voulez aller et toucher le bouton sur votre paume. Pour manœuvrer, il suffit d'ajuster la direction de ses talons.

J'ai appuyé sur le bouton en question… et ai fait un bond en avant. Ces trucs avaient une sacrée patate !

– Doucement ! a fait Zetlin. Contente-toi de le toucher.

J'ai virevolté et ai appuyé plus légèrement sur le bouton. Et j'ai pu garder le contrôle. Lorsque j'ai retiré mes doigts, j'ai ralenti assez vite. Facile à maîtriser. Dans d'autres circonstances, ç'aurait même été super marrant – comme de flotter dans l'espace sans scaphandre. Mais ce n'étaient pas d'autres circonstances, et on n'était pas là pour s'amuser. Quelque part au milieu des étoiles, un serpent géant cherchait à nous tuer.

– Suivez-moi, a annoncé Zetlin. Je sais comment accéder à l'autre niveau.

– Comment ça ? ai-je demandé en regardant autour de moi sans rien voir que du néant.

– Je connais la configuration des étoiles.

Il fallait bien le croire sur parole. Si Loor et moi devions nous débrouiller sans lui, on flotterait ici pour l'éternité.

C'est alors que le serpent est réapparu. Il était tout en bas, loin de nous, en apesanteur. Du moins je pense qu'il était en dessous de nous. Impossible de discerner le bas du haut.

– On a de la chance, a dit Zetlin. Ici, il lui est impossible de se déplacer.

Excellent. Réalité détournée avait choisi le pire endroit pour arracher la cabine de sa cage. J'imagine qu'il resterait suspendu dans le néant sans pouvoir bouger. Ça nous laisserait toute latitude pour sortir du Barbican et permettrait à Aja de démêler ses histoires de logiciels. Soudain, il y avait de l'espoir.

Ça n'allait pas durer.

Comme le serpent ne pouvait rien faire dans cette absence de gravité, il a changé de forme. Sous nos yeux horrifiés, de grands bras humanoïdes ont jailli de son corps. Les mains qui les prolongeaient étaient grandes et puissantes et ont tâtonné comme si elles cherchaient une prise.

– Qu'est-ce qu'il fait ? a demandé Loor.

La réponse s'est imposée d'elle-même. Ces énormes doigts ont trouvé ce qu'ils cherchaient.

– La cage d'ascenseur, a fait Zetlin.

C'était bien tout ce qu'il y avait de solide dans ce monde d'apesanteur. Ces mains ont empoigné les rails guidant la cabine. Maintenant, la créature pouvait se déplacer, une main après l'autre. Exactement dans la direction qu'on devait emprunter.

– Vite, a dit Zetlin.

Et il s'est éloigné dans le sifflement doux de ses réacteurs à inertie.

Loor est passée en deuxième. Tout d'abord, elle est partie dans la mauvaise direction, mais a fait pivoter ses jambes. Peu après, elle a compris comment contrôler son engin, en tout cas suffisamment pour suivre le Dr Zetlin. Puis j'ai appuyé sur mon propre bouton… et me suis mis à tourner sur moi-même. Oups. Un seul de mes pieds pointait dans la bonne direction, et l'autre était en vrac. Idiot ! J'ai relâché le bouton, me suis positionné convenablement, me suis assuré que mes pieds étaient dans la bonne direction, et suis reparti. Quelques secondes plus tard, j'avais compris le truc. En fait, c'était plutôt facile. Un simple petit mouvement du talon changeait ma trajectoire et j'ai appris à effectuer de légères corrections. En un rien de temps, j'ai pu suivre Loor pendant que Zetlin ouvrait la marche.

J'ai jeté un coup d'œil par-dessus mon épaule. Réalité détournée se déplaçait rapidement le long de la cage d'ascenseur. Mais grâce à nos réacteurs, on était plus rapides que lui.

Zetlin a alors changé de direction pour descendre à la verticale. Loor et moi avons réussi à le suivre. En regardant en avant, j'ai vu un petit rectangle d'un rouge brillant qui semblait flotter dans le vide. C'était vers lui que se dirigeait Zetlin. Il s'est arrêté devant et l'a poussé. C'était notre porte de sortie.

J'ai jeté un coup d'œil en arrière. Le grand serpent noir aux bras humains gagnait du terrain. Il a ouvert la gueule et sifflé de colère.

— Je vous en prie, dépêchez-vous ! ai-je dit à Zetlin.

Loor et moi avons passé la porte juste après lui. J'ai aussitôt ressenti le poids de la gravité. J'ai refermé la porte, qui était plus lourde que tout ce que j'avais aperçu dans cet asile de fous. En fait, c'était plus une trappe qu'une porte. En la refermant, j'ai vu un gros loquet et l'ai poussé. Tout était bon par ralentir ce virus.

— Continuez ! a crié Zetlin.

On s'est retrouvés dans une petite chambre sombre de trois mètres de large. À l'autre bout, il y avait une seconde porte que Zetlin a ouverte. En passant, on est entrés dans un autre espace que, faute d'une meilleure métaphore, je décrirais comme l'intérieur d'une horloge géante. C'était une immense salle remplie d'immenses rouages. Tout autour de nous tournaient d'énormes dents et mécanismes et Dieu sait quoi.

— On est au cœur même du Barbican, a expliqué Zetlin en refermant la porte derrière lui. Ces machines font pivoter le bâtiment. Je pense qu'on ne risque rien.

— Qu'est-ce qui vous fait dire ça ? ai-je demandé.

Zetlin a abattu son poing sur la structure entourant la porte.

— Ce mur est le noyau structurel du Barbican. Il fait plus d'un mètre cinquante d'épaisseur. Ce monstre est trop gros pour passer par la porte et, quelle que soit la force qu'il se donne, il ne peut pas abattre cette construction.

— J'espère que vous avez raison, ai-je dit.

Mais il se trompait.

La preuve en est apparue – *sous* la porte que Zetlin venait de refermer.

— Il n'a pas besoin d'abattre le mur, ai-je dit en désignant la porte.

Un liquide noir et visqueux venait d'apparaître, s'infiltrant dans les interstices autour du chambranle. Tel un poison, il s'est écoulé au sol et a continué sa progression.

Réalité détournée avait repris sa forme liquide.

— Vite, suivez-moi ! a dit Zetlin.

Le « vite » était de trop. On était sur ses talons. Impossible de dire combien de temps mettrait le virus pour finir sa mutation et reprendre une forme abominable. Il fallait continuer de fuir.

– Nous allons emprunter les zips, a-t-il dit.

– Les zips ?

On l'a suivi au milieu des monstrueux rouages. J'avais l'impression d'être une fourmi courant dans un moteur de voiture. Il nous a guidés vers des véhicules que j'ai tout de suite reconnus. C'étaient les espèces de motos sans roues que nous avions vues faire la course à l'étage inondé. Zetlin a ramassé un casque et a enfourché l'une d'entre elles.

– Hé, je ne sais pas piloter ces machins ! ai-je dit.

– Pas grave, a répondu Zetlin. Un enfant y arriverait. Regarde. (Il a empoigné le guidon.) À droite, la poignée de gaz ; à gauche, les freins. (Puis il a désigné son pied gauche, qui reposait sur une pédale.) Un coup de talon, vous montez. Un coup de la pointe du pied, vous plongez. Pour aller en ligne droite, gardez le talon droit. Le mode de guidage est évident.

On a alors entendu un cri terrifiant provenant de la salle des machines. C'était un bruit évoquant du métal qui se déchire. Réalité détournée s'était reformé. Loor et moi avons échangé un regard nerveux. Puis on a pris un casque chacun et sauté sur un zip. Il faudrait bien apprendre à piloter ces engins, et fissa.

– Attachez-vous, a dit Zetlin en passant une ceinture autour de sa taille. Sinon, vous risquez d'être éjectés en heurtant la surface des flots.

– En heurtant quoi ? a demandé nerveusement Loor.

Zetlin a actionné un levier sous le guidon, et le zip a démarré avec un gémissement. Loor et moi l'avons imité. J'ai senti vibrer la puissance du moteur de ma monture. J'avais l'impression d'être sur une moto, comme celle de l'oncle Press. Sauf que je n'en avais jamais piloté une moi-même. Ce que j'avais conduit de plus approchant, c'était un de ces chevaux d'arçons pour gamins tels qu'on en trouve dans les centres commerciaux, où il suffit de mettre une pièce pour qu'il vous secoue gentiment. Quelque chose me disait que ce ne serait pas tout à fait la même chose. J'ai jeté un coup d'œil à Zetlin, et il a posé son talon. Le nez conique de son engin a pointé vers le ciel comme un missile paré au décollage.

– *Go !* a-t-il crié.

Et il a mis plein gaz. Son zip a aussitôt bondi. Il a jailli comme une balle, a viré de bord et s'est arrêté, planant au-dessus de nous.

– Allez, venez ! a crié Zetlin.

J'ai jeté un coup d'œil à Loor, qui a haussé les épaules et suivi Zetlin. Elle a poussé du talon, le nez du zip est monté, et elle est partie en trombe en direction de Zetlin. En fait, elle a bien failli lui rentrer dedans.

Note : éviter de percuter tout ce qui traîne.

Zetlin a fait pivoter son zip et s'est lancé à sa poursuite. Il fallait que j'en fasse autant, ou ils allaient me semer. J'ai donné un coup de talon et senti se soulever le nez du zip vers le plafond.

– Hobie-ho, ai-je chuchoté en essorant la poignée de gaz.

Le zip est parti à toute allure. C'était incroyable. En fait, je me suis très vite habitué aux commandes. La pédale était un peu plus complexe à doser : j'ai eu du mal à garder mon engin stable. Il me secouait tellement que j'en avais le mal de mer. Mais après un poil de pratique, je suis arrivé à redresser. Bon sang, comme j'aimerais avoir un de ces appareils pour moi tout seul ! Dommage qu'ils n'existent qu'en rêve !

J'ai vu Loor et Zetlin planer côte à côte devant moi et les ai rejoints. On est restés suspendus à quinze mètres au-dessus du sol, entourés de rouages géants.

– Ça va, vous deux ? a demandé Zetlin.

– Ça va, ai-je répondu.

– Moi aussi, a renchéri Loor.

– Alors continuons.

Il allait mettre plein gaz lorsque Loor a ajouté :

– Mais je ne sais pas nager.

– Tu n'en auras pas besoin.

On a alors entendu un rugissement provenant des profondeurs de la salle des machines. On a tous regardé vers le bas, mais sans rien voir. Réalité détournée n'était pas là.

Il était là-haut, avec nous.

– Le voilà ! a annoncé Zetlin.

Au loin, parmi les rouages, j'ai vu s'élever une silhouette noire. Je n'ai fait que l'entrevoir, mais elle s'est gravée dans ma mémoire. Elle avait la tête d'un oiseau, avec un bec long et pointu.

Son corps semblait humain, avec une puissante poitrine. Ses pattes aussi évoquaient celles d'un oiseau. Et elle avait des ailes. De grandes ailes noires de chauve-souris.

Réalité détournée était devenu un virus aérien.

On s'est retournés et on a mis plein gaz. On s'est déployés en formation, avec Zetlin en tête et Loor et moi alignés derrière lui. Zetlin nous a guidés au milieu de ces incroyables machines. Je suppose qu'il voulait semer Réalité détournée, mais Loor et moi avions du mal à tenir son rythme. Il volait en rase-mottes, passant sous des poutres d'acier, puis virait abruptement pour s'enfiler dans un étroit couloir. Par manque d'espace, nous avons dû rompre notre formation pour voler en file indienne. Puis on a jailli du couloir pour monter en chandelle jusqu'à ce qu'on soit tout près du plafond. De là, les rouages ressemblaient à des montagnes métalliques.

Ça peut vous étonner que Loor et moi ayons pu suivre Zetlin, mais ces zips étaient très faciles à piloter. C'était sans doute dû au fait que c'étaient des engins imaginaires. Dans nos esprits, on savait qu'ils étaient notre meilleur moyen d'échapper au virus. Donc, notre cerveau devait faire les ajustements nécessaires.

On approchait du mur de la salle des machines. Là, une ouverture carrée laissait échapper une lumière blanche éblouissante.

– Allons sur le glacier ! a crié Zetlin.

La salle suivante de cet incroyable immeuble devait être ce champ de glace où Zetlin et moi avions fait la course. Tant mieux : ça signifiait qu'on se rapprochait de la jungle.

Mais une ombre est apparue dans le lointain – et perpendiculairement à nous. Cette course d'obstacles n'avait servi à rien. Le virus avait trouvé un autre chemin pour jaillir sur notre gauche, et il filait aussi vers l'ouverture. Nous allions droit à la collision. Il fallait le battre de vitesse. On a de nouveau mis les gaz, mais le virus a accéléré. J'ai tenté de calculer qui passerait l'ouverture en premier. Dans tous les cas, il s'en faudrait de peu. On s'est penchés sur nos guidons pour aller encore plus vite. C'était dangereux : à une telle allure, on ne contrôlait plus grand-chose. Soit on s'en sortait, soit on s'écrasait contre cette créature. Tout dépendait de qui arriverait à l'ouverture en premier.

L'instant d'après, on plongeait tous les trois dans la lumière blanche. On était passés. L'oiseau, lui, a dépassé l'ouverture. À cette vitesse, il n'aurait jamais pu virer de bord pour s'y insérer. Il lui faudrait faire un tour complet pour l'aborder en ligne droite. Ce qui nous faisait gagner quelques précieuses secondes.

Maintenant, on filait au-dessus du champ de course taillé dans la glace. Cette fois, Zetlin n'a pas tenté la moindre manœuvre d'évasion. Je crois qu'il voulait juste aller le plus vite possible. Ça me convenait. Je n'ai même pas regardé pour voir si Réalité détournée avait fait irruption dans ce monde gelé. Tout ce qui comptait, c'était d'arriver à l'autre bout du champ.

Au bout d'une minute de course, Zetlin nous a fait signe de descendre. Il a baissé le nez de son zip et s'est dirigé vers ce qui ressemblait à un mur de glace solide. On était arrivés à l'autre bout de l'étage. Mais je ne voyais pas la moindre ouverture. Il faudrait faire confiance à Zetlin. Je présume qu'il n'avait aucune envie de finir aplati sur ce mur comme un insecte sur un pare-brise.

En contrebas, sur la neige, j'ai vu une ombre noire ailée. Le virus était derrière nous et gagnait du terrain.

– Là ! s'est écriée Loor.

Je l'ai vue aussi. Il y avait une ouverture dans la glace. Notre porte vers l'étage suivant.

– Il faut passer sous l'eau ! a crié Zetlin. Je doute que cet oiseau puisse nous y suivre !

Pourquoi ? D'après ce qu'on avait pu constater, le virus pouvait prendre toutes les formes qu'il voulait. Cela dit, peut-être que les quelques secondes nécessaires à sa transformation nous donneraient un avantage.

Sauf que Loor ne savait toujours pas nager.

– Loor ? ai-je crié.

– Ne t'en fais pas, a-t-elle répondu, je m'en sortirai.

Il lui faudrait faire preuve d'un grand courage. Mais elle en était capable. Zetlin a foncé dans le tunnel de glace où nous l'avons suivi. On l'a vite traversé pour plonger dans des ténèbres absolues. Il n'y avait rien à voir, sinon la série de globes colorés marquant l'emplacement de la piste.

– Penchez-vous bien avant d'entrer dans l'eau, a ordonné Zetlin. Ne ralentissez pas et continuez de respirer.

Il a alors fait baisser le nez de son zip. Loor et moi l'avons suivi aveuglément. Bon sang, j'avais peur pour tous les deux. Je ne savais à quoi je devais m'attendre lorsque nous percuterions la surface. Le choc allait-il nous arracher à nos sièges ? Devais-je vraiment continuer à respirer ? Devais-je faire dans mon pantalon ? Je me suis penché au maximum dans la bulle transparente et ai serré les dents. L'eau s'est précipitée vers moi à toute allure. Zetlin y est entré le premier. Loor et moi en avons fait autant.

Le choc a été rude, mais rien de bien méchant. Le nez en cône devait avoir absorbé l'essentiel de l'impact. Mieux encore, je pouvais respirer. Le casque devait y être pour quelque chose.

J'ai regardé à mes côtés : Loor ne m'avait pas lâché. Elle était incroyable.

On a pu suivre Zetlin sans trop de mal : au moment même où on a heurté la surface, nos phares se sont allumés. L'eau a déferlé sur la bulle, faisant vibrer mon appareil. Manœuvrer était à peine plus difficile qu'en l'air. Sans doute à cause de la résistance de l'eau. Mais on allait toujours aussi vite.

J'ai entendu un grand éclaboussement derrière nous. Une seule chose pouvait avoir fait ce bruit. Réalité détournée venait de se mouiller les pattes. Je me suis demandé si cette espèce d'oiseau pouvait naviguer sous l'eau ou s'il avait pris une forme de requin. J'ai préféré évacuer cette image de mon esprit.

Notre voyage aquatique n'a pas duré. J'ai vu se dessiner les contours d'une nouvelle porte. Zetlin a pris cette direction, et nous l'avons suivi l'un après l'autre...

Pour déboucher au-dessus de la jungle. J'ai jeté un coup d'œil en arrière : c'était bien un portail aquatique qu'on venait de franchir, et pourtant pas une goutte ne s'en écoulait. Mes vêtements n'étaient même pas mouillés. Incroyable.

Zetlin a donné un grand coup de gaz et s'est dirigé vers la jungle. Je n'avais pas trop envie d'aller retrouver ces plantes carnivores, mais il valait mieux se perdre au milieu de cette végétation plutôt que de rester en l'air, où Réalité détournée pouvait nous voir.

Zetlin a redressé à un mètre du sol et a continué en suivant un sentier. Loor le talonnait et je talonnais Loor. Le cortège filait à vive allure. Je n'ai cessé de fixer le dos de Loor pour anticiper les prochains tournants. C'était la dernière ligne droite, si j'ose dire. On ne tarderait pas à arriver à l'entrée du Barbican, et là, on serait sauvés.

Après quelques minutes de sauts d'obstacles, Zeltin a ralenti : on approchait de l'entrée. Ça faisait un bout de temps qu'on fonçait comme ça, et mon cœur battait la chamade. Zetlin a arrêté son zip, a sauté de sa selle et a couru vers un panneau de commande enchâssé dans le mur. Il a ouvert le couvercle et a appuyé sur des boutons.

– Pourquoi est-ce qu'on ne sort pas avec nos zips ? ai-je demandé.

– Ils ne fonctionnent qu'à l'intérieur du Barbican, a répondu Zetlin. Il faut prendre la position deux pour pouvoir sortir du bâtiment à pied.

Il a appuyé sur d'autres boutons et l'immeuble s'est mis à vibrer. Dans le lointain, j'ai entendu une série de grincements métalliques. Je pouvais imaginer tous ces rouages en train de se mettre en mouvement. Pourvu qu'ils soient assez rapides pour qu'on puisse sortir de là avant que le virus ne nous retrouve ! Le bâtiment a grondé et s'est mis en mouvement.

– Ça ne prendra pas longtemps, a affirmé Zetlin.

On a entendu une sorte de couinement torturé, comme si on tordait du métal. Un peu plus tard, le bâtiment s'est immobilisé.

– Qu'est-ce qui se passe ? a demandé Loor.

Zetlin est retourné à ses instruments. Il a frappé furieusement quelques boutons, mais sans résultat.

– Je ne comprends pas, a-t-il dit nerveusement. D'après les cadrans, on devrait être en mouvement.

– Lorsqu'on était dans la salle des machines, ai-je repris, on a entendu un bruit horrible. Réalité détournée pourrait-il avoir saboté le mécanisme ?

C'est alors qu'un cri perçant nous est parvenu des profondeurs de la jungle. On a tous levé les yeux.

– Je ne sais pas, a répondu Zetlin, mais le Barbican est coincé. Et tant qu'il ne passera pas à la verticale, on ne pourra pas en sortir.

Journal n° 15
(suite)

VEELOX

Un autre cri perçant a résonné à travers la jungle, si fort que j'ai cru qu'on me plantait des épingles dans le cerveau. Non loin de là, un vol d'oiseaux multicolores s'est égaillé. On a alors entendu un bruit indiquant que quelque chose d'énorme se frayait un chemin au milieu des arbres et des buissons. En quoi Réalité détournée s'était-il encore transformé ?

– Il doit forcément y avoir une autre sortie ! me suis-je écrié.

– Il y en a une, a répondu Zetlin. C'est un couloir d'urgence, mais je ne l'ai encore jamais utilisé.

– C'est peut-être le moment de l'inaugurer.

D'autres bruits inquiétants. Plus près cette fois-ci. Réalité détournée progressait à travers la jungle, chassant son gibier. C'est-à-dire nous.

– Où est cette sortie ? a demandé Loor.

– Dans la salle des machines.

– Quoi ? ai-je crié. Pourquoi ne l'a-t-on pas prise pendant qu'on y était ?

– Parce que j'ignorais que Réalité détournée était capable de saboter le Barbican, a répondu Zetlin avec une logique implacable.

– Bon, d'accord. Il faut qu'on y retourne.

C'est alors qu'il nous est apparu. Et c'était un spectacle terrifiant. Réalité détournée arrachait les arbres à gauche et à droite dans son désir sanguinaire de nous rattraper. Il s'était transformé en une sorte d'insecte vert avec de nombreuses pattes, telle une tarentule, un long corps chitineux et une énorme tête dotée de mandibules claquant devant sa gueule rouge. Et il avait encore grandi. Maintenant, il nous dominait de toute sa taille comme un monstre dans un film japonais.

Il a fracassé la ligne des arbres, puis s'est arrêté, a levé la tête et a lâché un autre de ses cris perçants.

— Ne restons pas ici, a dit Loor.

Elle a éperonné son zip et a foncé dans les airs tout en faisant attention de rester hors de portée du monstre.

Mais elle n'est pas allée bien loin. À peine était-elle partie en trombe que l'insecte a levé la tête et dardé un long filament de salive évoquant la langue d'un caméléon.

— Loor ! ai-je crié, mais trop tard.

Le filament a touché l'arrière de son zip et l'a laissée suspendue entre ciel et terre comme un cerf-volant au bout de sa corde. Loor a mis plein gaz pour tenter de se libérer, mais le filament a tenu bon. Bien plus, il l'entraînait en arrière. Ce monstre ferrait Loor comme un poisson au bout d'une ligne. Ses pinces ont cliqueté avec une joie malsaine. L'araignée avait attrapé sa proie et s'apprêtait à la dévorer.

— Je vais la sortir de là, me suis-je exclamé.

J'étais tout prêt à aller la chercher pour la faire monter sur mon zip, mais Zetlin a été plus rapide. Il a filé comme le vent. J'ai cru qu'il allait trop vite pour pouvoir s'arrêter à côté de Loor, mais ce n'était pas son intention. En fait, il a dirigé son zip vers le filament qui retenait celui de Loor et l'a coupé en deux. Loor a bondi, comme propulsée par un élastique.

— Bien joué ! ai-je crié.

Mais je l'ai tout de suite regretté. Je me retrouvais seul face au monstre qu'était devenu Réalité détournée. Oups. Autant crier « Youh-hou ! Je suis là ! Viens me chercher ! ». C'était le moment de filer à l'anglaise. J'ai viré brutalement sur ma gauche pour m'éloigner au maximum de la créature et ai essoré la poignée. Du coin de l'œil, je l'ai vue se tourner vers moi et lancer un autre filament. Je me suis empressé d'abattre la pointe de mon pied pour faire plonger le zip. La langue de salive m'a raté de peu : elle est passée juste au-dessus de mon épaule. Le temps que la bête recharge et j'étais loin. J'ai regardé par-dessus mon épaule pour voir que Réalité détournée était reparti d'où il venait, suivant le chemin qu'il s'était déjà frayé à travers la jungle.

La course avait repris.

Je suis retourné vers la porte aquatique. Je n'ai pas tardé à rattraper Loor et Zetlin.

– Bien joué, ai-je crié à Zetlin.

– Je suis le meilleur, a-t-il répondu.

Ce n'était pas la modestie qui l'étouffait, mais il n'était pas loin d'avoir raison.

– Suivez-moi jusqu'à la salle des machines, a-t-il dit.

Et il a mis les gaz. Loor et moi l'avons suivi. J'étais sûr qu'on y arriverait. Ce que Réalité détournée gagnait en taille, il le perdait en rapidité. Si on maintenait notre vitesse, on pourrait arriver avant lui à la salle des machines et sortir de là sans problème.

Du moins le pensais-je.

Le grand carré liquide qui nous mènerait au niveau précédent est apparu dans le lointain. À la vitesse à laquelle on fonçait tous les trois, on ne tarderait pas à le percuter. Zetlin s'est tourné vers nous :

– Ça va, vous deux ?

On a acquiescé en chœur.

– Ne ralentissez pas. On peut vaincre cette chose ! a-t-il ajouté, confiant.

Mais à cet instant, j'ai vu quelque chose obstruer l'ouverture du carré aquatique. Mon cerveau a mis un temps à l'enregistrer, mais je n'ai pas tardé à comprendre ce qui nous bloquait le passage.

Une toile. Après son passage, Réalité détournée devait avoir tissé ce piège pour attraper quelques mouches pressées.

– Attention ! ai-je crié.

Trop tard. Loor et moi avons viré de bord à la dernière minute, mais Zetlin n'a pas pu en faire autant. Il a à peine eu le temps de jeter un coup d'œil en arrière avant de percuter le filet. Un bref instant, j'ai espéré que les fils cèderaient comme le filament que Zetlin avait déjà coupé, mais non. Cette fois-ci, on avait affaire à toute une toile, autrement plus solide.

Loor et moi avons décrit un cercle et vu le zip de Zetlin écrasé au sol. Le docteur lui-même était là, englué dans ce piège. Je n'étais même pas sûr qu'il soit conscient. Ou encore vivant.

Loor a manœuvré son appareil pour s'approcher de Zetlin et s'est immobilisée juste à côté de lui.

– Ça va ? a-t-elle demandé.

Zetlin a acquiescé. Ouf ! Il était ébranlé, mais bien vivant. J'ai regardé en bas pour voir le monstrueux insecte traverser la jungle. Il se dirigeait droit vers nous de toute la force de ses huit pattes, impatient de voir quel morceau de choix avait atterri dans sa toile. Il fallait sortir Zetlin de là, et vite. Mais comment ?

Loor a répondu à cette question. De la poche de sa combinaison, elle a tiré un grand couteau pas très engageant. Je ne savais pas qu'elle en avait gardé un, mais c'était une bonne idée.

– Aide-moi, Pendragon, a-t-elle ordonné. Passe par-dessous.

J'ai manœuvré mon zip pour prendre position sous Zetlin. Pendant que Loor tailladait les fils, j'ai maintenu les jambes du docteur pour qu'il tombe sur mon appareil. J'ai jeté un coup d'œil en bas. Réalité détournée se rapprochait. S'il décidait de se transformer en oiseau, on était cuits. Mais non : il s'est contenté de charger à travers la jungle.

La toile a fini par céder. Loor et moi avons allongé Zetlin sur mon zip.

– Vous êtes avec nous ? ai-je demandé.

– Oui, a-t-il répondu.

Il avait l'air dans les vapes. Comme on n'avait pas le temps de récupérer son zip, il s'est couché sur la bulle du mien afin que je puisse voir où j'allais.

– Je vous suggère de ne pas traîner, a-t-il dit.

Je me suis tourné vers Loor :

– On a la place de passer ?

– Oui.

On s'est donc éloignés de la toile, puis on a viré de bord et mis plein gaz pour passer par le trou qu'elle avait découpé afin de libérer Zetlin. Loor a pris la tête. Je l'ai suivie, et on s'est à nouveau retrouvés sous l'eau.

Maintenant, tout était une question de rapidité. Loor et moi foncions côte à côte, pied au plancher, si j'ose dire, afin de tirer le maximum de ces étranges machines imaginaires. Loor a été la première à monter vers la surface, Zetlin et moi sur ses talons. On s'est ensuite dirigés vers l'ouverture débouchant sur le champ de neige.

Quelques secondes plus tard, on a survolé le glacier brillant sans même prendre de temps de jeter un œil en arrière pour voir si le virus nous talonnait toujours.

Zetlin n'a jamais levé le nez, mais ce n'était pas plus mal. Loor et moi savions comment atteindre notre destination. On s'est vite retrouvés au milieu des rouages gigantesques de la salle des machines.

— Voilà ce qui cloche, ai-je dit en tendant le doigt.

En effet, deux énormes barres de métal avaient été coincées dans un engrenage. Lorsque le Barbican s'était mis en mouvement, elles avaient bloqué le mécanisme. Ce virus était aussi malin que féroce.

J'ai fait signe à Loor de se poser. Nos deux zips ont descendu vers le sol.

— Docteur Zetlin ? ai-je dit. On est dans la salle des machines. Comment peut-on sortir de là ?

Zetlin s'est péniblement redressé. Il avait l'air toujours sous le choc.

— Vous êtes blessé ? a demandé Loor.

— Non, juste un peu groggy. (Il a regardé autour de lui.) Là ! s'est-il écrié.

Il a désigné un tube vertical qui s'étendait du sol au plafond. Il était fait du même aluminium bleu que l'intérieur de l'ascenseur.

— C'est le point central du Barbican, a-t-il expliqué. Et notre porte de sortie.

— On devrait abandonner ces engins et y aller à pied, a suggéré Loor. Il vaut mieux que ce monstre ne sache pas où on est.

Excellente idée.

— Allons-y, ai-je conclu.

On est partis en courant vers ce cylindre bleu tout en regardant en arrière : Réalité détournée pouvait apparaître à chaque instant.

Mais il ne s'est pas montré. J'ai commencé à croire qu'il était à court d'astuces et était resté coincé dans la jungle. Parfait. Pourvu que ces plantes carnivores soient en train de lui mordiller les pattes.

Le trajet ne nous a pris que quelques minutes. Le cylindre faisait plus d'un mètre de large et montait tout droit à la verticale. Zetlin nous a montré une trappe pourvue d'une roue.

– Ça nous mènera à l'arche qui sert d'épine dorsale au Barbican, a-t-il expliqué tout en tournant la roue. Par là, nous pourrons regagner la terre ferme.

Il a ouvert la trappe. Il est entré en premier, suivi de Loor et moi. Il faisait noir dans ce tube, surtout lorsque j'ai refermé la trappe. En quelques secondes, nos yeux se sont accoutumés à la pénombre, et j'ai vu une échelle métallique accrochée au bord. On l'a escaladée tous les trois. Quelques mètres plus tard, elle nous a menés à une plate-forme.

– Nous sommes au sommet de l'arche, a expliqué Zetlin. Il y a des échelles de métal de chaque côté. C'est par là qu'on va descendre.

Zut. Je me souvenais de cette arche telle que je l'avais vue de l'extérieur. Vu sa taille colossale, on n'était pas rendus. Je commençais à comprendre pourquoi Zetlin n'avait choisi cette voie qu'en dernier recours.

Manifestement, Loor pensait comme moi.

– Si Réalité détournée nous suit là-dedans…

Inutile de finir sa phrase. On serait pris au piège.

– Je sais, a répondu Zetlin, mais c'est le seul chemin.

On perdait du temps. Je me suis dirigé vers le rebord de la plate-forme pour tomber sur un escalier de métal pourvu d'une rambarde. Celui-ci s'incurvait pour descendre dans un puits de ténèbres. Sacrément engageant.

– Tenez-vous fermement, a prévenu Zetlin. On est bien loin du sol.

Inutile de nous le rappeler. Je me suis retourné pour empoigner la rambarde et ai entamé la grande descente à reculons. Loor m'a suivi, puis Zetlin. Ce n'était pas si facile : les marches n'étaient pas très larges. J'avais l'impression de marcher à quatre pattes. Je me suis souvenu de la forme de l'arche. Elle s'incurvait à son sommet. Je me suis dit que plus on descendrait, plus les marches seraient étroites. Et c'est exactement ce qui est arrivé. Je me suis retrouvé à descendre ce qui ressemblait plus à une échelle métallique qu'à un escalier. Je suis allé aussi vite que possible sans compromettre ma sécurité. Si jamais je glissais… Je ne sais pas ce qui me faisait le plus peur : aller m'écraser au fond de ce puits ou me faire attaquer par le virus. En tout cas, ça faisait deux bonnes raisons de continuer la descente.

On n'a pas échangé un mot. Mais j'étais sûr qu'on pensait tous la même chose : vite, filons d'ici avant que ce monstre ne nous retrouve.

Soudain, la structure tout entière s'est mise à trembler. Ç'a été si rapide et si brutal que j'ai bien failli lâcher prise. On s'est arrêtés pour mieux se cramponner aux rambardes.

– Qu'est-ce que c'était ? ai-je lancé.

– Je n'en sais rien, a répondu Zetlin. Continuons, mais avec prudence.

J'ai repris ma descente. Une minute plus tard, le bâtiment a tressauté à nouveau. On s'est retenus du mieux qu'on pouvait.

– C'est forcément ce monstre, ai-je dit. Il cherche peut-être à abattre le mur.

On est repartis, mais en sachant qu'on risquait de tomber à la prochaine mystérieuse secousse. Il y en a encore eu trois, et à chaque fois on s'est cramponnés aux rambardes. Puis, au bout d'une éternité, on a enfin touché le sol. Mais on n'a pas pris le temps de se congratuler. On se trouvait à la base d'un des piliers de l'arche, dans la partie la plus large de la structure.

– Voilà la sortie, s'est écriée Loor en désignant une porte, droit devant nous.

On a tous couru pour l'ouvrir. Dehors, il pleuvait des cordes, mais peu nous importait. On a continué à courir pour s'éloigner le plus possible du virus Réalité détournée. On a dû parcourir cinq cents mètres avant de se sentir assez loin pour cesser de cavaler. On s'est réfugiés sous le porche d'un des bâtiments noirs.

Tandis qu'on reprenait notre souffle, j'ai regardé cet incroyable immeuble qu'était le Barbican. Quelle merveille ! Il restait là, suspendu de guingois, sans qu'on puisse soupçonner les visions fabuleuses qu'il recelait. C'était spectaculaire et triste en même temps.

J'ai jeté un coup d'œil au Dr Zetlin. Il ne regardait pas le bâtiment, mais la rue détrempée de sa cité imaginaire. Il l'avait inventée pour qu'elle lui rappelle l'existence qu'il avait fuie, et maintenant, elle lui servait de refuge.

– Docteur Zetlin ? ai-je dit doucement.

– J'avais juré de ne jamais revenir en arrière, a-t-il dit d'une voix qui se brisait.

J'ai à mon tour regardé la ville en tentant de la voir par ses yeux. La pluie rebondissait sur le béton gris. C'était un spectacle plutôt déprimant. J'ai réalisé qu'il n'y avait personne dans les rues. Depuis l'intrusion de Réalité détournée, je n'avais pas vu un seul être vivant. Je ne sais si tout le monde s'était enfui ou si le rêve avait éliminé tous ces personnages factices. Mais ça n'avait pas grande importance. On n'avait rien à faire ici, tous autant qu'on était.

– Cette ville non plus n'est pas réelle, a remarqué Loor.

– Elle l'est pour moi.

On a alors entendu ce que j'ai pris pour un coup de tonnerre. C'était un grondement violent qui provenait de la direction du Barbican. On s'est tournés vers l'immeuble, mais n'avons rien vu de particulier. Deux autres coups ont retenti.

– C'est ce qui a secoué l'arche pendant qu'on descendait l'échelle, a remarqué Loor.

Oui, mais ça ne nous disait pas ce que c'était exactement.

On n'a pas tardé à le savoir. Un coup de tonnerre encore plus fort que les autres a retenti. Zetlin a eu un hoquet de surprise.

Quelque chose démolissait le Barbican… de l'intérieur. Des pans entiers de murs se sont détachés pour s'abattre au sol. Je pense qu'on savait tous ce que c'était, mais qu'on refusait de le croire.

– Il ne cherche pas à abattre un mur, ai-je murmuré, mais à s'échapper.

C'est alors qu'une énorme silhouette noire a jailli à l'extrémité du bâtiment, l'étage contenant la jungle. Sous nos yeux stupéfaits, un poing massif a fracassé la cloison. Le fracas du verre brisé et du métal torturé a couvert le bruissement de la pluie. Le poing est rentré à l'intérieur, puis une autre forme l'a remplacé. On aurait dit que la structure horizontale accouchait d'un monstre. La masse noire a forcé, élargissant encore le trou qu'elle avait foré, projetant des morceaux de béton sur le trottoir. Elle s'est tortillée furieusement, puis a ouvert les yeux.

C'était la tête du virus, et une créature sortie de l'enfer. On aurait dit un animal, sauf que je n'en avais jamais vu de pareil. Son mufle évoquait un sanglier, avec un long museau et de longues défenses recourbées. Ses yeux étaient ceux d'un serpent avec des pupilles verticales. Son front s'ornait d'énormes cornes incurvées comme celles d'un bélier. Sa tête tout entière était recouverte d'une fourrure noire graisseuse.

La bête a forcé pour passer dans le trou et a poussé un cri terrifiant tout en luttant pour se dégager. Sa gueule béante était d'un rouge sanguinolent avec d'innombrables rangées de dents.

On est restés là, comme hypnotisés, à voir la bête forer un nouveau trou. Elle se frayait un passage à coups de poing. Maintenant, ses deux bras étaient libres. Elle pouvait désormais hisser sa poitrine massive hors du bâtiment. Celle-ci était presque humaine, tout comme ses bras bardés de muscles. Sous nos yeux, la chose a continué de croître. Maintenant, elle était trop volumineuse pour tenir dans cette partie du bâtiment. Le bruit de métal torturé, cédant sous la masse du monstre, est devenu assourdissant. S'il grandissait encore, le bâtiment tout entier risquait de s'effondrer.

Le monstre a rugi à nouveau et a abattu son poing sur le sommet du Barbican, creusant un énorme trou d'où s'est écoulé un véritable torrent. Réalité détournée avait cassé le mur de l'étage contenant la piste aquatique. Des tonnes d'eau ont cascadé par l'ouverture pour venir inonder la rue. Il y en avait tant qu'en quelques secondes, le flot est arrivé jusqu'à nous. On s'est retrouvés avec de l'eau jusqu'aux chevilles. Mais on n'a pas bougé. De toute façon, la pluie nous avait déjà trempés jusqu'à l'os. On n'était plus à ça près.

La bête s'est hissée au-dessus de l'immeuble et a soulevé une patte, puis l'autre. On a pu constater que sa partie inférieure était couverte de fourrure avec des sabots à la place des pieds. Ensuite est venue sa queue, longue et d'un blanc osseux, comme celle d'un rat. La créature s'est dressée sur ses sabots, a enroulé sa queue autour d'une de ses pattes et a hurlé à nouveau. C'était un cri primaire, horrible, vibrant de rage, et il m'a glacé le sang. On se retrouvait face à l'être de chair et de sang qu'était devenu Réalité détournée. Les pires craintes du peuple de Veelox l'avaient nourri, l'avaient aidé à prendre corps et l'avaient fait grandir.

Et on ne pouvait absolument rien contre lui.

Le monstre s'est mis à ramper le long du bâtiment pour gagner l'un des côtés de l'arche. Puis il s'est laissé tomber sur le sol. Et maintenant ? Allait-il se lancer à notre recherche ? Il s'est redressé, a regardé autour de lui et reniflé l'air. Son mufle porcin se plissait comme s'il cherchait la bonne odeur. Pourvu qu'on soit contre le vent ! Je m'attendais à le voir foncer vers nous d'un instant à l'autre.

Mais non. Il a jeté un dernier coup d'œil autour de lui, puis est tombé à genoux.

– Qu'est-ce qu'il fait ? a demandé Loor.

Le monstre a serré le poing, l'a levé très haut, puis l'a abattu au sol avec une telle force que la terre a tremblé. Puis il a recommencé. Les muscles de ses bras ont ondulé, vibrants de puissance. Il a littéralement martelé le sol, encore et encore, jusqu'à forer un cratère dans le ciment.

À voir l'expression de Zetlin, j'ai conclu que lui aussi ne comprenait rien au comportement de cette créature.

– Qu'est-ce qui se passe ? a fait une voix terrifiée derrière nous.

On a tous fait un bond de surprise et on s'est retournés pour voir…

Aja. Elle est passée devant nous, les yeux braqués sur la bête.

– C'est à toi de me le dire ! me suis-je écrié. Depuis la dernière fois, on n'a pas cessé de courir pour échapper à cette bête ! Tu vas nous sortir d'ici, oui ou non ?

Aja n'a pas répondu. Elle a continué de fixer Réalité détournée, ou ce qu'était devenu le programme qu'elle avait créé.

Tandis que la bête frappait le sol, sa tête s'est modifiée. Elle est devenue celle d'un oiseau au long bec effilé. Celui-ci s'est ouvert, révélant de grands crocs pointus. Puis son corps a muté pour donner une espèce de reptile. Et la tête s'est transformée à nouveau. Elle est devenue un crâne écorché avec des yeux morts et des crocs pointus.

— Il reçoit les peurs de tout le territoire, a fait Aja d'une voix atone.

— Tu sais pourquoi il frappe le sol comme ça ? a demandé Loor, très calme.

Aja s'est tournée vers nous. Son visage était totalement dépourvu d'expression.

— Je crois qu'il cherche à s'échapper.

— Déjà fait, ai-je répondu. Regarde cet immeuble. Il l'a mis en pièces.

Aja a secoué la tête. C'était inquiétant de la voir dans un tel état. En général, ses yeux pétillaient d'intelligence, mais là, ils semblaient vides, comme si son esprit était incapable d'assimiler ce qui se passait.

— Non, a-t-elle dit. Il cherche à s'échapper du rêve.

Zetlin lui a jeté un regard intrigué.

— Que veux-tu dire ?

— Le noyau Alpha, a-t-elle continué, comme en transe. Il est en train de s'écrouler. À chaque fois qu'il heurte le sol, je le sens dans le noyau.

— C'est impossible, a rétorqué Zetlin. Le noyau se trouve dans le monde réel.

— C'est ce que j'essaie de vous faire comprendre, a repris Aja d'un ton sans réplique. Réalité détournée est devenu beaucoup plus puissant qu'Utopias. Il cherche à s'évader du rêve... pour envahir la réalité !

Journal n° 15
(suite)

VEELOX

Le virus Réalité détournée pouvait-il vraiment défaire les coutures du monde imaginaire de Zetlin pour faire irruption dans une Veelox bien réelle ? Si ce monstre réussissait à s'introduire dans la pyramide, il la mettrait en pièces. Tous ceux qui la peuplaient seraient fichus, sans oublier le reste du territoire. Cela pouvait-il vraiment arriver ?

Bien sûr que oui. Pourquoi en douter ? Jusque-là, j'avais remarqué que les règles qui régissaient notre réalité n'avaient pas cours sur Veelox. Si cette chose réussissait à se libérer, elle mettrait le territoire à feu et à sang.

Et saint Dane remporterait sa première victoire décisive.

— Pourquoi tout ceci ? Comment cette chose peut-elle exister ? a demandé Loor d'une voix ferme.

Contrairement à moi, elle réussissait à garder son sang-froid. Mais comment répondre à cette question ? J'ai alors vu qu'elle levait son bracelet. Le bouton de droite brillait d'une lueur blanche. Un coup d'œil m'a confirmé que le bracelet de Zetlin et le mien subissaient le même phénomène.

— Aja ? ai-je crié. Qu'est-ce que ça signifie ?

J'ai levé le poignet pour lui montrer le bouton, mais elle a continué de fixer le monstre qui n'arrêtait pas de marteler le trottoir. Dire que c'était elle qui avait créé ce cauchemar ! Je crois qu'elle était en état de choc. J'ai dû sauter devant elle et lui crier en plein visage :

— Aja ! Qu'est-ce qui se passe ?

Son regard est devenu moins trouble. Un instant, elle a regardé bizarrement mon bracelet, comme si elle se demandait ce que c'était. Puis j'ai vu s'allumer une étincelle dans ses yeux. Une idée prenait forme. Aja était de retour.

– Quelques instants avant que le noyau Alpha se mette à trembler, a-t-elle dit lentement, le réseau Alpha s'est ouvert.

– Ce qui veut dire ? a demandé Loor.

– Que Réalité détournée ne pense qu'à sortir de là, a répondu Aja. Ce qui nous permet de contrôler l'immersion, du moins pour un moment.

Je me suis tourné vers les autres :

– On s'en va tout de suite. Loor ! Appuie sur le bouton !

Elle a obéi sans poser de questions et... a disparu.

– Gagné !

J'ai couru vers le Dr Zetlin, qui fixait le monstre d'un œil vide.

– Docteur Zetlin, j'abandonne le navire. Vous devez me suivre.

Il n'a pas quitté le monstre des yeux. Je l'ai pris par les épaules et l'ai obligé à me regarder.

– Écoutez ! ai-je crié. Il faut sortir de ce rêve. C'est peut-être notre seule chance d'arrêter ce virus !

– Et sinon ? a-t-il demandé.

– On pourra le combattre plus efficacement depuis le noyau Alpha qu'ici. J'ai confiance en vous et en Aja. Vous pouvez mettre fin à ce cauchemar.

Il s'est tourné à nouveau vers le monstre. Soudain, ses yeux sont redevenus clairs et limpides. Il avait retrouvé ses esprits. Il m'a regardé et a acquiescé.

– Vas-y. Je te suis.

Cette fois, je l'ai cru. Je me suis tourné vers l'image d'Aja :

– On se retrouve dans le noyau ?

– Fais vite, a-t-elle répondu avant de disparaître.

– Je suis parti ! ai-je dit à Zetlin.

J'ai appuyé sur le bouton.

Tout est devenu noir.

J'ai eu la présence d'esprit de ne pas bouger tout de suite. La dernière fois, je m'étais cogné la tête contre le plafond du tube. Mais étais-je vraiment de retour dans la réalité ?

Je n'allais pas tarder à le savoir. Un rai de lumière a éclairé mon tube. Le disque argenté qui servait d'entrée pivotait. La table est sortie du tube et la première chose que j'ai vue, c'était Loor. Elle me dominait de toute sa taille comme un ange envoyé me sauver.

— On est revenus ? ai-je demandé. Pour de bon, cette fois-ci ?

— Je le crois, oui.

J'ai sauté de la table pour courir vers le noyau Alpha. Aja était là, assise dans son fauteuil. Lorsqu'elle m'a vu, elle a sauté sur ses pieds pour me serrer dans ses bras. Je m'attendais presque à ce qu'elle passe à travers moi comme un fantôme. Mais non : elle était bien solide. C'était elle. En chair et en os. On était revenus.

— Je commençais à croire que tu ne sortirais jamais de ce piège, a-t-elle dit.

Je ne m'attendais pas à un accueil aussi chaleureux, mais je n'allais pas m'en plaindre.

— Qu'est-ce qui se passe ? ai-je demandé.

Aja m'a lâché pour retourner à son fauteuil. J'étais heureux de voir qu'elle avait repris ses esprits.

— Dès que le Dr Zetlin est sorti de son immersion, tout s'est arrêté, a-t-elle dit en désignant l'écran noir. Et les coups aussi. D'après moi, en mettant fin à son immersion, il a aussi détruit Réalité détournée.

— C'est tout ? a demandé Loor qui venait de nous rejoindre. Ça ne peut pas être si simple !

Aja a pianoté sur son clavier. Un flot de données a défilé sur l'écran. Elle l'a parcouru des yeux, puis a annoncé :

— Eh bien si. Utopias est redevenu normal. (Elle s'est tournée vers moi avec un petit rire.) C'est fini.

— Alors où est le Dr Zetlin ?

Aja a bondi de sa chaise pour se précipiter vers la salle d'immersion. Le disque central était toujours fermé. Aja a appuyé sur quelques boutons, puis a eu une hésitation. Je savais ce qui lui passait par la tête, parce que je pensais la même chose. Ouvrir ce cocon serait comme de profaner une tombe. Ça faisait des années que Zetlin était là-dedans. C'était à la fois excitant et angoissant.

— Ne t'en fais pas, ai-je dit d'un ton qui se voulait rassurant. Il faut bien qu'il sorte de là.

Aja a acquiescé, puis appuyé sur le dernier bouton. Le disque argenté a pivoté et la table a coulissé dans un léger bourdonnement. On était tous les trois nerveux à l'idée de voir enfin ce fameux Dr Zetlin – en *vrai*.

Il s'agissait d'un homme âgé aux yeux clos, aux mains jointes, vêtu de cette éternelle combinaison verte. Il y avait si longtemps qu'il n'avait pas vu le soleil que sa peau était blême. Il était chauve avec une barbe broussailleuse. Logique : ça faisait trente ans qu'il ne s'était pas rasé. Il portait encore ses petites lunettes rondes. Je ne sais pas à quoi elles pouvaient lui servir dans ce tube, mais bon. Et dire qu'on venait de faire la course avec ce type… alors âgé de seize ans. La seule preuve que notre aventure avait bien eu lieu était la marque rouge sur sa main, là où il avait été aspergé de venin. Pas de doute, c'était le Dr Zetlin. En chair et en os.

Un instant, j'ai redouté qu'il ne soit mort. En tout cas, il en avait l'air. Mais il a ouvert lentement les yeux et froncé les sourcils à cause de la lumière. Après tout, ça faisait longtemps qu'il n'en avait pas vu en vrai.

— J'ai mal au crâne, a-t-il murmuré.

Sans doute une conséquence de sa rencontre avec le filet. Il a tenté de s'asseoir, et on s'est précipités pour l'aider. Il était bien frêle. Normal : il avait soixante-dix-neuf ans et n'avait pas fait beaucoup d'exercice ces derniers temps.

— Je suis plus faible qu'un chaton, a-t-il dit.

On l'a aidé à se redresser et il a inspiré profondément. Il a touché sa barbe comme s'il ne s'attendait pas à en avoir. Puis il nous a tous regardés. Maintenant, je reconnaissais l'homme du rêve. Son corps était âgé, mais ses yeux restaient les mêmes. Il nous a dévisagés chacun notre tour, puis a demandé :

— Où en sommes-nous ?

Aja a fait un pas en avant.

— Nous pensons qu'en mettant fin à votre immersion, vous avez détruit Réalité détournée. Je n'en ai pas retrouvé la moindre trace. Et je me permets d'ajouter que je suis très honorée de faire votre connaissance, docteur Zetlin.

Il l'a toisée de haut en bas.

– Tant mieux pour toi.

Il est descendu de la table sur des jambes flageolantes. On s'est précipités pour le soutenir, mais il nous a repoussés.

– Je suis un peu rouillé, a-t-il grogné, mais pas impotent.

On a donc tous reculé.

Zetlin a fait quelques pas mal assurés, puis s'est arrêté et redressé de toute sa taille.

– J'avais oublié ce que c'était d'être dans ce corps, a-t-il expliqué.

À chaque pas, il prenait de l'assurance. Il est sorti de la cabine d'immersion pour se diriger vers le noyau Alpha. Lorsqu'il a atteint le fauteuil, il semblait sûr de ses gestes. Soudain, il n'avait plus l'air si âgé que ça.

Zetlin s'est laissé tomber sur le fauteuil comme s'il avait fait ça toute sa vie. Ce qui était le cas, d'ailleurs. Il a jeté un œil aux données qui défilaient sur l'écran comme s'il cherchait quelque chose en particulier. Heureusement qu'il y comprenait quelque chose, parce que pour moi, c'était du charabia.

– Killian ! a-t-il aboyé.

Aja a immédiatement obéi. Pour un peu, elle se serait mise au garde à vous.

– Oui, docteur ?

Elle était redevenue très professionnelle. Aja travaillait pour le maître.

– Tu as examiné tous les réseaux, Alpha comme central ? a-t-il demandé.

– Oui. Utopias est à nouveau opérationnel. Les immersions se déroulent normalement. Il n'y a plus la moindre trace de Réalité détournée.

BANG !

La pièce entière s'est mise à danser la samba. C'était un choc si soudain et si brutal que j'ai failli perdre l'équilibre. Loor a dû me retenir.

BANG !

317

Second impact. J'ai entendu quelque chose tomber dans le cabinet d'immersion. Ce que j'ai vu en regardant la porte était impossible, et pourtant bien réel. On avait défoncé le plafond. Le sol était jonché de débris. Mais ce n'était pas les dégâts qui m'inquiétaient. Plutôt ce qui était apparu dans le trou creusé dans le plafond.

C'était l'orbite creuse d'un crâne géant. Le virus n'était pas mort, loin de là. Il avait fait irruption dans la réalité.

On est tous restés figés sur place. La tête a disparu, puis un monstrueux poing noir a frappé pour élargir l'ouverture.

J'ai regardé la salle de contrôle. L'écran avait pété un câble. Les nombres y défilaient à toute allure. Aja et Zetlin pianotaient frénétiquement sur leurs claviers afin de reprendre le contrôle de la situation.

– D'où vient-il ? a hurlé Aja.

– Quand j'ai mis fin a mon immersion, a répondu Zetlin, il a dû battre en retraite dans une autre partie du réseau. Mais il est revenu.

Pas de doute là-dessus. Réalité détournée était de retour.

Le monstre a continué de marteler le plafond. Celui-ci était en train de s'effondrer. Il a alors empoigné les bords du trou afin de l'agrandir pour pouvoir s'introduire dans notre monde.

Loor a cherché des yeux une arme. Mais c'était un geste futile, car même un canon n'aurait pu abattre une chose pareille.

Un autre choc – son poing a traversé le plafond et empli le bureau. Il ne lui faudrait pas longtemps pour mettre en pièces toute la pyramide.

– Regardez ! a fait Aja en désignant l'écran. Il attire des données en provenance de tout Veelox. C'est pour ça qu'il est si puissant. Il continue de se nourrir des peurs de tous les plongeurs.

– Alors arrête de le nourrir ! ai-je crié.

Aja et Zetlin m'ont regardé comme si j'étais devenu cinglé.

– Il n'a pas besoin de nous, Pendragon, a répondu Aja irritée. On n'a pas grand-chose à y voir.

J'ai entendu un rugissement guttural et me suis tourné vers le cabinet. Ce que j'y ai vu m'a coupé le souffle. Le crâne géant s'était glissé dans le trou et nous regardait. J'étais si près de lui que je pouvais sentir son relent de pourriture. Sous nos yeux épouvantés, de la chair est apparue sur ce crâne. Il lui est poussé des yeux et une peau limoneuse qui s'est sculptée pour former des traits. En quelques secondes, la créature était devenue une chose hideuse à tête de babouin avec des yeux blancs dépourvus de pupilles. Le monstre a grogné, puis a battu en retraite dans le plafond. Il se préparait à l'assaut final.

Si on devait faire quelque chose, il fallait que ce soit maintenant.

— Il doit bien y avoir un moyen ! ai-je argué. Vous ne pouvez pas couper l'alimentation ?

— Tu n'as pas écouté ce que je te disais ? a-t-elle rétorqué. Ça vient de tous les plongeurs de Veelox.

— Et alors ? ai-je rétorqué. Coupez l'électricité ! Éteignez tout votre bastringue ! Si les plongeurs sont isolés, il ne pourra pas puiser dans leurs peurs !

— Je te l'ai dit, a répliqué Aja, on ne peut pas faire ça ! C'est trop dangereux !

— Plus dangereux que ce monstre ? a demandé Loor, très calme.

BOUM !

Un pied a traversé le plafond. On aurait plutôt dit une patte d'oiseau.

— C'est pour ça qu'on a déjà suspendu le réseau, a argué Aja. On ne peut pas débrancher Utopias.

— Mais si on ne l'arrête pas, ai-je contré, cette chose va détruire la pyramide avant de s'en prendre au reste de Veelox. S'il tire sa force des plongeurs, il faut l'en isoler !

— C'est impossible, Pendragon !

CRAC !

La patte d'oiseau était désormais occupée à fracasser la porte du noyau Alpha, détruisant la dernière barrière séparant le rêve de la réalité.

— Docteur Zetlin ! ai-je crié. Ce n'est qu'un bête programme informatique ! Il doit bien y avoir un moyen de l'arrêter !

Il n'a pas répondu. Il ne m'a même pas regardé. Il nous cachait quelque chose.

— Docteur Zetlin ! On peut éteindre ce truc !

La bête a continué de fracasser la porte. Des débris ont volé dans la pièce. Zetlin en a reçu un sur le crâne, ce qui l'a forcé à

319

lever les yeux pour voir cette horreur qui luttait pour arriver jusqu'à nous. Avant de s'en prendre à Veelox.

— J'ai consacré toute mon existence à Utopias, a-t-il dit, comme en transe. Si je le coupe, ma vie n'aura plus aucun sens.

— Ce qui veut dire qu'il est possible de le couper ? a demandé Aja, surprise.

— Docteur Zetlin, a repris Loor d'une voix très calme, votre vie a déjà un sens, et elle est loin d'être terminée. Mais si ne vous faites pas tout votre possible pour arrêter cette abomination, tout sera terminé, et vous resterez dans l'histoire sous les traits de l'homme qui a laissé mourir Veelox.

Zetlin a grimacé. Loor avait touché juste. Mais il a continué de fixer la bête qui était presque sur nous. Il était temps de lui faire entendre raison.

— Docteur, ai-je dit, si vous devez réagir, faites-le maintenant.

Il m'a jeté un coup d'œil, puis s'est tourné vers ses machines. Il avait pris une décision. Celle de couper le réseau.

— Je peux faire quelque chose ? a demandé Aja.

— Non, a répondu tristement Zetlin tout en pianotant sur son clavier avec une dextérité stupéfiante.

— Vous pouvez couper le flot de données qui nourrit le virus ? ai-je demandé.

— Théoriquement oui. Mais en fait, je n'en sais rien. Je n'ai jamais connu de situation semblable à celle-ci.

Ouais, comme c'était étonnant !

Réalité détournée a muté une fois de plus. Les pattes d'oiseau se sont contorsionnées et reformées pour devenir une tête d'insecte répugnante. Il s'agissait d'une ébauche grossière, une simple gueule ronde entourée de rangées entières de crocs acérés. Le corps a pris la forme d'un serpent.

Maintenant, il n'avait plus besoin d'agrandir le trou. Celui-ci lui suffisait pour se laisser glisser dans Veelox.

— Vite ! ai-je crié à Zetlin.

Le docteur restait calme. Il a tiré une petite carte de plastique rouge accrochée à son cou autour d'une chaîne – la même carte que la verte avec laquelle Aja avait suspendu le réseau.

Réalité détournée s'est tortillé pour se propulser dans la pièce. Puis son corps a heurté le sol avec un bruit mou.

Aja, Loor et moi nous sommes blottis près des instruments de contrôle, tandis que cette abomination rampait dans le noyau. Ses crocs ont produit un bruit de succion assez répugnant alors qu'il cherchait sa proie. En l'occurrence nous.

Zetlin est resté concentré. Il a fourré la carte rouge dans son logement et a pianoté sur le clavier.

— Il faut faire les vérifications ? a demandé Aja sans quitter des yeux le virus en mouvement.

— Non, a-t-il répondu tristement, je contrôle la situation.

Il a alors arraché un bout de plastique transparent, dévoilant une manette rouge. Il a jeté un œil vers Réalité détournée.

Le monstre a ouvert sa gueule terrifiante, prêt à attaquer.

Zetlin a fermé les yeux… et actionné la manette.

Le virus s'est figé. En une seconde, il est devenu une statue. On aurait dit un film qu'on met sur « pause ».

D'un coup, toutes les lumières de la console se sont éteintes. Utopias était déconnecté. C'était aussi simple que ça.

Tous les quatre, on a regardé le monstre immobile, attendant une réaction. Un instant, il est resté planté là, sans bouger d'un poil, puis sa peau s'est transformée. Toute sa surface est devenue une immense série de nombres. C'était comme s'il se décomposait pour dévoiler les équations de base qui lui avaient donné la vie. Il gardait la même forme, mais chaque détail de son être était remplacé par des chiffres. Des milliards de chiffres brillant d'une lueur verte.

Les nombres se sont mis à décroître vertigineusement vers le zéro. Et à chaque fois qu'un nombre atteignait ce fond mathématique, il disparaissait, emportant avec lui un bon morceau du monstre. On aurait dit qu'il tombait en pièces, chiffre par chiffre. Sous nos yeux, le virus Réalité détournée s'est effacé. Le processus n'a pas pris plus de trente secondes. Mais lorsqu'il a été terminé, il n'en restait plus rien. Seul ce trou béant dans le plafond était là pour nous rappeler que nous n'avions pas rêvé.

Le virus était mort de faim.

Et Utopias était mort.

Journal n° 15
(suite)

VEELOX

Les jours suivants ont été assez frénétiques. À cause de la fermeture d'Utopias, des milliers de rêveurs s'étaient vus obligés de quitter la pyramide et de reprendre leur existence à Rubic. Drôle de spectacle.

Tous erraient devant la pyramide en se protégeant les yeux de la lumière du soleil. Certains semblaient complètement déboussolés, comme s'ils ne savaient pas que faire, ni où aller. J'en ai vu se disputer avec les phadeurs pour qu'ils les renvoient dans leur immersion. Mais ceux-ci pouvaient juste hausser les épaules. Utopias était mort. Que ça leur plaise ou non, ils devaient reprendre leur vraie vie.

Pendant que les rêveurs se faisaient à leur nouvelle situation, ça bougeait pas mal dans les rangs des directeurs. En résumé, ils voulaient savoir pourquoi on avait coupé Utopias. Je n'ai guère participé à ce qui s'est passé ensuite parce que, à vrai dire, ce n'étaient pas mes oignons. Mais on a mené une grande enquête, et cette pauvre Aja s'est retrouvée au cœur de l'affaire. Heureusement, elle avait un allié de taille… Le Dr Zetlin. C'est ensemble qu'ils ont répondu aux interrogatoires serrés de la direction.

Comme Loor et moi ne pouvions rien faire pour les aider, on s'est installés chez Évangeline pour attendre d'avoir des nouvelles. Mais plutôt que de rester là, à se demander ce qui pouvait bien se passer dans la pyramide, Loor et moi avons pris un de ces tricycles à pédales et sommes allés voir Rubic revenir à la vie.

Et c'était un spectacle bien sympa.

Maintenant, les rues étaient noires de monde. Les boutiques rouvraient les unes après les autres. Les vitres noires de crasse étaient désormais propres. Les gens commençaient même à mettre de vrais vêtements au lieu de leurs éternelles combinaisons vertes.

Au passage, on a écouté ce que se disaient les habitants de Rubic. Bien sûr, le sujet numéro un était Utopias. Tout le monde voulait savoir ce qui était arrivé. Mais alors que les heures s'écoulaient, on a entendu d'autres genres de conversations. On discutait de sujets normaux, comme de repeindre sa maison, ou quand on trouverait des légumes frais au marché, ou pour certains, à quel point ils s'étaient manqués durant tout ce temps. J'imagine que c'est ce qui se passait sur tout le territoire de Veelox.

Et c'était bien. Le territoire ne renaîtrait pas de ses cendres en vingt-quatre heures, mais c'était un bon début. J'étais heureux pour les gens de Veelox, mais pour Loor et moi, cette renaissance avait un sens supplémentaire. Ça voulait dire qu'on avait une fois de plus contré Saint Dane. Il croyait avoir déjà gagné. Il se trompait.

À vrai dire, j'étais plutôt content de moi. C'était important de vaincre Saint Dane. C'était même le but du jeu. Mais après avoir été ridiculisé en Première Terre, je pensais que là, sur Veelox, j'avais réussi à rassembler les Voyageurs pour qu'on forme une équipe et à tirer le meilleur parti de chacun d'entre nous. Aja croyait avoir battu Saint Dane avant même qu'il ne montre son nez, et qu'on ne s'y trompe pas, elle a joué un rôle crucial dans notre victoire. Peut-être n'aurions-nous pas réussi sans elle. Mais sans Loor et moi, la catastrophe serait bien arrivée.

Pendant qu'on pédalait dans les rues de la ville réveillée, j'ai commencé à accepter la notion que j'étais peut-être bien le Voyageur en chef. Je ne savais toujours pas comment j'avais été choisi pour ce poste, ni par qui, mais je commençais à reprendre confiance. Je suis même allé jusqu'à croire que si je continuais de diriger les Voyageurs comme je l'avais fait sur Veelox, il était possible qu'un jour on réussisse à vaincre Saint Dane une bonne fois pour toutes.

J'avais fait bien du chemin depuis ce soir où, pour la première fois, l'oncle Press m'avait présenté le flume.

Aja n'est pas rentrée pendant deux jours. Évangeline a été une hôtesse de rêve. Elle nous a bourrés de gloïde (on a évité le bleu comme la peste) et nous a préparé des chambres douillettes. C'était la première fois que je me retrouvais en compagnie de Loor sans qu'on soit au beau milieu d'une crise.

Et ce n'était pas désagréable.

Elle m'a raconté sa vie et son quotidien d'apprentie guerrière, et je lui ai parlé de Stony Brook. C'est vrai que ma vie n'était pas aussi passionnante que la sienne, mais elle m'a écouté en faisant semblant de s'intéresser. C'était super. Loor et moi avions vécu des moments pénibles, mais maintenant, notre relation passait au niveau supérieur. Un niveau qu'on pouvait qualifier de « normal ». J'avais toujours eu beaucoup de respect pour elle. Désormais, j'avais l'impression d'avoir trouvé une amie.

Ce moment aurait pu se prolonger éternellement, mais ce n'était pas dans l'ordre des choses. Car le troisième jour, dans l'après-midi, pendant qu'on traversait un nouveau quartier, Loor m'a annoncé :

– Je n'ai plus rien à faire ici, Pendragon. Il faut que je retourne sur Zadaa.

Je m'y attendais si peu que j'ai mis un instant avant de réagir.

– Mais je croyais… J'espérais…

– Quoi ?

J'ai inspiré profondément pour reprendre mes esprits, puis ai dit :

– Pourquoi faut-il qu'on se sépare ? Saint Dane va réapparaître, pas de doute là-dessus. Il vaut mieux rester ensemble pour affronter ce qu'il va nous balancer dans les pattes, non ?

Loor y a réfléchi un instant avant de répondre :

– Tu as raison. On ignore quand Saint Dane va refaire surface. Mais je sais que Zadaa est dans une mauvaise passe. Je veux être là-bas pour me préparer au pire.

– D'accord, je comprends. Mais Saint Dane est parti pour un territoire nommé Eelong, et Gunny l'y a suivi. Je pense qu'on devrait aller le retrouver sur ce monde.

— Je suis d'accord, a contré Loor, mais on ne peut être sûrs de ce que mijote Saint Dane. C'est vrai, il s'est rendu sur Eelong, mais Zadaa est au bord de la guerre civile. Comment savoir à quel territoire il va s'en prendre en premier ?

Il n'y avait rien à répondre à ça.

— Pars pour Eelong, a-t-elle continué, et moi, je retourne sur Zadaa. Quand tout sera plus clair, on pourra toujours se retrouver.

J'ai cherché désespérément une raison pour qu'on reste ensemble, mais sa logique était imparable. Je devais bien admettre que si je tenais tant à l'avoir à côté de moi, c'était par peur de me retrouver seul. L'oncle Press était mort, Spader avait ses propres problèmes à résoudre et Gunny était sur Eelong. Même Aja était occupée ici même, sur Veelox. La vérité, c'était que si Loor retournait sur Zadaa, je me retrouverais seul. Et cette perspective me fichait la frousse.

— Alors je devrais peut-être partir pour Zadaa avec toi, ai-je dit.

— Et Eelong, alors ? Gunny n'est toujours pas revenu. Tu devrais aller le retrouver.

Gunny n'était pas censé rester longtemps sur Eelong. Il devait jeter un coup d'œil et me rejoindre sur Veelox. Ce n'était pas le cas. Et j'avais tant à faire que je n'ai pas pu aller le chercher. Loor avait raison. La suite des événements était évidente. Saint Dane était parti pour Eelong. Gunny l'y avait suivi. Gunny n'était pas revenu.

Je devais me rendre sur Eelong.

Je n'ai pas insisté. J'ai fait virer notre véhicule pour partir vers le flume. Maintenant que la rue n'était plus déserte, il s'est avéré plus difficile de plonger dans le puits que d'en sortir. Il a fallu attendre que personne ne nous regarde, puis soulever le couvercle de métal pour se laisser tomber dans le couloir de métro désaffecté. Un peu plus tard, on s'est retrouvés face au flume. Cette journée avait pris un tour inattendu.

— Salue Aja et Évangeline pour moi.

J'ai acquiescé. Je n'avais pas envie de faire mes adieux à qui que ce soit. Surtout pas à Loor.

— Merci d'être venue sur Veelox, ai-je dit.

— Inutile de me remercier. Je suis une Voyageuse.

– Mais je t'ai mise en situation difficile sans beaucoup de préparation et… tu es formidable, Loor.

Je l'aurais bien serrée dans mes bras, mais elle n'est pas du genre sentimental. Elle m'a donc surpris en tendant la main pour caresser ma joue. Je ne l'en aurais pas crue capable.

– Je pense la même chose de toi, Pendragon, a-t-elle dit sincèrement. Je suis heureuse que tu sois notre chef… et mon ami.

J'ai senti monter en moi une vague d'émotion et de fierté. À ma grande honte, j'en ai eu les larmes aux yeux. Mais comme il était hors de question de le lui montrer, je me suis repris. Elle a reculé pour entrer dans le flume.

– *Zadaa !* a-t-elle lancé dans le tunnel sombre.

Le flume a pris vie dans une éruption de bruits et de lumières. Ces notes musicales allaient la ramener chez elle. J'ai lutté contre l'envie de sauter dans le tunnel pour la suivre. Mais ce n'aurait pas été correct.

– On se retrouvera ? ai-je eu le temps de lui crier.

– C'est sûr, a-t-elle répondu.

Les murs gris sont devenus transparents et la lumière est devenue si brillante que j'ai dû me protéger les yeux. La dernière vision que j'ai eue de Loor a été sa silhouette découpée sur le flume. Puis elle a disparu.

En me laissant seul.

Je ne suis pas parti pour Eelong tout de suite. Je voulais connaître le résultat de l'enquête. Notre mission ne serait terminée qu'une fois que toute cette affaire serait réglée. Donc, plutôt que de bondir dans le flume, je suis retourné chez Évangeline.

Lorsque je suis arrivé au manoir, à ma grande surprise, Aja était là, dans la cuisine, en train de manger du gloïde.

– Où est Loor ? m'a-t-elle aussitôt demandé.

– Elle est retournée sur Zadaa. Elle m'a demandé de vous dire au revoir de sa part.

Aja a acquiescé et continué de manger. Elle avait l'air crevée et n'a pas dit un mot. Je mourais d'envie d'apprendre ce qui lui était arrivé, mais je ne l'ai pas interrogée. Elle me dirait tout en temps voulu.

– Je vous laisse discuter tous les deux, a dit Évangeline.

Et elle a quitté la pièce. Oups. J'ai senti qu'Aja avait du nouveau, et que ce n'était pas joli-joli.

– Demain, il y aura une audition publique, a-t-elle fini par dire. Les directeurs vont annoncer à tout Veelox les conclusions de leur enquête.

– Et qu'est-ce que tu leur as raconté ?

– En résumé, j'ai menti, a admis Aja. J'ai prétendu qu'il y a eu un problème de logiciel qui a infecté les données et menacé la sécurité des rêveurs.

– Ce n'est pas un mensonge.

– Non, a fait Aja, mais ce n'est pas toute la vérité non plus.

– Ils t'ont cru ?

– Ils n'avaient pas le choix. Le Dr Zetlin était de mon côté. Les directeurs sont puissants, mais tout le monde écoute Z.

– Il a corroboré ton histoire ?

– Au mot près, s'est-elle empressée de répondre. Il n'a pas parlé de Réalité détournée, et j'ai accepté de prendre la responsabilité d'avoir éteint Utopias.

– Et ils ont marché ?

– Pendragon, souviens-toi qu'on est les seuls à avoir vu le virus alors que les rêves de milliers de gens ont été pervertis. Ils avaient peur. Ils savaient que quelque chose n'allait pas.

– Et les dégâts dans le noyau Alpha ? Comment les avez-vous expliqués ?

– On a fait les idiots. À vrai dire, on n'a pu, ni l'un, ni l'autre, convenir d'une explication rationnelle. On leur a dit qu'on ne savait pas ce qui s'était passé. Ils ont bien dû nous croire, puisqu'on n'aurait jamais pu provoquer nous-mêmes de tels ravages.

– Tu es restée absente trois jours. Est-ce qu'ils t'ont interrogée pendant tout ce temps ?

– Non. Mais on a parcouru le réseau de long en large pour vérifier toutes les données, jusqu'à la plus petite. Il fallait s'assurer qu'il n'y avait plus la moindre trace de corruption. Bien sûr, j'en ai profité pour chercher mon virus.

— Et alors ?

— Il a disparu, a-t-elle répondu, confiante. Complètement.

— Alors tu es une héroïne, ai-je renchéri en souriant. Pour les gens de Veelox, tu es une phadeuse qui a su garder la tête froide et a évité un désastre.

— Peut-être.

Sans me quitter des yeux, elle a reposé sa cuillère et s'est adossée à son fauteuil.

— Et pour toi, qui suis-je ?

Voilà une question chargée de sous-entendus. Je savais combien ma réponse était importante pour elle.

— Pour moi, ai-je répondu avec autorité, tu es une Voyageuse qui a vaincu Saint Dane et sauvé son propre territoire.

Aja a souri.

— Avec un petit coup de main, a-t-elle répondu avec coquetterie.

— Aucun d'entre nous ne peut tout arranger seul, lui ai-je rappelé.

Elle a acquiescé.

— Est-ce qu'on y est vraiment arrivé, Pendragon ? a-t-elle demandé d'un ton hésitant. Est-ce qu'on a vraiment sauvé ce territoire de Saint Dane ?

— Tu n'as qu'à aller faire un tour dans Rubic. La ville reprend vie. Tu leur as donné une seconde chance.

L'expression d'Aja était éloquente. Elle s'était préparée toute sa vie en prévision de ce conflit. Tout ne s'était pas déroulé comme prévu, mais le résultat était le même. Elle avait réussi. Son visage trahissait son soulagement et sa satisfaction.

— De quoi va-t-on parler à ce rassemblement ? ai-je demandé.

— Je pense qu'ils veulent expliquer aux gens ce qui s'est passé. Tout Veelox va y assister. Qui sait ? Ils me donneront peut-être une médaille.

Ce grand meeting devait avoir lieu le lendemain matin.

C'était assez impressionnant. Des flots de gens se sont écoulés dans la pyramide pour se rassembler à l'étage central. Après avoir vu Rubic sous les traits d'une ville fantôme, c'était impressionnant d'observer les rues noires de milliers d'individus qui, tous, avançaient dans la même direction.

J'y suis allé avec Aja et Évangeline. C'était pire que de vouloir assister à la finale de la coupe du monde. En traversant le couloir de verre du noyau, j'ai eu une drôle d'impression en voyant les postes de contrôle désertés. Pas un seul écran n'était allumé. On est entrés dans la salle principale de la pyramide. Elle était encore plus impressionnante maintenant qu'elle était bondée. Non seulement l'étage principal était bourré à craquer, mais les niveaux au-dessus de nous l'étaient tout autant. Tout ce beau monde attendait en bon ordre, mais il y avait de l'électricité dans l'air.

Comme dans le noyau, les indicateurs d'Utopias étaient éteints. Les milliers de lumières au-dessus des cabines d'immersion étaient toutes noires. Pas de doute, Utopias était bel et bien mort.

Aja nous a menés au centre du rez-de-chaussée, où se dressait une estrade ronde juste assez haute pour que tout le monde puisse voir ce qui s'y passait. On y avait disposé quinze chaises. Aja n'a pas eu besoin de nous faire un dessin. C'est là que s'assiéraient les directeurs.

– On peut se mettre à l'avant, a dit Aja. Après tout, je suis du spectacle.

– Comme c'est passionnant ! s'est exclamée Évangeline.

À peine étions-nous arrivés à hauteur de la plate-forme que le bourdonnement des conversations s'est tu. Le spectacle allait commencer. Une section de la foule s'est ouverte, laissant passer une petite troupe vêtue de combinaisons jaunes marchant en file indienne. J'ai regardé Aja, qui a acquiescé. C'étaient les directeurs. Tous adultes, certains grisonnants. Ils ont monté les quelques marches pour aller s'asseoir sur l'estrade.

Le Dr Zetlin fermait la marche. J'ai ouvert de grands yeux : il s'était rasé et n'était plus aussi pâle qu'au sortir de son immersion. Il avait l'air plus humain et certainement plus proche du gars de seize ans avec qui on avait traversé le Barbican au pas de course... sauf qu'il avait soixante ans de plus. Il nous a vus au premier rang et nous a fait un clin d'œil.

Tous se sont assis, à l'exception d'une femme qui s'est avancée. Elle semblait être la plus âgée du groupe, enfin, après Zetlin. Elle avait des cheveux blonds coupés court et un regard perçant. Elle a parcouru des yeux la foule sans oublier les étages supérieurs de la pyramide. On aurait dit qu'elle cherchait à croiser le regard de tous ceux qui se tenaient là. Un silence presque surnaturel est tombé sur l'assemblée.

– C'est le Dr Kree Sever, a chuchoté Aja. Le directeur en chef.

– Tu veux dire que c'est elle, le boss ?

– Oui. Et c'est chez elle que tu résides.

En effet, ce nom me disait quelque chose. C'est elle qui avait eu la gentillesse de laisser Aja et Évangeline s'installer dans sa demeure. Maintenant qu'elle était sortie d'Utopias, je me suis demandé si elles devraient déménager.

– Bienvenue à tous ceux qui sont des nôtres aujourd'hui, a attaqué le Dr Sever d'une voix pleine d'assurance, et à tous ceux qui nous regardent aux quatre coins de Veelox.

Sa voix a résonné dans toute la pyramide. Elle devait disposer d'un micro relié à un système de haut-parleurs.

– Après trois jours de recherches intensives, a-t-elle continué, nous, directeurs d'Utopias, sommes venus vous expliquer les événements récents et vous soumettre les décisions que nous avons prises concernant notre avenir.

On aurait plus dit un politicien en mal de réélection qu'une scientifique. Je présume qu'elle appréciait de se retrouver face à une telle foule.

– Nous avons l'honneur de compter parmi nous quelqu'un que tout le monde connaît, mais que peu ont eu le privilège de rencontrer personnellement, a-t-elle continué. Nul autre que le créateur d'Utopias, le Dr Zetlin.

La foule l'a applaudi frénétiquement. Le fracas était assourdissant. Mais Zetlin n'a pas réagi. En fait, il avait l'air gêné. Après cinq minutes d'ovation, le Dr Sever a calmé la foule et a repris :

– Qui pourrait mieux nous expliquer les événements troublants de ces derniers jours que celui qui en sait plus sur Utopias que tout autre ? J'ai la grande joie de vous présenter le légendaire Dr Zetlin.

La foule a explosé une fois de plus. J'imagine que tout Veelox faisait de même. Le Dr Zetlin s'est levé lentement, a salué le Dr Sever d'un hochement de tête et s'est dirigé vers l'avant de la scène. Il a levé les mains pour demander le silence. Ce n'est qu'au bout de cinq autres minutes qu'il l'a enfin obtenu.

— Mes amis, a-t-il commencé, je vous dois des excuses. Jamais, même dans mes rêves les plus fous, je n'aurais pu prévoir ce qui s'est passé ici et dans tout Veelox.

J'ai regardé autour de moi. Tout le monde fixait Zetlin. C'était une légende. Non, une superstar. Pour ces gens, ce devait être extraordinaire de le voir ainsi, en chair et en os.

— Je ne parle pas des problèmes que nous avons rencontrés avec Utopias et qui m'ont forcé à le déconnecter. Non, je veux parler de ma chère Veelox et de l'état dans lequel elle est tombée à cause de mon invention. Pour ça, j'ai honte.

Un murmure nerveux a parcouru la foule. Je crois qu'ils ne s'attendaient pas à entendre de mauvaises nouvelles.

— J'ai conçu Utopias comme une célébration de l'existence, pas son substitut. Il est difficile de résister à l'appel d'une vie idéale. Je le sais : je suis tout aussi coupable que n'importe lequel d'entre vous. J'avais l'intention de rester à jamais dans ce monde parfait que je m'étais créé sans plus jamais avoir à affronter les soucis de la réalité. Mais cette existence idéale est un miroir aux alouettes. Nous sommes devenus une société dont les membres ne se préoccupent plus que de leur propre confort, de leur plaisir et de leur amusement. En acceptant Utopias, nous avons tourné le dos à nos cités, à nos voisins et, pire encore, à ceux que nous aimons.

Il y avait plusieurs milliers de personnes dans la pyramide, mais tous étaient silencieux. On aurait pu entendre une mouche voler. C'en était presque inquiétant.

— Je pense que les problèmes que nous avons rencontrés il y a quelques jours peuvent nous fournir la clé de notre propre salut. Des données corrompues ont infecté le réseau, perturbant un grand nombre d'immersions.

Des données corrompues ? Bel euphémisme pour décrire le virus d'Aja.

— Mais grâce à Aja Killian, phadeuse en chef de Rubic, et aux mesures qu'elle a aussitôt prises, le problème a été contenu.

Le Dr Zetlin a désigné Aja, et la foule l'a applaudie. Aja s'est avancée et a levé les mains en guise de remerciement. Lorsque les applaudissements se sont tus, Zetlin a repris :

— Mais afin d'éradiquer ces données corrompues, j'ai pris la pénible décision de couper totalement Utopias. Et nous avons doublement réussi. Le réseau a été nettoyé et Veelox s'est vu offrir une seconde chance.

Le Dr Zetlin faisait du bon travail. Non seulement il expliquait au peuple de Veelox pourquoi il avait fallu éteindre Utopias, mais il leur disait que c'était une bonne chose.

— Mon souhait est que, tant que nous ne saurons pas utiliser Utopias pour le bien de tout Veelox, nous n'envisagions même pas de le remettre en ligne.

Un autre murmure inquiet a parcouru la foule. Cette déclaration les prenait de court.

— Et je promets de travailler avec les directeurs, et avec vous tous, pour trouver un équilibre qui apportera le même bonheur de vivre dans la réalité de Veelox que dans le rêve d'Utopias.

On l'a applaudi, mais pas avec le même enthousiasme que précédemment. Je crois que les habitants de Veelox n'appréciaient guère de ne pas pouvoir retourner s'immerger dans Utopias. Mais ils n'avaient pas vraiment le choix. Que ça leur plaise ou non, ils allaient devoir réapprendre à composer avec la réalité.

Le Dr Zetlin s'est rassis et nous a jeté un coup d'œil en hochant la tête. Je lui ai souri. Ça ne devait pas être facile de se tenir devant toute la population du territoire pour annoncer que l'œuvre de sa vie était défectueuse. Mais je croyais sincèrement qu'avec son aide, les gens de Veelox finiraient un jour par trouver un moyen de tirer le meilleur parti d'Utopias sans pour autant abandonner leurs véritables existences.

Le Dr Sever s'est à nouveau levée et s'est adressée à la foule :

— Nous devons beaucoup au Dr Zetlin. Son génie et sa vision ont créé cette merveille qu'est Utopias, mais en plus, il a sauvé Veelox d'une catastrophe potentielle en prenant la décision pénible de couper le réseau. Accompagné de sa collaboratrice

Aja Killian, ils ont œuvré sans relâche pour s'assurer que le problème qui a failli détruire Veelox n'était plus.

Suivit une nouvelle série d'applaudissements.

– Nous respectons l'avis du Dr Zetlin en ce qui concerne l'avenir de Veelox et d'Utopias. Nous, les directeurs, convenons qu'il faut veiller à ce que son invention trouve une utilité dans notre société en perpétuelle évolution. Cependant…

Cependant ? Elle a laissé ce mot en suspens. Je sentais qu'elle mijotait quelque chose, et ça ne me disait rien de bon.

– Par contre, nous sommes en désaccord sur le moyen d'y parvenir. Nous pensons que la meilleure façon de comprendre comment exploiter le potentiel d'Utopias est d'explorer ses options… pendant qu'il est pleinement opérationnel.

Allons, bon. Un bourdonnement surexcité a parcouru la foule. Furieux, Zetlin s'est levé d'un bond :

– Non ! a-t-il crié. C'est contraire à notre objectif ! Si tout le monde retourne dans son rêve, nous nous retrouverons au point de départ !

– Avec tout le respect que je vous dois, docteur, a fait Sever d'un air supérieur, nous ne sommes pas d'accord. Il faut assimiler la leçon qui nous a été donnée. Les directeurs ont pris leur décision, qui est de remettre immédiatement Utcpias en ligne.

Sever a agité la main. C'était probablement un signal, car la pyramide tout entière est revenue à la vie. Les gens ont regardé autour d'eux, émerveillés, s'allumer les signaux lumineux, rangée après rangée, tel un arbre de Noël. Lorsqu'ils ont réalisé ce qui venait d'arriver, ils ont poussé des cris de joie. Oui, ils ont acclamé les directeurs comme une équipe qui vient de marquer le but décisif.

– Qu'est-ce qui se passe ? a demandé Évangeline.

– Tu savais ce qui allait se passer ? ai-je crié à Aja par-dessus le rugissement de la foule.

– Non ! Quand ils nous ont demandé d'inspecter le réseau, je ne pensais pas que c'était pour le réactiver !

Les gens se sont mis à se bousculer dans tous les sens. Cette foule bien ordonnée était comme galvanisée. Personne ne voulait rester en rade. Tous avaient hâte de retourner dans leur caisson d'immersion et de reprendre leur rêve.

— Il faut les en empêcher ! ai-je supplié.

Aja a sauté sur la scène et couru vers Zetlin.

— Faites quelque chose !

— Si on peut arriver au noyau Alpha avant que les plongeons ne reprennent, a-t-il répondu, je peux prendre le contrôle du réseau.

Aja l'a attrapé par la main et l'a fait descendre de l'estrade.

— Vite ! a crié Évangeline.

Tous trois, nous nous sommes frayé un chemin au milieu de la foule en direction du noyau Alpha.

— Qu'allez-vous faire ? ai-je demandé à Zetlin en cours de route.

— Maintenant qu'ils connaissent le code d'origine, ils sont capables de contrôler tout le système. Je peux outrepasser les phadeurs, mais uniquement s'ils n'ont pas encore remis le réseau en ligne. Sinon, je ne pourrai plus rien contrôler depuis le noyau Alpha. Nous serons à la merci des directeurs.

— Arrêtez ces gens ! a crié le Dr Sever depuis l'estrade, et c'est nous qu'elle désignait du doigt.

Un groupe de phadeurs s'est lancé à notre poursuite, mais il avait autant de mal que nous à manœuvrer dans cette foule. J'ai levé les yeux et vu des cabines d'immersion s'ouvrir un peu partout dans la pyramide. Certains repoussaient les autres pour prendre leur place. Les jeunes fondaient comme des vautours sur les plus faibles afin de leur arracher leurs cabines. C'était un véritable jeu de chaises musicales cauchemardesque, qui tournait rapidement à l'émeute. Peu leur importait ce qu'avait dit Zetlin. Peu leur importait l'avenir de Veelox. Ils étaient accro à leur monde imaginaire et feraient n'importe quoi pour y retourner.

Il fallait qu'on prenne le contrôle et qu'on coupe Utopias une bonne fois pour toutes.

On est enfin arrivés au noyau. Tout le long du couloir de verre, j'ai vu des phadeurs s'installer derrière leurs écrans, prêts à contrôler les immersions. Mais les écrans restaient noirs. Il n'était pas trop tard.

Aja s'est précipitée vers la porte du noyau Alpha et a inséré sa carte verte dans la fente. La porte ne s'est pas ouverte. Elle a réessayé, sans effet.

— Votre carte a été désactivée, a fait une voix derrière nous.

C'était le Dr Sever qui se dirigeait vers nous, accompagnée de phadeurs qui avaient plutôt des carrures de vigiles.

— Vos faits et gestes de ces derniers jours restent suspects, Aja. Tant que l'enquête n'aura pas rendu toutes ses conclusions, vous n'êtes pas autorisée à accéder à Utopias.

— Docteur Sever, a dit calmement Zetlin, laissez-lui un peu de temps. L'avenir de Veelox est entre vos mains. Je vous en prie, attendez un peu !

— Désolée, docteur Zetlin, a-t-elle répondu en souriant. Je crains qu'il ne soit trop tard. En ce moment même, toutes les pyramides de Veelox sont remises en ligne.

Le noyau s'est illuminé, comme pour souligner ses paroles. À nouveau, des millions d'indicateurs se sont allumés et des images sont apparues sur des milliers de moniteurs. Les rêveurs étaient de retour dans leur immersion. Vaincu, Zetlin ferma les yeux et laissa retomber sa tête sur son épaule.

J'en suis resté sans voix. Il n'y avait pas quelques instants, j'étais sûr qu'on avait sauvé Veelox de sa chute. Et maintenant, voilà que le territoire se retrouvait au même point qu'à mon arrivée. Non, c'était même pire. Le virus d'Aja avait échoué. Veelox avait atteint son moment de vérité, et le territoire suivait la mauvaise direction.

Il n'y avait pas d'autres façons de le dire : Saint Dane avait gagné.

— Et tout ça grâce à vous, docteur Zetlin, a repris Sever. Vous nous avez bien débarrassés de ce vilain petit virus. Maintenant, la situation peut revenir à la normale.

Pardon ? Elle avait bien prononcé le mot « virus » ? Mais personne ne connaissait l'existence du virus, à part…

Alors elle s'est penchée pour me parler à l'oreille. Sa voix a changé de façon subtile. Pour tout le monde, elle restait le Dr Kree Sever, directeur en chef d'Utopias. Mais la froideur soudaine qui était apparue dans sa voix me disait ce qu'elle était vraiment. Et elle m'a donné le frisson.

— Qu'est-ce que ça fait de me voir mettre la main sur mon premier territoire de Halla, Pendragon ?

SECONDE TERRE

L'image de Bobby disparut subitement.

Mark et Courtney se retrouvèrent à fixer le vide. Ils avaient quitté Sherwood House pour aller regarder tranquillement le nouveau bulletin de Bobby.

– C'est tout ? s'écria Courtney, furieuse. Il a arrêté d'enregistrer son journal à ce stade ? Ce n'est pas juste !

Avant que Mark ne puisse répondre, une autre image s'anima. L'enregistrement n'était pas terminé. Émerveillés, Courtney et Mark virent se former de nouvelles projections 3-D.

– Ce n'est pas tout ! s'exclama Mark.

Or ce ne fut pas Bobby qui apparut, mais Aja Killian.

Bonjour, Mark Dimond et Courtney Chetwynde, commença-t-elle. *Je m'appelle Aja Killian, et je suis la Voyageuse de Veelox.*

Pendragon m'a beaucoup parlé de vous deux et m'a dit qu'il vous faisait confiance. Voilà pourquoi je me permets de terminer ce journal à sa place.

Aja retira ses petites lunettes jaunes pour se frotter les yeux. Elle avait l'air crevée.

Pendragon est parti, a-t-elle continué. *Il a quitté Veelox peu après qu'Utopias a été remis en ligne. Il est allé sur Eelong pour chercher un autre voyageur du nom de Gunny. J'ai senti qu'il était de mon devoir de rester là et faire de mon mieux pour que Veelox ne tombe pas encore plus bas. Le Dr Zetlin m'a aidé, mais j'ai bien peur que notre combat soit perdu d'avance. Les directeurs sont tous retournés dans Utopias. La plupart des phadeurs et des veddeurs sont en immersion, eux aussi. Il n'y a plus assez de monde dans la réalité pour surveiller les plongeurs, encore moins pour s'occuper de notre territoire. L'attrait du rêve était trop fort. Saint Dane a gagné. Veelox est aux portes de la mort.*

Manifestement, Aja luttait pour retenir ses larmes.

Pendragon m'a demandé de terminer son journal à sa place, puis de vous l'envoyer afin que vous sachiez où en est Veelox. C'est bien le moins que je puisse faire. J'ai l'impression d'avoir failli à mon territoire, aux Voyageurs et à Pendragon. Mon seul espoir est qu'on puisse arrêter Saint Dane sur d'autres territoires afin que Veelox – mon monde – soit la seule victime de cette guerre. Elle avala sa salive avant de reprendre. *Au fond de moi, je sais que ce n'est pas ce qui était écrit. C'est ainsi que se termine le quinzième journal de Bobby Pendragon. Au revoir.*

L'image d'Aja disparut. À présent, ce journal et les aventures de Bobby sur Veelox touchaient à leur fin. Mark ramassa le petit projecteur argenté et le regarda fixement, comme s'il espérait lui soutirer une ultime contribution qui complèterait l'histoire de façon satisfaisante.

En vain.

– Qu'est-ce que tout ça veut dire ? demanda nerveusement Courtney. Saint Dane a toujours dit que quand le premier domino tomberait, les autres suivraient naturellement.

– J-j-je n'en sais rien, répondit Mark.

Courtney sauta sur ses pieds et se mit à faire les cent pas.

– Je n'aime pas ça ! Je me sens tellement impuissante ! Il se passe tant de choses, et tout ce qu'on peut faire, c'est lire ou entendre les comptes rendus, comme des crétins.

Ce qui arracha un sourire à Mark.

– Je croyais que tout ce qui t'importait, c'était l'école, le foot et mener une vie normale ?

Courtney arrêta ses déambulations et regarda Mark.

– Le foot, je m'en cogne ! On n'était pas censés devenir des Acolytes ?

– Ah, enfin ! s'exclama Mark.

Tôt le lendemain matin, tous deux se retrouvèrent à nouveau sur le canapé de Tom Dorney. Ils regardèrent ensemble les trois derniers journaux de Bobby. Ensuite, Mark et Courtney décrivirent à Dorney ce qui leur était arrivé à Sherwood House, là où étaient apparus les quigs et l'entrée d'un flume.

– Si ça ne signifie pas qu'on est prêts à devenir Acolytes, conclut Courtney, je ne vois pas ce qu'il vous faut de plus.

Dorney se gratta le menton. Puis il entreprit de s'extraire de son fauteuil, grogna et se dirigea d'un pas traînant vers la cuisine.

– Est-ce qu'il se paie notre fiole une fois de plus ? demanda Courtney.

– Donne-lui une chance, répondit Mark en haussant les épaules.

Dorney revint dans le salon avec un verre d'eau. Il n'en proposa pas à Mark ou Courtney. Il se rassit, renversant de l'eau sur ses genoux au passage.

Courtney leva les yeux au ciel, mais ne dit rien. La balle restait dans le camp de Dorney.

– Vous allez recevoir des messages, dit-il calmement. Provenant parfois des Voyageurs, parfois d'Acolytes d'autres territoires.

Mark et Courtney se redressèrent sur leur siège. Tout d'un coup, la discussion devenait bien plus intéressante.

– Quel genre de…, demanda Courtney.

– Laissez-moi finir ! rétorqua Dorney.

Courtney se tut aussitôt.

– Ils arriveront par le biais de l'anneau, continua-t-il. Comme le message que je vous ai envoyé. Ils peuvent vous informer de l'arrivée d'un Voyageur en mal de vêtements de Seconde Terre. C'est le cas le plus fréquent. Mais Pendragon peut avoir besoin de quelque chose d'un peu plus spécifique.

– Par exemple, lorsque vous vous êtes occupé de la moto de Press, remarqua Mark.

Il ne pouvait pas s'en empêcher. Il commençait à s'échauffer.

– Oui, répondit Dorney avant de boire une gorgée d'eau.

– Et les quigs ? demanda Courtney.

– Protégez-vous bien. Il n'y a pas de baguette magique pour les faire disparaître. Ils ne sont pas toujours là, mais vous devez être prêts à les voir débouler. Pour tout vous dire, ils ont peur des flumes. Ne me demandez pas pourquoi. Lorsqu'un flume est activé, vous ne risquez pas de voir un quig alentour.

– Est-ce qu'on peut contacter d'autres Acolytes ? demanda Mark.

– Regarde ton anneau, ordonna Dorney.

Mark a tendu la main pour que Courtney et lui puissent voir la pierre grise entourée de ses drôles de symboles.

– Chacun de ces symboles représente un territoire, expliqua Dorney. En tout, il y en a dix.

– Dix territoires, répéta doucement Mark comme s'il venait de lui révéler le secret de l'existence.

– Si vous connaissez le nom d'un Acolyte, continua Dorney, retirez l'anneau et criez son nom. Le symbole de son territoire activera l'anneau et vous pourrez lui envoyer un message.

– Donc, reprit Mark, si je retirais mon anneau et criais « Évangeline », le symbole de Veelox activerait l'anneau et je pourrais lui envoyer un message ?

– Tout à fait.

– Et c'est comme ça qu'on peut vous contacter ?

– Oui. Ou vous pouvez aussi décrocher votre téléphone.

– Oh. Bien sûr, répondit Mark en se sentant bête.

– Est-ce qu'on peut contacter Bobby via l'anneau ? demanda Courtney.

– Non, s'empressa de répondre Dorney. Uniquement les Acolytes. Inutile d'ennuyer les Voyageurs avec nos petits problèmes.

– Autre chose ? demanda Mark.

Dorney réfléchit un bout de temps avant de répondre. Il regarda par la fenêtre comme si son esprit était à des millions de kilomètres de là. Courtney et Mark échangèrent un regard. Ils ne savaient pas trop si Dorney était plongé dans ses pensées ou s'il avait oublié jusqu'à leur existence.

– Félicitations, finit-il par dire, vous êtes désormais les Acolytes de Seconde Terre. Maintenant que Press est mort, je ne sers plus à rien. C'est un boulot qui peut sembler facile comparé à celui de Voyageur, mais il ne faut pas sous-estimer son importance.

– Tout à fait, affirmèrent-ils.

Dorney se tourna vers la fenêtre en fronçant les sourcils.

– Vous n'auriez pas oublié de nous parler de quelque chose, par hasard ? demanda Courtney.

Dorney soupira et ajouta :

– Rien, un pressentiment.

– Lequel ?

– Je ne sais pas. Je n'aime pas ce qui se passe sur Veelox.

– Ouais, c'est sûr, répondit Courtney.

Dorney les toisa. Pour la première fois, Mark et Courtney eurent l'impression qu'il se radoucissait quelque peu.

– Ce que je veux dire, c'est que vous devez faire attention. Saint Dane a remporté sa première victoire, et il est impossible de prévoir ce qui va en découler. À partir de maintenant, je ne suis pas sûr que les anciennes règles soient toujours d'actualité.

Lorsque Mark et Courtney reprirent le train pour Stony Brook, cet avertissement inquiétant les hantait toujours. Ils n'échangèrent pas un mot. Il leur fallait digérer le fait que, désormais, ils étaient officiellement des Acolytes. Mais la question restait : et maintenant ?

– Je veux aller au flume, déclara soudain Mark.

– Pourquoi ?

– On y laissera des vêtements à nous.

– Mais personne ne nous a dit qu'il avait besoin de vêtements, contra Courtney.

– Je sais. J'essaie de prendre de l'avance.

Ils se turent un moment, puis Courtney reprit :

– Tu cherches juste une excuse pour y aller, n'est-ce pas ?

Mark allait se récrier, puis il se ravisa et acquiesça :

– C'est bête, mais j'ai envie de le revoir pour m'assurer qu'il existe bel et bien.

– Je te comprends. Je ressens la même chose.

À la descente du train, ils rentrèrent chacun chez eux pour préparer un paquet de vêtements qui, dans leur esprit, étaient susceptibles d'aider un Voyageur venu d'un lointain territoire à passer inaperçu en Seconde Terre. Courtney ramassa des habits fonctionnels – jean, tee-shirt, sweat, culotte, chaussettes et bottes de marche. Elle se demanda si elle devait y ajouter un de ses soutiens-gorge, mais décida que ce serait pousser le bouchon un peu trop loin.

Mark choisit des vêtements totalement démodés. Il n'avait pas vraiment le choix : c'était tout ce qu'il avait sous la main. Il trouva des tee-shirts frappés de logos sans signification, des jeans dégriffés et des baskets de supermarché. Mark n'avait rien à faire de la mode. Pourvu que les Voyageurs pensent de même.

Mark récupéra aussi un objet qu'il espérait ne jamais avoir à utiliser : le tisonnier qui reposait devant la cheminée de ses parents. Ce n'était pas avec ça qu'il pourrait repousser les assauts d'un quig, mais c'était mieux que rien.

Mark et Courtney se retrouvèrent devant les portes de Sherwood House, chacun avec leur paquet sous le bras. En silence, ils allèrent à l'arbre qui leur donnerait accès au parc. Une fois de l'autre côté, Mark brandit le tisonnier, prêt à se défendre contre un éventuel assaut des quigs. Courtney remarqua ses mains tremblantes et lui prit doucement le tisonnier des mains. Si l'un des deux était susceptible d'affronter un de ces monstres, c'était bien elle.

Mais ils ne croisèrent pas une seule de ces bêtes aux yeux jaunes. Ils atteignirent la cave abritant le flume sans anicroche. Ils vidèrent leurs sacs et plièrent les vêtements avant de les disposer en une pile bien ordonnée. Courtney regarda ce qu'avait amené Mark et eut un petit rire.

– Pas de doute, Bobby passera totalement inaperçu avec un sweat à capuche jaune vif portant l'inscription *trop cool* !

– Arrête, répondit Mark, c'est mon préféré !

Courtney secoua la tête, incrédule. Ensuite, tous deux fixèrent ce tunnel sombre qui était la porte menant aux autres territoires. Ils restèrent là, en silence, chacun perdu dans ses pensées.

– J'ai peur et en même temps, je suis plein d'enthousiasme, finit par dire Mark.

– C'est vrai, reprit Courtney. Je veux jouer mon rôle dans cette histoire, mais c'est dur de ne pas savoir à quoi s'attendre.

– Tu t'imagines en Voyageuse ? fit Mark en s'approchant de l'embouchure du tunnel.

– À vrai dire, non.

– J'y ai beaucoup réfléchi ! déclara Mark. Ce serait formidable de pouvoir se tenir devant le flume et d'annoncer le prochain monde merveilleux qu'on veut visiter.

– En effet, ce serait assez incroyable, admit Courtney.

– Regarde-moi ce truc ! reprit Mark en désignant le flume. C'est comme d'avoir son jet personnel !

– Vraiment ? répondit Courtney avec un petit rire.

– Oui. On sait qu'il peut te mener au bout du monde, mais on ignore comment il fonctionne.

– Ce n'est pas si compliqué, remarqua Courtney. Il suffit d'être un Voyageur.

Mark sourit, se tourna et cria « *Eelong !* » dans le tunnel.

– Tu imagines si…, dit-il en se tournant vers Courtney.

– Mark ! cria-t-elle.

Elle avait l'air terrifiée et fixait les profondeurs du flume. Qu'est-ce qui se passait ? Mark se retourna et vit un spectacle incroyable.

Le flume s'animait !

Il bondit vers Courtney pour se serrer contre elle. C'est ainsi enlacés qu'ils reculèrent vers le mur opposé.

– C'est m-m-moi qui ai fait ça ? demanda Mark.

– Ou est-ce quelqu'un qui vient ? renchérit Courtney.

Une lumière apparut dans les profondeurs du tunnel. Les notes de musique s'enflèrent. Les murs de pierre craquèrent et gémirent. Mark et Courtney ouvrirent de grands yeux.

– Je… je ne veux pas vraiment partir pour Eelong ! cria Mark.

Courtney le serra encore plus fort, prête à s'accrocher à lui si elle sentait que le flume l'attirait.

Les murs gris devinrent transparents et le son et lumière arriva à l'embouchure du flume. Mark et Courtney durent se protéger les yeux. Mais ils n'osèrent pas utiliser leurs mains : ils étaient trop occupés à se cramponner l'un à l'autre.

Ils ne tardèrent pas à comprendre qu'ils n'allaient pas être aspirés dans le tunnel. Quelqu'un se dirigeait vers eux. Ils virent une silhouette sombre se découper sur le flot éblouissant et sortir du flume. Mais contrairement à tout ce qu'on leur avait raconté, le son et la lumière ne cessèrent pas au moment où le Voyageur sortait du flume. Quoi qui puisse se passer, ce n'était pas ordinaire. Mark et Courtney ouvrirent les yeux... et le regrettèrent aussitôt. Car là, dans l'embouchure du flume, se dressait Saint Dane.

Il était arrivé en Seconde Terre.

Ils ne l'avaient encore jamais vu, mais il n'y avait pas d'erreur possible : c'était bien ce démon aux yeux bleus, aux longs cheveux gris, tout de noir vêtu. La lumière continua de briller derrière lui et les murs restèrent transparents.

– C'est ainsi que tout commence, caqueta Saint Dane. Les parois se fissurent. La puissance d'autrefois se dissipe. On entre dans une nouvelle partie aux règles nouvelles.

Saint Dane rugit de rire. Soudain, un éclat de lumière jaillit des profondeurs du flume, et ses cheveux prirent feu ! Sa crinière grise partit en flammes, dévoilant son crâne. Sous les yeux horrifiés de Mark et Courtney, le feu se refléta dans les yeux de Saint Dane. Et il ne cessa de rire, comme si tout cela l'amusait énormément.

Mark et Courtney ne firent pas un geste. Si Courtney n'était pas si terrifiée, elle aurait remarqué que Mark tremblait comme une feuille.

Les flammes laissèrent Saint Dane complètement chauve, avec de longues marques rouges ressemblant à des veines enflammées montant depuis son cou jusqu'à son front. Ses yeux aussi avaient changé. Ils étaient devenus d'un blanc laiteux. Il posa son regard intense sur les deux nouveaux Acolytes, sourit, puis jeta un sac de toile souillée à leurs pieds.

– Un cadeau pour Pendragon, siffla-t-il. Je vous fais confiance pour le lui donner, d'accord ?

Saint Dane fit un pas en arrière pour rentrer dans le flume.

– Ce qui était écrit ne l'est plus, annonça-t-il.

C'est alors qu'il se mit à se transformer. Son corps devint liquide et il se pencha pour poser ses mains sur le sol. En même temps, il prit l'apparence d'un grand fauve de la taille d'un lion, mais avec des taches noires. La bête feula en regardant Mark et Courtney, puis sauta dans le flume. Aussitôt, la lumière l'emporta, et il s'évanouit dans ses profondeurs. La musique se tut, les parois redevinrent opaques et la lumière diminua jusqu'à n'être plus qu'un point minuscule.

Mais elle ne disparut pas pour autant.

Avant que Mark et Courtney ne puissent reprendre leurs esprits, la lumière grandit à nouveau. La musique résonna une fois de plus et les murs redevinrent transparents.

– Mon cerveau va exploser, marmonna Mark.

Un peu plus tard, les lumières déposèrent un autre passager.

– Bobby ! s'écrièrent Mark et Courtney en se précipitant vers lui.

Ils l'entourèrent de leurs bras, ivres de peur et de soulagement. Le tunnel était redevenu normal. Mais Bobby n'était pas là pour les rassurer.

– Que s'est-il passé ? demanda-t-il.

Mark et Courtney se reculèrent. Ils étaient encore dopés à l'adrénaline.

– C'était Saint Dane ! s'écria Courtney. Ses cheveux ont pris feu ! C'était l'horreur !

– Il a p-p-prétendu que les règles avaient changé, reprit Mark. Qu'est-ce qu'il voulait d-d-dire ?

Bobby a fait un pas en arrière. Mark et Courtney sentirent qu'il se crispait.

– Qu'est-ce que vous avez fait ? dit Bobby d'un ton de reproche.

– Fait ? répéta Courtney. On n'a rien fait du tout !

Mark et Courtney examinèrent alors Bobby. Il était nu-pieds, les cheveux en bataille, et tout son corps vêtu de haillons était souillé de terre. Et il ne sentait pas vraiment la rose.

– Qu'est-ce qui t'est arrivé ? demanda Mark.

– On s'en fiche ! rétorqua Bobby, aussi surexcité que ses amis. Vous avez activé le flume ?

Mark et Courtney se regardèrent. Il leur fallut un moment avant d'enregistrer ce que leur disait Bobby. Finalement, Mark répondit :

– Heu, je c-c-crois que oui. J'ai dit « *Eelong* » et...

– Non ! cria Bobby, furieux.

– Qu'y a-t-il ? demanda Courtney. On n'est pas des Voyageurs. On ne peut pas actionner le flume !

– Tout a changé ! cria Bobby. Saint Dane n'arrête pas d'accroître son pouvoir. Il s'est approprié son premier territoire. La nature même des choses est en train de changer.

– Et... ça veut dire qu'on peut utiliser les flumes ? demanda Courtney.

– N'allez pas faire une chose pareille ! fit Bobby. Ça ne ferait qu'aggraver la situation !

Soudain, Mark courut vers la porte de la cave et ramassa le sac que Saint Dane leur avait jeté.

– Il a dit que c'était pour toi, expliqua-t-il en le tendant à Bobby.

Celui-ci le prit avec répugnance. Il retourna le bout de toile et quelque chose tomba à terre.

Courtney poussa un cri. Mark fit un pas en arrière sans arriver à en croire à ses yeux. Bobby resta de marbre, serrant les dents.

Là, à leurs pieds, gisait une main humaine. Grande, à la peau noire. Et, aussi macabre que soit ce spectacle, un autre détail le rendait insupportable. À son doigt était passé un anneau de Voyageur.

– Gunny, murmura Bobby d'une voix blanche.

Tous trois restèrent plantés là, incapables de bouger. Finalement, Bobby inspira profondément, prit la main et la fourra dans le sac.

– Qu'est-ce qui se passe, Bobby ? demanda Courtney.

– Vous le saurez quand je vous enverrai mon journal, répondit-il.

Il se retourna et courut vers l'embouchure du flume, ramassant le sac au passage.

– *Eelong !* cria-t-il.

Le flume s'anima. La musique et les lumières entamèrent leur voyage.

Mark était au bord des larmes.

– Gunny va bien ? demanda-t-il.

– Il est en vie, répondit Bobby. Mais je ne sais pas pour combien de temps encore.

– Dis-nous ce qu'il faut faire ! supplia Courtney.

– Rien. Attendez mon journal. Et quoi qu'il arrive, n'actionnez pas le flume. C'est exactement ce que veut Saint Dane, et c'est exactement ce qu'il ne faut pas faire.

Dans un ultime éclair de lumière, Bobby se vit entraîné dans le flume, laissant ses amis seuls.

Mark Dimond avait soif d'aventure.

Il allait être servi.

À suivre

À PARAÎTRE EN OCTOBRE 2005

Bobby Pendragon n° 5